LA FEMME
DE L'OFFICIER NAZI

Edith Hahn Beer
avec Susan Dworkin

LA FEMME
DE L'OFFICIER NAZI

Comment une Juive
survécut à l'Holocauste

Traduit de l'anglais (USA) par Loïc Cohen

ÉDITIONS FRANCE LOISIRS

Titre de l'édition originale : THE NAZI OFFICER'S WIFE
publiée par William Morrow and Company, INC. New York

Édition du Club France Loisirs,
avec l'autorisation des Éditions Jean-Claude Lattès

Éditions France Loisirs,
123, boulevard de Grenelle, Paris
www.franceloisirs.com

En souvenir affectueux de ma mère, Klothilde Hahn

Crédits

Les photographies et documents de cet ouvrage qui font partie des collections permanentes du United States Holocaust Memorial Museum sont reproduits avec l'aimable autorisation du Pritchards Trustees Ltd et Angela Schlüter.

La photographie de Edith Hahn Beer et Angela Schlüter, © 1998 by David Harrison. Reproduite avec l'autorisation de Harpers & Queen.

Extrait de *Don Carlos* de Friedrich von Schiller, publié par Frederick Ungar, © 1967. Reproduit avec l'aimable autorisation du Continuum Publishing Company.

Discours de Thomas Mann, diffusé le 14 janvier 1945. Extrait de *Deutche Hoerer ! Radiosendungen nach Deutschland. Europaeische Hoerer !* Hrsg. Von Europ. Kulturges., Venedig, Geschäftsstelle in d. Bundesrepublik Deutchland, Verlag Darmstädter Blätter, © 1986. Reproduit avec l'aimable autorisation de Verlag Darmstädter Blätter.

Extraits de *Faust* de Goethe « The Buchenwald Song », discours de Thomas Mann, © 1999.

Extraits du discours du Grand Rabbin Joseph Herman Hertz, reproduits avec l'aimable autorisation du BBC Written Archives Center.

Préface

L ongtemps, j'ai délibérément occulté mon histoire. À l'instar de bon nombre d'individus qui ont survécu à cette immense tragédie au cours de laquelle tant d'autres gens ont perdu la vie, je ne souhaitais pas évoquer ma vie de *U-boat*, de personne pourchassée par la Gestapo et vivant clandestinement dans l'Allemagne nazie sous une fausse identité. Je préférais, dans la mesure du possible, oublier ces événements et ne pas accabler les jeunes générations de souvenirs tristes. Ce fut ma fille, Angela, qui m'incita à révéler mon histoire, à laisser un témoignage écrit, afin que le monde sache.

En 1997, je pris la décision de vendre aux enchères mes archives relatives à la période de la guerre, qu'il s'agisse de lettres, de photographies ou de documents. Ces archives furent acquises à Sotheby's à Londres par deux amis de longue date — des mécènes passionnés d'histoire — Drew Lewis et Dalck Feith. Leur intention était d'en faire don au Musée de l'Holocauste de Washington, où elles sont aujourd'hui déposées. Je les remercie infiniment pour leur générosité et leur sollicitude. Les documents contenus dans ces archives ont réveillé en moi de nombreux souvenirs. Je tiens également à exprimer ma gratitude à Susan Dworkin, ma collaboratrice, pour sa sympathie à mon égard et pour son aide inestimable, car sans elle, il m'aurait été difficile de donner un sens à mes souvenirs et de les exprimer.

Un grand merci aussi à Nina Sasportas de Cologne, dont les recherches nous ont permis d'approfondir mes souvenirs, et à Elisabeth LeVangia Uppenbrink de New York, qui a traduit tous les documents et toutes les lettres en un anglais accessible à tous. Je tiens encore à remercier Nicolas Kolarz, Robert Levine, Suzanne Braun Levine, mon directeur de publication, Colin Dikerman et son associée, Karen Murphy, et mon éditeur, Rob Weisbach — tous de précieux critiques et de bons camarades — qui m'ont fait don de leur esprit, de leur énergie et de leur sagesse.

Enfin, ce livre n'aura pas vu le jour sans Angela Schlüter, ma fille, car ce sont ses recherches empreintes de compassion, son besoin de savoir, sa quête de ce passé étrange et miraculeux qui m'ont au bout du compte poussée à me raconter.

Edith Hahn Beer
Netanya, Israël

1

LA PETITE VOIX DE CE TEMPS-LÀ

U n jour, il n'y eut plus d'oignons. Mes collègues infirmières de la Croix-Rouge au *Städische Kran-kenhaus* à Brandenburg disaient que le Führer en avait trop besoin pour fabriquer des gaz toxiques afin d'en finir avec nos adversaires. Mais je pense qu'à l'époque — en mai 1943 —, de nombreux citoyens du Troisième Reich auraient volontiers renoncé au plaisir de gazer nos ennemis pour goûter la saveur d'un oignon.

Je travaillais alors au service des prisonniers de guerre. Ma tâche consistait à préparer le thé pour tous les patients et à le distribuer sur un petit chariot, en les gratifiant d'un sourire et d'un joyeux *Guten Tag* !

Un matin, alors que je rapportais les tasses de thé à la cuisine pour les laver, je surpris une des infirmières en chef en train de couper un oignon. C'était la femme d'un officier et elle venait de Hambourg. Je crois qu'elle s'appelait Hilde. Elle me dit qu'elle destinait cet oignon à son déjeuner. Elle me fixa attentivement pour voir si j'avais cru à son mensonge. J'arborai mon petit sourire de gentille idiote, le regard vide, et m'empressai de laver les tasses en faisant comme si je n'avais pas compris qu'elle l'avait acheté au marché noir. Elle voulait ainsi adoucir un peu les derniers jours d'un prisonnier russe gravement blessé avec un aliment qu'il appréciait particulièrement. Ces deux initiatives — acheter un oignon au marché noir ou établir des liens amicaux avec ce Russe — auraient pu l'envoyer en prison.

Comme les rares Allemands qui défiaient les lois d'Hitler, cette infirmière de Hambourg constituait une exception. D'habitude, les membres du personnel de notre hôpital volaient la nourriture destinée aux patients étrangers pour leur consommation personnelle. Ces infirmières n'avaient en effet rien à voir avec les femmes instruites issues de milieux aisés pour qui s'occuper de malades était un devoir sacré. Il s'agissait le plus souvent de jeunes paysannes venues de Prusse-Orientale, condamnées leur vie durant à un labeur éreintant aux champs et dans l'étable, et qui échappaient ainsi à ce triste sort. Il faut que vous le sachiez. Elles avaient grandi durant la période nazie sous un déluge de propagande. Elles étaient réellement persuadées qu'elles faisaient partie de la race supérieure, que le destin de tous ces prisonniers russes, français, hollandais, belges et polonais était de travailler pour elles. Dans ces conditions, voler une assiette de soupe à des créatures aussi inférieures leur paraissait parfaitement légitime.

Je pense qu'il y avait plus de dix mille prisonniers étrangers à Brandenburg. Certains travaillaient aux usines automobiles Opel, d'autres à l'usine d'avions Arado, d'autres encore à l'usine Brennabor, qui fabriquait des landaus. La plupart de ceux dont nous nous occupions à l'hôpital avaient été victimes d'accidents de travail. Alors qu'ils contribuaient à l'économie du Reich, leurs mains avaient été mutilées par des presses mécaniques, ou ils s'étaient brûlés au feu d'une forge, ou ils avaient été aspergés de produits chimiques corrosifs. C'était une population d'esclaves — des hommes vaincus, désemparés, coupés de leurs familles, en proie au mal du pays. Je n'osais pas les regarder en face par crainte de me voir dans un miroir — de voir ma propre terreur, ma propre solitude.

Dans notre hôpital, chaque service était installé dans un pavillon séparé. Le personnel infirmier prenait ses repas dans un bâtiment, faisait la lessive dans un autre, s'occupait des patients relevant du service orthopédique dans un autre, et de ceux qui étaient atteints d'une maladie infectieuse dans un autre encore. Les prisonniers étrangers étaient rigoureusement séparés des patients allemands, quelle que fût la gravité de leur état. On raconte qu'un jour, tout un bâtiment fut attribué aux étrangers atteints de typhus, une maladie qui se transmet par des eaux contaminées. Le fait qu'ils aient pu la contracter dans notre magnifique ville chargée d'histoire — une ville qui a inspiré des concertos immortels, où l'eau était propre et où les aliments étaient soigneusement rationnés et surveillés par le gouvernement — était incompréhensible pour de simples filles comme nous. Bon nombre de mes collègues pensaient que l'épidémie était due à l'hygiène déplorable de ces étrangers. Elles refusaient d'admettre que les conditions de vie exécrables imposées aux travailleurs forcés en étaient très certainement à l'origine.

En fait, je n'étais pas vraiment infirmière, vous savez, mais plutôt une aide-soignante, formée uniquement à des tâches subalternes. Je donnais à manger à des patients incapables de s'alimenter eux-mêmes. Je nettoyais les tables de chevet. Je lavais les bassins de lit. Le premier jour, j'en avais lavé vingt-sept dans l'évier, comme s'il s'agissait de plats. Je lavais aussi les gants en caoutchouc. Ils n'étaient pas destinés à être jetés comme ceux blancs et fins d'aujourd'hui. Les nôtres étaient lourds, résistants et réutilisables. Il me fallait pulvériser un produit sur leur face intérieure. Parfois, je préparais une pommade noire que j'appliquais sur des compresses pour soulager les douleurs rhumatismales. Et c'était tout. Dans le domaine médical, je ne pouvais rien faire de plus.

Un jour, on me demanda de participer à une transfusion sanguine. Ma tâche consistait à agiter le sang pour l'empêcher de coaguler. Je fus prise de nausées et sortis précipitamment de la salle. Les autres ont dû se dire : « Bon, Grete n'est qu'une petite Viennoise idiote, à peine plus instruite qu'une femme de ménage : que peut-on attendre d'elle ? Le mieux, c'est qu'elle s'occupe des étrangers qui se sont blessés au travail. »

Je priais pour que personne ne meure pendant mon service. Le ciel a dû m'entendre, car les prisonniers ont toujours trépassé en mon absence.

Je m'efforçais d'être gentille avec eux. Ainsi, j'essayais de parler dans leur langue aux Français pour apaiser leur mal du pays. Je devais sourire de manière un peu trop voyante, car un matin du mois d'août mon infirmière en chef me fit remarquer que je m'étais montrée trop amicale. Et c'est pour cette raison que je fus transférée à la maternité.

Partout, il y avait en effet des dénonciateurs, des mouchards de la Gestapo. C'est pour cette raison que l'infirmière qui avait coupé un oignon pour son patient russe avait eu si peur de moi, oui, même de moi, Margarethe, surnommée « Grete », aide-soignante autrichienne sans instruction. Même *moi* j'étais susceptible de travailler pour la police ou pour les SS !

Au début de l'automne 1943, peu après mon transfert à la maternité, un important industriel arriva de

Berlin en ambulance. Cet homme avait été victime d'une attaque cérébrale. Son état nécessitait tranquillité et soins constants. Comme Berlin était bombardé par les Alliés depuis janvier, sa famille et ses amis avaient estimé qu'il se rétablirait plus rapidement dans un hôpital de Brandenburg, ville épargnée par les bombes, où le personnel ne serait pas obligé de consacrer une grande partie de son temps aux urgences. Si l'on m'a affectée au service exclusif de cet homme, c'est sans doute parce que j'étais la plus jeune et la moins qualifiée.

Ce n'était pas une tâche très agréable. Il était partiellement paralysé, et il fallait le conduire aux toilettes, le nourrir morceau par morceau, le baigner et le retourner constamment. En outre, je devais masser son corps flasque et impuissant.

Pour ne pas aiguiser l'ambition de Werner, mon fiancé, j'en disais le moins possible sur mon patient. En effet, cela aurait pu l'inciter à faire pression sur moi pour obtenir des avantages grâce à ma relation étroite avec un personnage aussi important. L'expérience lui avait enseigné que, pour gagner de l'avancement dans le Reich, il était plus important d'avoir des relations — amis haut placés, parents puissants — que des compétences. Werner, lui, était un peintre imaginatif et doté d'un talent certain. Avant l'avènement du nazisme, cela ne l'avait pas empêché de se retrouver sur le pavé, sans travail. Il lui était même arrivé de dormir sous la pluie dans la forêt. Mais, par la suite, les choses s'étaient arrangées. Il avait rejoint le parti nazi et avait été nommé directeur du service de peinture à l'usine d'avions Arado, où il avait de nombreux travailleurs étrangers sous sa responsabilité. Il devait devenir mon époux dévoué et, quelque temps plus tard, officier dans la Wehrmacht. Mais il n'était jamais satisfait. Ce n'était pas assez pour lui, Werner. Il en voulait toujours plus, toujours à la recherche d'une combine, d'un moyen de gravir l'échelle sociale jusqu'au point où il aurait enfin reçu les récompenses qu'il pensait mériter. Homme nerveux et impulsif, il rêvait de succès. Si je lui avais tout dit sur mon important patient, il se serait certainement mis à bâtir des châteaux en Espagne. Aussi ne lui en disais-je que le strict nécessaire.

Lorsque mon patient reçut des fleurs d'Albert Speer en personne, le ministre de l'Armement et de la Production de guerre, je compris pourquoi les autres infirmières s'étaient empressées de me confier ce travail. Prendre soin de membres importants du parti était risqué. Un bassin de lit qui tombe, un verre d'eau renversé, pouvait vous attirer de graves ennuis. Qu'arriverait-il si je retournais le patient trop vite, si je le lavais trop vigoureusement, si je lui donnais une soupe trop chaude, ou trop froide ou trop salée ? Et — oh, mon Dieu ! — s'il était victime d'une autre attaque ? Et s'il *mourait* pendant que je lui prodiguais des soins ?

Tremblant à l'idée des innombrables occasions de faire une bêtise, je m'efforçais d'accomplir mes tâches à la perfection. Dans ces conditions, il n'est guère étonnant que cet industriel m'ait trouvée merveilleuse.

— Vous êtes une excellente travailleuse, infirmière Margarethe, dit-il alors que j'étais en train de lui donner son bain. Vous devez avoir une expérience considérable pour quelqu'un d'aussi jeune.

— Oh, non, monsieur, dis-je de ma plus petite voix. Je sors tout juste de l'école. Je ne fais que ce que l'on m'a enseigné.

— Et vous n'aviez jamais pris soin d'une victime d'attaque cérébrale auparavant ?

— Non, monsieur.

— Stupéfiant.

Chaque jour sa mobilité s'améliorait un peu et il articulait mieux ses mots. Il avait très bon moral, sans doute parce qu'il constatait l'amélioration de son état.

— Dites-moi, infirmière Margarethe, que pensent les gens de la guerre, ici, à Brandenburg ? me demanda-t-il un jour alors que je massais ses pieds

— Oh, je ne sais pas, monsieur.

— Mais vous avez bien dû entendre quelque chose... L'opinion publique m'intéresse. Que pensent les gens de la ration de viande ?

— Elle est tout à fait suffisante.

— Que pensent-ils de la situation en Italie ?

Devais-je admettre que j'avais entendu parler du débarquement allié ? Pouvais-je ou non me permettre une telle audace ?

— Nous croyons tous que les Anglais seront finalement vaincus, monsieur.

— Connaissez-vous une fille dont le fiancé combat sur le front de l'Est ? Que disent les soldats dans leurs lettres ?

— Oh, les hommes ne parlent pas des combats, monsieur, parce qu'ils ne veulent pas nous inquiéter et qu'ils ont peur de livrer ainsi à l'ennemi des détails importants au cas où celui-ci parviendrait à intercepter le courrier. Cela pourrait mettre en danger leurs camarades.

— Saviez-vous que les Russes étaient des cannibales ? Saviez-vous qu'ils mangeaient leurs propres enfants ?

— Oui, monsieur.

— Et vous y croyez ?

Je pris un risque.

— Certains y croient, monsieur. Mais je pense que, si les Russes mangeaient leurs enfants, ils ne seraient pas aussi nombreux qu'il y paraît.

Il se mit à rire. Son regard était chaleureux et plein d'humour et il avait l'air affable. Il me rappelait même un peu mon grand-père, dont je m'étais occupé des années auparavant après son attaque cérébrale... il y avait si longtemps, dans une autre vie. Je me sentis alors plus à l'aise avec lui et je baissai un peu la garde.

— À votre avis, infirmière, que pourrait faire le Führer pour rendre son peuple heureux ?

— Mon fiancé dit que le Führer aime l'Allemagne comme on aime une épouse, et que c'est pour cela qu'il n'est pas marié. Il dit que le Führer ferait n'importe quoi pour nous rendre heureux. Aussi, si vous pouviez parler au Führer, monsieur, peut-être pourriez-vous lui dire que nous serions très heureux s'il pouvait avoir l'extrême gentillesse de nous envoyer quelques oignons.

Cela l'amusa au plus haut point.

— Vous êtes un formidable médicament pour moi, Margarethe. Vous parlez avec franchise et vous avez bon cœur, l'authentique âme féminine allemande. Dites-moi, votre fiancé est-il actuellement sur le front de l'Est ?

— Pas encore, monsieur. Il a des compétences particulières et on lui a confié un travail délicat dans l'industrie aéronautique.

— Ah, formidable, formidable, dit-il. Mes fils sont, eux aussi, de bons garçons. Ils réussissent très bien en ce moment.

Il me montra alors une photo de ses grands et beaux garçons en uniforme. Ils avaient atteint une position élevée dans le parti nazi. C'étaient des hommes importants. Il était très fier d'eux.

— Il est facile de devenir cardinal lorsque votre cousin est pape, lui dis-je.

Il mit un terme à ses vantardises et me fixa longuement d'un regard dur.

— Je vois que vous n'êtes pas une fille aussi
simple qu'il y paraît. Je vois que vous êtes une femme
très intelligente. Où avez-vous été éduquée ?

Mon estomac se serra. Ma gorge se dessécha.

— C'est quelque chose que ma grand-mère disait
toujours, dis-je en le retournant pour laver son dos.
C'est un vieux dicton dans notre famille.

— Lorsque je retournerai à Berlin, j'aimerais que
vous deveniez mon infirmière personnelle. J'en parlerai
à vos supérieurs.

— Oh, j'adorerais travailler pour vous, monsieur,
mais mon fiancé et moi avons prévu de nous marier
bientôt et, voyez-vous, il me serait impossible de quitter Brandenburg ! Mais, je vous remercie, monsieur !
Merci ! Quel honneur ! Vraiment, le plus grand des
honneurs !

Mon service s'achevait. Je lui souhaitai bonne nuit
avant de sortir de la chambre toute tremblante, d'un
pas mal assuré. J'étais trempée de sueur. Je dis à la col-
lègue qui venait me remplacer que c'était à cause des
grands efforts que j'avais dû fournir lors des exercices
à mon célèbre patient. Mais, à la vérité, c'était parce
que j'avais failli me trahir. La moindre manifestation
trop subtile de ma part — une référence littéraire ou
historique qu'une jeune Autrichienne ordinaire serait
bien en peine de formuler — aurait été, dans mon cas,
aussi révélatrice qu'une circoncision.

Sur le chemin du retour vers les immeubles des
usines Arado à l'extrême est de la ville où Werner et
moi vivions, je m'exhortais pour la millième fois à être
plus prudente, à dissimuler tout signe d'intelligence, et
à me taire, le regard vide.

En octobre 1943, mes collègues infirmières de la Croix-Rouge me firent un grand honneur. La municipalité de Brandenburg organisait un vaste rassemblement et chaque groupe de travailleurs devait y envoyer un représentant. Toutes les infirmières en chef trouvèrent une excuse pour ne pas y assister. Peut-être n'avaient-elles pas envie de participer à des festivités parce qu'elles avaient entendu parler des graves revers de l'armée allemande en Russie, en Afrique du Nord et en Italie. Comment avaient-elles pu le savoir, je l'ignore. La radio allemande ne disait pas toute la vérité et le fait d'écouter les radios étrangères constituait un acte criminel. Je fus donc désignée pour représenter mes collègues à cet important rassemblement.

Werner était très fier de moi. Je l'imaginais en train de se vanter auprès de ses collègues d'Arado : « Ce n'est pas étonnant qu'ils aient choisi ma Grete ! C'est une véritable patriote ! » Il avait un bon sens de l'humour, mon Werner, un authentique don pour percevoir les paradoxes de l'existence.

Je m'étais soigneusement habillée pour le grand jour. J'avais revêtu mon uniforme d'infirmière de la Croix-Rouge, coiffé mes cheveux noirs dans un style simple et naturel, sans barrettes, sans boucles ni brillantine, ne m'étais pas maquillée et ne portais pas de bijoux, à l'exception d'un petit anneau en or serti d'un minuscule diamant, un cadeau de mon père pour mes seize ans. J'étais petite, pas plus d'un mètre soixante, et j'avais une jolie silhouette que je masquais toutefois avec des bas blancs trop amples et une robe chasuble informe. À cette époque, une personne dans ma situation ne souhaitait pas particulièrement attirer l'attention en public. Élégante, soignée, mais avant tout, simple. Rien qui pût attirer l'attention.

Le grand rassemblement fut finalement très différent de ce à quoi nous avions été habitués. Il n'y avait pas de percussions ensorcelantes ou de marches tonitruantes, ni de beaux jeunes hommes et de belles jeunes filles en uniforme qui agitaient des drapeaux. Ce rassemblement avait un but bien précis : vaincre l'esprit défaitiste qui commençait à submerger l'Allemagne depuis la débâcle de Stalingrad, l'hiver précédent. Heinrich Himmler avait été nommé ministre de l'Intérieur en août avec pour mission de « Renouveler la foi allemande en la victoire ! » L'un après l'autre, chaque orateur nous exhorta à redoubler d'efforts pour soutenir nos vaillants combattants, parce que, si nous perdions la guerre, la terrible pauvreté qui prévalait avant l'ère nazie sévirait de nouveau, accompagnée d'un effroyable chômage. Si nous étions las du *Eintopf*, le plat unique du soir que Joseph Goebbels avait qualifié de régime de l'abnégation adapté à une nation engagée dans une « guerre totale », nous devions garder à l'esprit qu'après la Victoire nous nous régalerions comme des rois de vrai café et de pain doré fait avec de la farine blanche et des œufs entiers. On nous incita à augmenter la productivité au travail, à dénoncer tous ceux que nous soupçonnions de déloyauté, surtout ceux qui écoutaient à la radio les nouvelles « grossièrement exagérées » de l'ennemi sur les défaites allemandes en Afrique du Nord et en Italie.

« Mon Dieu, pensai-je, ils sont très inquiets. Les "maîtres du monde" nazis commencent à trembler. » La tête me tournait et j'étais un peu haletante. Une vieille chanson surgit d'elle-même dans ma tête. « Chut ! me dis-je, il est trop tôt pour chanter. Chut. »

Cette nuit-là, quand Werner et moi nous branchâmes sur la BBC, je priai pour que les nouvelles sur les revers militaires allemands fussent les signes annonciateurs d'une fin proche de la guerre et, en ce qui me

concernait, d'une libération de cette prison qu'était ma
vie sous une fausse identité.

Mais je n'osais pas faire part de mes espoirs, pas
même à Werner. Je gardais secrète mon exaltation, je
m'exprimais d'une voix douce et adoptais en permanence une attitude effacée. Invisibilité. Silence.
C'étaient là les habits que je portais durant cette
période où j'étais devenue une *U-boat*, mot dont les survivants de l'Holocauste se servent pour désigner
aujourd'hui les Juifs qui tentaient d'échapper à la
machine de mort nazie, en se cachant sous une fausse
identité, au cœur même du Troisième Reich.

Plus tard, alors que j'étais mariée avec Fred Beer et
que je vivais en sécurité en Angleterre, je rejetai ces
habits de guerre. Mais à présent que Fred est mort, que
je suis vieille et dans l'incapacité de maîtriser l'impact
de mes souvenirs, j'ai décidé de les revêtir à nouveau.
Un jour que j'étais assise dans mon café favori du
square de Netanya, au bord de la mer sur la Terre d'Israël, une de mes connaissances s'est arrêtée pour bavarder un petit peu comme aujourd'hui, en votre
compagnie. « *Giveret*[1] Beer, racontez-moi votre expérience durant la guerre, quand vous viviez avec un
membre du parti nazi en Allemagne, en vous faisant
passer pour une aryenne, avec la terreur permanente
d'être dénoncée. » Je lui ai répondu d'une petite voix,
stupéfiée par ma propre ignorance : « Oh, mais j'en suis
incapable. Je crois bien que je ne m'en souviens plus. »
Mes yeux vagabondèrent et ne purent se fixer nulle
part ; ma voix devint rêveuse, heurtée, douce. C'était la
voix que j'avais à Brandenburg, quand j'étais une étudiante juive de vingt-neuf ans recherchée par la Ges-

---

1. *Giveret* : « Madame » en hébreu (*N.d.T.*)

tapo et que je me faisais passer pour une aide-soignante sans instruction de vingt et un ans.

Il vous faudra me pardonner quand vous entendrez cette petite voix d'autrefois, faible et mal assurée. Vous devrez me secouer : « Edith ! Parle plus fort ! Raconte ton histoire ! »

Cela fait plus d'un siècle.

Je suppose qu'il est temps.

2

LES HAHN DE VIENNE

Lorsque j'étais enfant, il me semblait que le monde entier s'était donné rendez-vous à Vienne, ma ville, pour s'asseoir à une terrasse ensoleillée, déguster un café et des gâteaux et s'engager dans d'incomparables conversations. En sortant de l'école, je passais devant l'opéra, la magnifique *Josephplatz* et la *Michaelerplatz*. Je jouais dans le *Volksgarten* et le *Burrgarten*. Je croisais des dames pleines de dignité portant des chapeaux de façon désinvolte et des bas de soie ; des *gentlemen* avec des cannes et des chaînes de montre en or ; des ouvriers un peu rustres venus de toutes les provinces de l'ancien empire des Habsbourg, qui ravalaient et peignaient nos façades luxueuses de leurs mains épaisses, carrées et habiles. Les magasins regorgeaient de fruits exotiques, d'objets en cristal et de soieries. L'esprit moderne surgissait tout au long de mon chemin.

Un jour, après avoir réussi à me frayer un passage dans une foule compacte, je me retrouvais devant la vitrine d'un magasin où une femme en tenue de domestique faisait la démonstration d'un aspirateur « Hoover ». Elle répandit de la poussière sur le sol, mit en marche sa machine et, comme par magie, fit disparaître la poussière. Je poussai des cris d'enthousiasme et courus raconter l'événement à mes copines de l'école.

Un autre jour — j'avais dix ans — je pris place dans une longue file devant les bureaux d'un magazine, *Die Bühne*, « La Scène ». Peu après, j'étais assise à une table devant une grosse boîte de couleur marron. Une dame aimable me plaça des écouteurs sur la tête. La boîte se mit à vivre. Une voix. Une chanson. La radio ! Je me précipitai à toute vitesse jusqu'au restaurant de mon père pour raconter à ma famille ce que j'avais vu. Ma sœur Mimi, ma cadette d'un an seulement, s'en fichait éperdument. Le bébé — la petite Johanna, surnommée Hansi — était trop petit pour comprendre. Et maman et papa étaient trop occupés pour m'écouter. Mais je savais que j'avais entendu quelque chose d'exceptionnel, l'énergie du futur, une divinité en devenir. N'oubliez pas que la radio était quelque chose de tout nouveau en 1924. Mais l'on pouvait déjà imaginer le pouvoir qu'elle représentait et l'emprise qu'elle aurait plus tard sur les esprits faibles.

Je fis part de mon enthousiasme au professeur Spitzer, de l'Université technologique, mon client préféré parmi les habitués du restaurant : « La personne qui parle peut se trouver très, très loin, professeur ! Et pourtant, sa voix traverse l'air comme un oiseau ! Bientôt, nous pourrons entendre les voix venues du monde entier. » Je lisais avec empressement les journaux et les magazines que papa conservait pour ses clients. Ce qui m'intéressait le plus, c'était la rubrique juridique, avec des cas réels, des débats et des problèmes qui m'enthousiasmaient. À chaque découverte, je traversais notre belle « cité de la valse », cherchant désespérément quelqu'un à qui parler de ce que j'avais lu et vu.

L'école était mon plus grand plaisir. Il n'y avait que des filles dans ma classe ; papa ne croyait pas à l'enseignement mixte. Contrairement à mes sœurs, j'adorais étudier et je n'avais jamais trouvé cela difficile. On nous enseignait que les Français étaient nos pires ennemis, que les Italiens étaient des traîtres, et que c'était uniquement à cause d'un « coup de poignard dans le dos » que l'Autriche avait perdu la Première Guerre mondiale — mais je dois vous dire que nous n'avons jamais su vraiment qui était l'auteur de ce coup de poignard. Souvent, les enseignants me demandaient quelle langue nous parlions à la maison. C'était un moyen, pas très subtil, de savoir si nous parlions yiddish (ce qui n'était pas le cas) et donc, si nous étions juifs (ce qui était le cas). Voyez-vous, ils voulaient savoir. Ils avaient peur qu'avec nos visages typiquement autrichiens nous ne passions inaperçus. Ils ne voulaient pas être dupes. Même à l'époque, dans les années 20, ils voulaient être en mesure de dire qui était juif.

Un jour, le professeur Spitzer interrogea mon père sur mon éducation future. Papa dit qu'il fallait que je finisse le collège et qu'ensuite, je ferais mon apprentissage de couturière, tout comme l'avait fait ma mère. « Mais vous avez là une fille très brillante, mon cher Hahn, dit le professeur. Vous devez l'envoyer au lycée, voire à... l'université. » Mon père se mit à rire. Si j'avais été un garçon, il se serait saigné aux quatre veines pour me payer des études. Mais comme j'étais une fille, une telle idée ne lui était même pas venue à l'esprit. Cependant, comme ce distingué professeur avait soulevé la question, papa décida d'en discuter avec ma maman.

Mon père, Leopold Hahn, avait une magnifique moustache noire, des cheveux noirs et bouclés et une personnalité drôle et ouverte, tout à fait appropriée au métier de restaurateur. Il était le plus jeune de six frères, aussi, quand il avait eu l'âge de commencer ses études, la famille n'avait plus d'argent pour les financer. C'est pourquoi il avait appris le métier de serveur. Je sais que cela paraîtra difficile à croire, mais, à cette époque et dans ce pays, la formation d'un garçon de restaurant prenait plusieurs années. Les gens aimaient papa. Ils avaient confiance en lui et lui racontaient leur vie. Il se montrait un auditeur très attentif. C'était son talent.

Il avait une grande expérience du monde et était un être beaucoup plus complexe qu'il n'y paraissait. Il avait travaillé sur la Côte d'Azur et dans les stations thermales tchécoslovaques de Carlsbad et de Marienbad, où il avait vécu quelques folles nuits. Il avait combattu dans l'armée austro-hongroise durant la Première Guerre mondiale. Blessé, puis fait prisonnier, il s'était échappé et était rentré chez nous. Sa blessure à l'épaule avait entravé la mobilité de son bras, à tel point qu'il ne pouvait se raser tout seul.

Le restaurant, au *Kohlmarkt*, dans le centre très animé de Vienne, représentait toute sa vie. On y trouvait un bar long et poli, ainsi qu'une salle à manger à l'arrière. Ses clients s'y rendaient chaque jour depuis des années. Papa savait ce qu'ils voulaient manger avant même qu'ils ne passent commande. Il mettait de côté leurs journaux favoris. Il était aux petits soins pour eux.

Nous habitions un trois pièces, dans ce qui était en réalité un ancien palais aménagé en immeuble d'habitation au numéro 29 de la *Argentinierstrasse*, dans le quatrième arrondissement de Vienne. Notre propriétaire, de la compagnie Habsburg-Lothringen, était apparenté à la famille royale. Comme maman travaillait sept jours par semaine aux côtés de papa au restaurant, nous, les filles, devions y prendre nos repas. Le personnel s'occupait du nettoyage et prenait soin de nous.

Ma mère, Klothilde, était une jolie femme, petite, aux formes rebondies, séduisante mais pas coquette. Elle avait gardé ses longs cheveux noirs. Les traits de son visage avaient une expression de patience et de perplexité. Elle pardonnait aux gens leurs bêtises. Elle poussait souvent des soupirs et savait quand il fallait se taire.

Je prodiguais toute mon affection à Hansi, ma petite sœur, de sept ans ma cadette. Pour moi, elle ressemblait à l'un de ces chérubins qui ornent nos cathédrales baroques, avec ses joues roses rebondies, sa peau si délicate et ses boucles rebelles. En revanche, je n'aimais pas ma sœur Mimi. C'était réciproque, d'ailleurs. Elle avait la vue faible, des lunettes épaisses, un caractère revêche et mesquin : elle était jalouse de tout le monde. Maman, culpabilisée par la tristesse de Mimi, lui passait tous ses caprices, en supposant que moi, « l'insouciante », je pouvais me débrouiller toute seule. Étant donné que Mimi n'avait pas d'amis et qu'en ce qui me concerne, j'avais, comme mon père, beaucoup de succès, je devais partager mes amis avec elle et l'emmener partout avec moi.

Papa prenait soin de nous tous et s'efforçait de nous cacher les mauvais côtés du monde. Il décidait de tout et mettait de l'argent de côté pour nos dots. Dans les périodes fastes, s'il se sentait un peu en fonds, il lui arrivait de s'arrêter dans une vente aux enchères, en revenant du travail, pour acheter un bijou à maman — une chaîne en or, des boucles d'oreilles en ambre. Il se renversait alors dans son fauteuil en cuir, attendant qu'elle ouvre le paquet, ravi de son excitation, savourant à l'avance les baisers qu'elle ne manquerait pas de lui donner. Il adorait ma mère. Ils ne se sont jamais disputés. Oui, vous avez bien lu : ils ne se sont *jamais* disputés. Le soir, elle faisait sa couture pendant qu'il lisait son journal et que nous faisions nos devoirs. Alors, nous jouissions de ce que les Israéliens appellent *shalom bait*, la paix à la maison.

Je pense que mon père savait se comporter en bon juif, mais c'est une chose qu'il ne nous a jamais apprise. Il devait penser que nous absorberions le judaïsme en même temps que le lait de notre mère. On nous inscrivit toutefois au Talmud Torah, l'enseignement religieux pour les enfants à la synagogue, le samedi après-midi. La bonne était supposée nous y emmener, mais elle était catholique, comme la plupart des Autrichiens, et elle avait peur de s'y rendre. En outre, ma mère, qui travaillait et avait besoin de son aide, avait peur d'elle. Nous n'y allions que très rarement et nous n'avons pratiquement rien appris. Toutefois, je me souviens d'un chant que j'ai appris à cette époque.

> *Un jour, le Temple sera construit*
> *Et les Juifs retourneront à Jérusalem.*
> *C'est ainsi qu'il est écrit dans le Livre Saint.*
> *C'est ainsi qu'il est écrit. Alléluia !*

En dehors de la célèbre prière — *Shema Israël Adonaï Elohenou Adonaï Ehad*[1] — cette chanson représentait toutes mes connaissances en ce qui concerne les prières et la pratique du judaïsme.

Dommage que je n'en aie pas su davantage.

Je remercie le Seigneur d'en avoir su autant.

---

1. « Écoute, Israël l'Éternel, notre Dieu, est un ». (*N.d.T.*)

Le restaurant de mon père était fermé à Roch Hachana et à Yom Kippour. Comme à la maison, on n'y servait ni porc, ni de fruits de mer, mais autrement, il n'était pas casher du tout. En ces jours de fêtes, nous nous rendions surtout à la synagogue pour rencontrer les membres de notre famille. Maman et papa étaient vaguement apparentés. Ils avaient le même nom de famille. Entre les deux sœurs et le frère de maman et les six frères et les trois sœurs de papa, il y avait plus de trente cousins Hahn à Vienne. Vous pouviez toujours trouver un Hahn ou un autre à la terrasse d'un café du Prater. Chaque branche de la famille observait la religion juive à sa manière. Ainsi, par exemple, tante Gisela Kirschenbaum — une des sœurs de mon père qui avait également un restaurant — ouvrait son établissement aux pauvres pour qu'ils puissent participer gratuitement au Seder, le repas de Pâque. Richard, le frère de maman, un athée absolu, avait épousé l'héritière d'un marchand de meubles de style originaire de Topolcany, près de Bratislava. Elle s'appelait Roszi. Elle avait été éduquée dans le judaïsme orthodoxe, et elle ne pouvait pas supporter le désir des Hahn de s'intégrer à tout prix ; aussi revenait-elle toujours chez elle, en Tchécoslovaquie, pour les vacances.

Parfois, mes parents me surprenaient par une expression inattendue de la conscience juive. Un jour, ma mère a littéralement failli s'étouffer d'indignation quand je lui ai dit que j'avais dégusté un sandwich au boudin noir « absolument délicieux » chez une amie. L'authentique sentiment d'horreur qu'elle éprouva me stupéfia. Une autre fois — c'était seulement pour alimenter la conversation — j'ai demandé à mon père si je pouvais épouser un chrétien. Ses yeux noirs se sont enflammés : « Non, Edith. Je ne pourrais jamais suppor-

ter une pareille chose. J'en mourrais. La réponse est
non ! »

Papa pensait que les Juifs devaient être meilleurs
que les autres. Il exigeait que nos livrets scolaires soient
les meilleurs, que notre conscience sociale soit plus
développée que celle des autres. Il voulait que nous
ayons des manières plus distinguées, des vêtements
plus propres et des principes moraux irréprochables.

Je n'y avais pas pensé à l'époque, mais je suis
aujourd'hui persuadée que cette attitude de mon père
visait à combattre l'idée des Autrichiens selon laquelle
nous leur étions inférieurs.

Les parents de ma mère possédaient un pavillon
en stuc gris à Stockerau, une jolie petite ville au nord
de Vienne. Nous nous y rendions pour les week-ends,
les vacances et les anniversaires. C'est là que vivait
Jultschi, ma plus proche cousine. Alors qu'elle avait
neuf ans, sa mère (Elvira, la sœur de maman) l'avait
déposée chez notre grand-mère, était revenue chez elle,
puis s'était suicidée. Son père était demeuré à Vienne.
Mais Jultschi, elle, traumatisée par cet événement, avait
besoin que l'on s'occupe d'elle et était restée avec nos
grands-parents, qui l'élevaient comme leur propre fille.

Douce, bien en chair, les cheveux bruns, les yeux
marron, les lèvres pleines et bien dessinées, Jultschi
avait un cœur gros comme ça et, contrairement à Mimi,
ma sœur, un grand sens de l'humour. Elle jouait du
piano, mal, mais suffisamment tout de même pour
notre tribu dépourvue de tout sens musical. Nous
inventions alors des paroles lyriques sur sa musique
tonitruante et joviale. Alors que je me découvrais, moi,
« l'intellectuelle », une passion pour les romans

gothiques remplis de mystère et de désir, Jultschi devenait peu à peu une fanatique du cinéma et de la
musique *swing*.

Grand-mère Hahn — une femme petite, grosse,
forte et très à cheval sur la discipline — nous imposait
des tâches ménagères, puis s'en allait au marché. Bien
entendu, au lieu de faire le ménage, nous passions tout
l'après-midi à jouer. À son retour, dès que nous l'aper-
cevions en bas de la route, nous nous précipitions dans
la maison par les fenêtres et nous nous mettions au travail pour qu'elle découvre des enfants modèles en train
d'épousseter et de balayer. Je suis sûre qu'elle ne fut
jamais dupe.

Grand-mère paraissait toujours désireuse d'embel-
lir le monde, en tricotant de délicats petits napperons
en dentelle ou en apprenant à Jultschi comment faire
cuire un *Stollen*[1], ou encore en prenant soin de ses poulets et de ses oies, de son chien Mohrli et de ses centaines de plantes en pot. Elle avait toutes les variétés
de cactus et avait l'habitude de prévenir maman à
l'avance : « Klothilde ! Le cactus fleurira dimanche.
Viens le voir avec les enfants. » Et le dimanche, nous
allions dans son jardin à Stockerau pour admirer ces
fleurs rustiques du désert qui luttaient pour survivre
dans nos froides contrées.

Grand-père Hahn était commerçant. Il vendait des
machines à coudre et des bicyclettes, et était représentant des motocyclettes Puch. Grand-mère travaillait
avec lui au magasin le dimanche, le grand jour de
marché pour les paysans de la région, qui, avant de
faire leurs courses pour la semaine, allaient d'abord à
l'église, puis se réunissaient au bistro pour boire un
coup. Ils connaissaient tous mes grands-parents. Les

---

1. Sorte de brioche aux raisins secs, aux amandes et au rhum. (*N.d.T.*)

notables de Stockerau invitaient toujours les Hahn à prendre place à leurs côtés à l'époque du carnaval pour assister aux défilés de chaque confrérie.

Pour l'anniversaire de mon grand-père, nous devions copier un poème, puis le réciter en son honneur. Je me rappelle qu'il s'asseyait comme un petit roi replet et que nos jolies récitations faisaient briller ses yeux de fierté. Je me souviens aussi de sa façon de nous serrer dans ses bras.

Près de la maison de mes grands-parents, il y avait un affluent du Danube où Jultschi et moi adorions aller nager. Pour atteindre la rive, il fallait traverser un haut pont en bois. Un jour — j'avais alors sept ans —, m'étant précipitée la première sur le pont, puis ayant glissé, je fis un vol plané avant de plonger profondément dans l'eau. Je ne revins à la surface, que pour pousser des hurlements hystériques. Un jeune homme sauta dans l'eau et me sauva la vie. Par la suite, je devais garder la hantise des hauteurs. Je ne voulus plus skier dans les Alpes, ni monter au sommet d'immeubles très élevés pour y accrocher des banderoles socialistes. Dans la mesure du possible, je restais bien sagement au sol.

En 1928, à l'époque où l'inflation était si élevée en Autriche qu'un repas au restaurant pouvait doubler de prix avant même qu'on l'ait terminé, papa décida de vendre son restaurant. Heureusement, il devait rapidement trouver un emploi grâce à la famille Kodisch, qui l'avait employé autrefois sur la Côte d'Azur. Ils venaient d'ouvrir un nouvel hôtel à Badgastein, une célèbre station des Alpes, et ils proposèrent à papa de s'occuper du restaurant.

L'hôtel Bristol était niché au milieu de prairies vertes, au pied de montagnes enneigées dont les eaux de source atterrissaient dans les établissements thermaux. De riches familles se promenaient dans les allées des jardins, donnant à manger aux écureuils, conversant dans un murmure courtois. Une fille de riches, dont les parents pensaient qu'elle avait un petit talent, jouait sans cesse du piano ou bien chantait lors des concerts de l'après-midi sur le belvédère. Nous allions voir papa chaque été — une vie paradisiaque.

Comme le Bristol était l'unique hôtel casher de la région, de nombreux clients juifs y affluaient, venus du monde entier. La famille Ochs, qui possédait le *New York Times*, le fréquentait, de même que Sigmund Freud et l'écrivain Schalom Asch. Un jour, un homme grand et blond portant la culotte de cuir traditionnelle, le chapeau tyrolien avec sa brosse en poils de chamois, vint déjeuner. Papa était persuadé qu'il s'était trompé d'établissement. Mais ensuite l'homme ôta son chapeau, se couvrit la tête d'une kippa[1], et se leva pour dire une prière. « Je suppose que même les Juifs ne sont pas toujours en mesure de dire qui est juif », dit papa en riant.

Pour la première fois à Badgastein, nous rencontrâmes des rabbins polonais, des hommes profondément religieux à la barbe longue et magnifique, qui marchaient lentement à travers le hall de l'hôtel, les mains jointes derrière le dos. Ils m'emplissaient d'un sentiment de mystère et de paix. Je crois bien que l'un d'entre eux m'a sauvé la vie. J'avais alors seize ans et j'étais à la fois imprudente et sensuelle. Étant restée trop longtemps dans l'un des bains, je pris froid et j'eus un accès de fièvre. Ma mère me mit au lit, me prépara un thé avec du miel et plaça des compresses sur mon

---

1. Calotte portée par les juifs pratiquants. (*N.d.T.*)

front et mes poignets. À la tombée de la nuit, l'un des rabbins frappa à notre porte. Comme il n'avait pas la possibilité de se rendre à temps à la *shul*[1] pour les prières du soir, il voulait savoir s'il pouvait les dire dans notre maison. Bien entendu, maman l'accueillit à bras ouverts. Lorsqu'il eut fini ses prières, elle lui demanda s'il acceptait de bénir sa fille malade. Il vint à mon chevet, se pencha sur moi et tapota ma main. Son visage rayonnait de chaleur et de bonté. Il prononça quelque chose en hébreu, une langue que je ne pensais jamais apprendre, puis il s'en alla. Je guéris ensuite rapidement.

Durant toute ma vie, chaque fois que j'ai pensé mourir, je me suis sentie protégée par la bénédiction de cet homme.

Bien sûr, le travail dans ce paradis avait aussi des aspects qui étaient tout sauf merveilleux, mais cela faisait partie de la vie et, à dire vrai, nous les acceptions. Ainsi, par exemple, l'abattage rituel n'était pas autorisé dans la province où l'hôtel était situé. Aussi le boucher devait tuer les bêtes dans la province voisine, puis transporter la viande jusqu'au Bristol. Autre exemple, la génération de nos grands-parents vivait généralement dans les villes périphériques autour de Vienne — Floritsdorf, Stockerau. Ce n'est que lorsque mes parents eurent atteint l'âge adulte que les Juifs furent autorisés à résider à Vienne *intra-muros*.

Ainsi, voyez-vous, nous devions supporter tous les désagréments propres à la condition de juif dans un pays antisémite, mais nous n'avions aucun de ses avantages : l'enseignement de la Torah, les prières, une communauté très soudée. Nous ne parlions ni l'hébreu

---

1. « Synagogue » en yiddish. (*N.d.T.*)

ni le yiddish. Notre foi en Dieu n'était pas très profonde. Nous n'étions pas des hassidiques polonais ou
des érudits formés dans les *yeshivot*[1] lituaniennes.
N'oubliez jamais ceci : nous n'étions pas libres et auda-
cieux. Et il n'y avait pas d'Israéliens à l'époque, pas de
soldats dans le désert, pas de « nation comme les
autres ». Gardez cela à l'esprit tout au long de cette histoire.

Notre force principale était l'intellect et les bonnes
manières. Notre ville était la somptueuse « reine du
Danube », la « Vienne rouge », dotée d'une protection
sociale et de cités ouvrières, une ville qui avait été le
creuset effervescent de génies comme Freud, Herzl,
Bettelheim et Mahler qui illuminaient le monde entier
de leurs lumières : psychanalyse, sionisme, socialisme,
réformisme.

À cet égard, au moins — l'aspect « lumière pour
les nations » — mes Juifs assimilés de Vienne étaient
tout aussi juifs que les autres.

---

1. *Yeshiva* : école talmudique supérieure. (*N.d.T.*)

3

LA GENTILLE PETITE AMIE
DE PEPI ROSENFELD

L a décision de mon père de me laisser entrer au lycée eut un impact immense sur ma vie, car pour la première fois, je pus me lier d'amitié avec des garçons. Cela n'avait rien à voir avec le sexe, je vous l'assure. Les filles issues de mon milieu social se sentaient obligées de rester vierges jusqu'au mariage. Non, il s'agissait de mon développement intellectuel. Voyez-vous, à cette époque-là, les garçons avaient tout simplement une meilleure instruction que les filles. Ils lisaient, réfléchissaient et voyageaient plus que les filles. Donc, pour la première fois, je pus me faire des amis avec lesquels je pouvais vraiment discuter sur les sujets qui me passionnaient — l'histoire, la littérature, les innombrables problèmes de la société et les moyens de les résoudre afin que tout le monde puisse être heureux.

J'adorais les mathématiques, le français et la philosophie. Je prenais des notes en sténo durant les cours pour les apprendre par cœur plus tard. Une de mes amies, très mauvaise en mathématiques — maman l'appelait « Fräulein Einstein » —, m'attendait sur le seuil de ma maison tous les jours pour que je l'aide à effectuer ses devoirs de mathématiques. Je m'efforçais de l'aider en évitant d'aggraver son complexe d'infériorité. Pour seule récompense de mon tact, elle me gratifia un jour d'une réflexion amère : « Comment se fait-il que vous, les Juifs, soyez si intelligents ? »

J'étais un jeune bas-bleu, passionnée par les idées, rêvant d'aventure. Je voulais parcourir la Russie, vivre parmi les paysans et écrire des romans à succès sur mes liaisons romantiques avec des commissaires du peuple. Je voulais être avocate et, pourquoi pas, juge, afin de favoriser une justice pour tous.

Cette idée me vint pour la première fois à l'esprit en septembre 1928, au cours du procès du jeune Philippe Halsmann, « l'Affaire Dreyfus » autrichienne. Lors d'une randonnée en compagnie de son père dans les Alpes, près d'Innsbruck, Halsmann, ayant pris de l'avance, avait perdu de vue son père et était revenu sur ses pas pour le retrouver. Celui-ci avait fait une chute dans un torrent et s'était tué. Le fils avait été accusé du meurtre de son père. L'accusation — qui ne put avancer aucun motif, aucune preuve — se fonda sur des calomnies antisémites, car Halsmann était juif et de nombreux Autrichiens étaient enclins à croire que les Juifs étaient des assassins nés. Un prédicateur déclara à la barre qu'en s'obstinant à proclamer son innocence et en refusant de se repentir le jeune Halsmann méritait, bien davantage que Judas, de connaître les feux de l'enfer. Un policier affirma que le fantôme du père lui était apparu, comme à Hamlet, pour accuser son fils. Philippe fut déclaré à tort coupable et condamné à dix ans de travaux forcés. Il accomplit deux ans de sa peine. Puis, grâce à l'intervention de personnalités comme l'écrivain Thomas Mann, prix Nobel de littérature, sa peine fut réduite au temps qu'il avait déjà accompli et il fut autorisé à quitter le pays. Il émigra aux États-Unis, où il devint un photographe célèbre.

Son procès fut pour moi une source d'inspiration.
Je me voyais siégeant à la place du juge, rendant une
justice égale pour tous. Dans le tribunal de mes rêves,
l'innocent n'était jamais condamné.

Jamais je ne m'amusais à enfreindre la loi, jamais.
La seule chose que l'on pût me reprocher, c'était d'avoir
séché tous mes cours de gym. Tout le monde s'en
fichait éperdument parce que personne ne pouvait imaginer qu'une fille eût besoin d'être physiquement forte.
J'étais une petite *zaftig*, une jeune fille potelée — c'était
alors considéré comme quelque chose de charmant —
et je plaisais aux garçons. Je les revois encore : Anton
Rieder, beau garçon, grand, démuni, un catholique de
stricte obédience. Nous échangions des regards de loin.
Rudolf Gischa, intelligent, ambitieux ; il m'appelait sa
« sorcière » et m'avait promis de m'épouser dès qu'il
aurait fini ses études. Je lui ai dit que, bien entendu, je
l'épouserais, mais que, pour le moment, il valait mieux
garder cela secret. En réalité, je savais pertinemment
que si je disais à mon père que j'allais épouser un non-
Juif, il m'enfermerait à la maison et ne me laisserait
jamais aller à l'université, un privilège que j'escomptais
et qui était devenu bien plus important pour moi que
n'importe quel garçon.

Nous étions trois Juives dans ma classe : Steffi
Kanagur, Erna Marcus et moi. Un jour, quelqu'un inscrivit sur les pupitres de Steffi et d'Erna : « Juifs, partez,
retournez en Palestine ! » Sur mon pupitre, il n'y avait
aucune inscription, parce que ces filles venaient de
Pologne, tandis que j'étais autrichienne et qu'elles
paraissaient beaucoup plus juives que moi — ce qui
était vrai, d'ailleurs.

C'était l'année 1930.

Erna Marcus était sioniste. Mon père avait un jour

accepté qu'une réunion sioniste se déroule dans son restaurant. Il en avait conclu que l'idée de reconstruire un État juif en Palestine, sur la terre ancestrale, était chimérique. Cependant, étant donné l'énorme propagande antisémite qui sévissait en Autriche, bon nombre de jeunes Juifs viennois — parmi lesquels ma petite sœur Hansi — étaient attirés par le projet. Alors que je lisais Kant, Nietzsche et Schopenhauer, que j'étais perdue dans mes rêveries goethéennes et schillériennes, Hansi rejoignait l'*Hashomer Hatzaïr*, la Jeune Garde, le mouvement de jeunesse sioniste de gauche, et envisageait de suivre un programme de formation pour se préparer à une vie de pionnière en Israël.

Steffi Kanagur était communiste, tout comme son frère Siegfried. Un samedi, j'annonçais à mes parents que j'allais participer avec lui à une manifestation communiste contre le gouvernement chrétien-démocrate. En réalité, je devais retrouver Rudolf Gisha dans le parc.

— Comment s'est passée la manifestation ? s'enquit papa lorsque je fus de retour à la maison.

— Merveilleusement ! Il y avait des tas de ballons rouges. Tout le monde brandissait des drapeaux rouges ! Le chœur de la Ligue de la jeunesse communiste a chanté magnifiquement, et il y avait un orchestre avec de nombreux cors et un énorme tambour... et... mais, qu'est-ce qu'il y a ?

Papa me regardait d'un air menaçant. Maman se cachait le visage dans son tablier pour réprimer une explosion de sanglots.

— Il n'y a pas eu de manifestation, dit papa. Elle a été interdite par le gouvernement.

Exilée dans ma chambre, disgraciée, je jouais aux échecs avec Hansi en me demandant pourquoi diable le gouvernement avait interdit la manifestation de Siegfried Kanagur.

Voyez-vous, je n'étais pas douée pour la politique. Pour moi, l'activité politique était synonyme d'amusement, un divertissement idéologique avec des gosses surdoués. Lorsque Mimi et moi nous fûmes inscrites au groupe socialiste du lycée, ce n'était pas par amour de l'idéologie, mais pour trouver un nouvel endroit privilégié où nous pourrions assister aux conférences sur la condition difficile des travailleurs, apprendre des hymnes socialistes et rencontrer des garçons d'autres lycées : Kohn, surnommé « Lugubre », qui se destinait à la médecine ; Zich, le boute-en-train, dont le seul objectif dans l'existence était de faire du ski pour le restant de ses jours ; Wolfgang Roemer, petit, brun et charmant ; et Josef Rosenfeld, que tout un chacun appelait Pepi.

Pepi avait environ six mois de plus que moi, mais il avait une année d'avance en classe et il était beaucoup plus mûr que moi. Jeune homme souple et svelte, il commençait déjà, à dix-huit ans, à perdre ses cheveux. Mais il avait des yeux d'un bleu brillant, un sourire timide, et il fumait des cigarettes. En outre, bien sûr, Pepi était brillant, absolument brillant. Ça, il ne faut pas l'oublier.

Un jour, au bal de l'école, je lui parlai au creux de l'oreille des pièces d'Arthur Schnitzler.

— Rendez-vous au Belvédère dans le parc samedi prochain à 20 heures, me dit-il.

— Très bien, répondis-je. On se retrouvera là-bas.

Aussitôt dit, je partis valser avec Zich, puis avec Kohn, Anton, Wolfgang et Rudolf.

Vint le fameux samedi. Je décidai d'aller faire des courses et j'ai demandé à Wolfgang de m'accompagner. Il se mit à pleuvoir, et je fus toute trempée. Wolfgang décida alors de m'emmener chez lui où sa mère, Frau Roemer, une des femmes les plus gentilles que j'aie jamais rencontrées, me sécha les cheveux et m'offrit des fraises à la crème. Son mari et oncle Felix, son frère insouciant, arrivèrent, puis ce fut le tour d'Ilse, la plus jeune sœur de Wolfgang, qui survint en secouant son parapluie. Ils enroulèrent le tapis, sortirent le gramophone et quelques nouveaux disques de *swing*, et nous nous mîmes tous à danser. Ce fut alors que Pepi Rosenfeld fit son apparition, trempé jusqu'aux os.

— Cette fille du groupe socialiste... On avait rendez-vous au Belvédère, je l'ai attendue pendant une heure, et puis j'en ai eu assez. Je suis vraiment en colère ! Maman avait raison ! Les filles sont impossibles !

Il restait planté là en me regardant, dégoulinant. La musique continuait.

— Je suis désolée, dis-je avec douceur. J'ai oublié.

— Danse avec moi, répliqua-t-il, et je te dirai à quel point je suis fâché avec toi.

Le lendemain, un garçon, Suri Fellner, vint m'apporter une lettre, cosignée par Wolfgang et par Pepi. Apparemment, ils avaient discuté de la situation et décidé que je devais choisir entre eux deux. Celui que je choisirais serait mon petit ami. L'autre s'effacerait, le cœur brisé.

Au bas de la lettre, j'inscrivais « Wolfgang », et je remis ma réponse à cet émissaire dévoué. Quelques semaines plus tard, je partais en vacances avec ma famille à la montagne, oubliant complètement que j'avais « choisi » Wolfgang Roemer. Heureusement, il en était de même pour lui.

Au cours de ma dernière année de lycée — c'était en 1933 — je devais rédiger ma dernière dissertation sur *Ainsi parlait Zarathoustra* de Nietzsche. Pour mes recherches, je décidai d'aller à la Bibliothèque nationale. J'avais promis à ma sœur Mimi de passer la prendre au retour devant les colonnes géminées de la *Karlskirche*. Pepi Rosenfeld y fit soudain son apparition, sorti de nulle part. Il avait une façon d'agir ainsi, de surgir devant vous comme un chat ou un lutin, à pas de loup, avec son sourire malicieux. Sans un mot, il s'empara de ma lourde pile de livres et m'emboîta le pas.

— Es-tu déjà allée à la Bibliothèque nationale ?

— Non.

— Bon, j'y vais très fréquemment maintenant que je suis des cours de droit à l'université, et je peux te dire que c'est absolument gigantesque. Comme tu ne connais pas bien les lieux, tu ne sauras sans doute pas quelle entrée choisir. C'est que tu pourrais fort bien te perdre avant même d'y entrer ! Il vaut mieux que je te montre le chemin.

Je le suivis donc et nous marchâmes très long-temps, le long des palais, à travers les parcs, chassant les pigeons, sans même entendre les heures qui son-naient aux horloges de la ville.

— Ma dissertation devra être très longue et très complexe, dis-je. Je vais citer tous les grands penseurs : Karl Marx, Sigmund Freud, etc.

— Et Adolf Hitler ?

— Oh, lui, ce n'est pas un penseur. C'est juste un agitateur.

— Il se peut qu'un jour, les gens soient séduits par lui.

— Impossible, ai-je répondu d'un ton solennel. J'ai lu le livre d'Hitler, *Mein Kampf*, et aussi certains ouvrages de son complice, Alfred Rosenberg, parce que je suis une personne impartiale, objective et que je crois que l'on devrait toujours écouter tous les sons de cloche avant de se faire une opinion. Je peux donc te dire en toute connaissance de cause que ces hommes sont des idiots. Leur idée selon laquelle les Juifs ont empoisonné leur prétendue race supérieure et ont provoqué tous les problèmes de l'Allemagne est un non-sens absolu. Il est impensable qu'un être doué d'intelligence puisse les croire. Hitler est risible. Il disparaîtra très vite.

— Comme tous tes anciens petits amis, dit Pepi avec son sourire timide.

Nous nous arrêtâmes pour prendre un café et des gâteaux, comme tous les étudiants le faisaient habituellement en milieu d'après-midi. Il me parla de ses études, de ses professeurs, de son grand avenir de docteur en philosophie du droit. Les rayons du soleil faisaient briller les flèches des églises. Dans le parc, au Belvédère, il mit un terme à mon bavardage d'un petit baiser. Je perdis le fil de mes pensées. J'oubliai complètement de passer prendre ma sœur Mimi — des années plus tard, elle me reprocherait encore mon manque de considération. Mais, à la fin de cet après-midi, ce qu'avait prédit Pepi se réalisa : tous mes ex-petits amis avaient disparu. Pfft... ! Comme ça. Disparus.

Pepi cherchait toujours à me surprendre. En classe, dans une librairie, au café, je sentais soudain un picotement sur mon cuir chevelu ou sur ma nuque. Je me retournais alors et le découvrais, le regard fixé sur moi. Il ne disait jamais de bêtises. Il avait toujours un argument à faire valoir. Je me disais que ma longue quête d'un être qui partagerait ma passion pour les idées, les livres et l'art venait enfin d'aboutir. Très vite, je tombai follement amoureuse de lui et tous les autres garçons me sortirent de l'esprit. Lorsque Rudolf Gisha, mon ex-petit ami, m'écrivit de son université dans les Sudètes, en Tchécoslovaquie, pour me dire qu'il avait décidé de rejoindre le parti nazi, qu'Adolf Hitler avait manifestement raison sur tout, y compris sur les Juifs, et que je serais bien aimable de lui renvoyer sa déclaration d'amour et sa promesse de mariage, j'exauçai ses vœux avec grand plaisir.

Lorsque j'avais rencontré Pepi, son père venait de mourir à Steinhof, le célèbre asile d'aliénés construit par le Kaiser. Les oncles de Pepi, des notables de la ville d'Einsenstadt, avaient décidé d'assurer une pension mensuelle à sa mère, Anna. Elle s'était convertie au judaïsme afin de se marier, mais, en réalité, elle était toujours restée dévotement catholique, une véritable grenouille de bénitier. Après la mort de Herr Rosenfeld, Anna n'avait cessé de feindre d'être juive, afin que sa famille continuât à subvenir à ses besoins. Elle avait persisté dans cette attitude jusqu'à ce que, en 1934, elle eût épousé Herr Hofer, un agent d'assurances d'Ybbs.

La bar-mitsva[1] de Pepi avait été quelque peu étrange. En réalité, sa mère organisa cette réception dans le seul dessein d'obtenir quelques cadeaux. Mais sa déception fut grande car, au lieu d'argent liquide, ses oncles par alliance offrirent à Pepi un ensemble d'œuvres de Schiller et de Goethe magnifiquement reliées. Cela pourra paraître étrange, mais je pense que, si Pepi éprouva le moindre intérêt pour le monde juif, ce fut sans doute grâce à ces merveilleux livres allemands. Il savait pertinemment que la famille de sa mère ne lui aurait jamais offert de tels livres. Il savait

---

1. Cérémonie de confirmation des garçons dans le judaïsme. (*N.d.T.*)

qu'au plan intellectuel, il était proche de sa famille juive. Et, ne l'oubliez pas, la personnalité tout entière de Pepi se résumait à son intellect.

Anna était loin d'être idiote, mais elle n'avait pas d'instruction, se montrait très superstitieuse et était pleine de peurs et de désirs cachés. Grosse, toujours essoufflée, rougeaude, elle s'habillait de vêtements tape-à-l'œil totalement inappropriés pour une femme de son âge et de sa corpulence. Elle arborait un grand sourire faux qui dévoilait une denture chevaline, coiffant ses cheveux qui tiraient sur le roux en petites bouclettes et utilisait de la bière comme lotion. Elle passait ses journées à raconter des ragots et ne lisait jamais une ligne.

Anna dormait dans la même chambre que son fils, y compris lorsqu'il devint adulte. Elle était aux petits soins pour lui, le traitait comme un roi, lui servant son déjeuner dans une magnifique vaisselle en porcelaine et incitant les enfants du voisin à se taire lorsqu'il faisait sa sieste quotidienne.

Toujours au courant de la naissance d'un enfant atteint d'une malformation, elle avait chaque fois une explication sur les causes de cette infirmité : un bec-de-lièvre était dû à la vanité de la mère, une jambe qui boite, à un père coureur de jupons. Elle dit à Pepi que son père souffrait à la fin de démence — un symptôme manifeste de la syphilis, selon elle. Aujourd'hui encore, j'ignore si elle disait vrai. Peut-être avait-elle puisé cette idée à la même source autrichienne empoisonnée qui poussa Hitler à déclarer que la syphilis était une « maladie juive ».

Anna achetait du « vin nouveau » qui, selon elle, « n'avait pas encore vieilli » et qui, de ce fait, « ne contenait pas d'alcool et ne pouvait pas vous tourner la tête ». Un soir, Pepi et moi la découvrîmes dans le salon de leur appartement, au numéro 1 de la *Dampfgasse*, buvant le « vin nouveau » et écoutant la station de radio nazie, le visage tourmenté.

— Pour l'amour du ciel, maman ! protesta Pepi. Pourquoi t'angoisses-tu ainsi en écoutant cette propagande délirante ?

Anna se tourna vers nous, les yeux grands ouverts et profondément inquiets.

— Il faut faire attention à ces gens-là, dit-elle.

— Oh, je t'en prie...

— Ils sont très dangereux, mon fils chéri ! continua-t-elle avec insistance. Ils haïssent les Juifs. Ils les rendent responsables de tout.

— Personne ne les écoute.

— *Tout le monde* les écoute ! s'écria-t-elle. À l'église, au marché, j'entends les gens parler et je sais que tout le monde les écoute et que *tout le monde est d'accord* !

Elle semblait en proie à une émotion intense, au bord des larmes. Je me rappelle avoir alors pensé que c'était à cause du vin.

Mon père avait cédé ! Il m'envoyait à l'université. Je décidais d'étudier le droit. À cette époque, ceux qui voulaient être juge et ceux qui voulaient être avocat suivaient le même cursus universitaire et ne se spécialisaient qu'après avoir obtenu leur examen de fin d'études. Nous étudiions le droit romain, le droit allemand et le droit canon ; les procédures civiles, pénales et commerciales ; le droit international ; les sciences politiques ; la théorie économique, et aussi certains sujets nouveaux — psychiatrie, photographie judi-

ciaire — ayant un rapport avec les comportements criminels.

J'avais d'ailleurs acheté un petit appareil photo
pour photographier les gens. Pepi, lui aussi, avait un
appareil photo, un Leica que lui avait offert sa mère. Il
avait installé une chambre noire dans sa maison et a
photographié certains objets avec beaucoup d'inspiration : des dominos éparpillés sur une table, illuminés
par la lumière oblique d'un rayon de soleil, des livres
et des fruits.

Au moment où Hitler prenait le pouvoir en Allemagne, je faisais une randonnée en montagne en
compagnie des filles du groupe socialiste. Je me souviens d'Heddy Deutsch, la fille d'un membre juif du
Parlement, et d'Elfi Westermayer, une étudiante en
médecine. Nous dormions dans des granges près des
lacs de Saint-Gilden et de Gmunden. Nous portions des
chemises bleues, fixions des crampons sur les semelles
de nos bottes pour avancer plus facilement sur les
pistes caillouteuses, et chantions à tue-tête dans l'air vif
de la montagne. Je me souviens de toutes les chansons.
*L'Internationale, Das Wandern ist des Müllers Lust, Ban-
diera Rossa*, Le drapeau rouge.

Durant l'année scolaire, mes amis et moi nous réu-
nissions dans la salle du groupe socialiste où nous passions notre temps à refaire le monde. En ces temps
tumultueux, d'autre jeunes gens s'engageaient dans la
politique. Ils étaient prêts à mourir pour leurs idées.
Mais notre groupe se complaisait surtout dans la
parlote.

Il y avait deux garçons, Fritz et Franck, qui jouaient
tout le temps au Ping-Pong, mais sans jamais forcer. Le
bruit régulier et indolent de leurs échanges ne tradui-

sait en rien le rythme démentiel du monde extérieur.
Deux filles apportaient parfois des gâteaux préparés
par leurs mères, un garçon des disques pour danser.
Pepi venait toujours avec son échiquier et lui, Wolfgang
et moi y jouions tout le temps. Il m'est même arrivé de
les battre de temps à autre.

— Oswald Spengler prétend que l'époque de nos
grandes réalisations culturelles est bel et bien terminée,
murmura Pepi d'un ton songeur en déplaçant sa tour.
Il dit que nous sommes tous en train de sombrer dans
le matérialisme et que nous passons notre temps à phi-
losopher au lieu d'agir.

— Ah, les nazis doivent donc l'adorer puisqu'ils
se considèrent eux-mêmes comme des hommes d'action, dit Wolfgang en regardant par-dessus mon épaule
pour évaluer silencieusement mon prochain coup.

— Les nazis ont interdit Spengler, commenta Pepi.
Ils l'accusent de pessimisme systématique.

— Pour eux, l'avenir ne peut être que radieux, dis-
je pour placer un mot, tout en acculant habilement le
roi de Pepi dans un coin. Ils pensent que leur Reich de
mille ans doit être dirigé par des *Übermenschen*[1], et que
tous les autres, les *Untermenschen*[2], seront naturellement leurs esclaves.

— Et comment vois-tu l'avenir, Edith ? me
demanda Fritz depuis la table de Ping-Pong.

— Je me vois avec mes six enfants assis autour de
la table à manger avec des serviettes blanches enfoncées
dans leurs cols, criant : « Maman, ce *strudel*[3] est délicieux ! »

— Et qui fera le *strudel* ? ! dit Pepi en plaisantant.

---

1. Surhommes. (*N.d.T.*)
2. Sous-hommes. (*N.d.T.*)
3. Gâteau viennois aux pommes. (*N.d.T.*)

Que se passerait-il si grand-mère Hahn était trop occupée ce jour-là ? !

Je le poussai du bras. Il me serra la main.

— Saviez-vous qu'Hitler enlève les enfants des parents qui n'enseignent pas la doctrine nationale-socialiste à leur progéniture ? dit Wolfgang.

— Mais les tribunaux vont certainement s'opposer à ça ! m'exclamai-je.

— Les tribunaux ont été noyautés par les nazis, répliqua Pepi.

Il me fit un clin d'œil et fit un très bon coup : la partie était finie.

— Échec, murmura-t-il en m'adressant un baiser à travers l'échiquier.

— Comment un gang de minables petits prétentieux peut-il détruire aussi rapidement les institutions démocratiques d'un grand pays ? s'écria Wolfgang en tapant du poing sur la table, ce qui fit valdinguer toutes les pièces de l'échiquier.

— Freud dirait qu'il s'agit du triomphe de l'ego, déclara Pepi. Ils pensent être des hommes importants et cette idée qu'ils ont d'eux-mêmes crée une lumière si éblouissante que tous ceux qui les approchent en sont aveuglés. Le problème avec ces nazis, c'est qu'ils sont incapables de faire preuve d'autocritique, et c'est pourquoi, dans leur quête effrénée de grandeur, ils ne parviennent qu'à une parodie de grandeur. César a conquis des peuples, a réduit leurs chefs à la captivité, mais il a profité de leurs lumières, enrichissant ainsi son empire. Hitler brûlera les nations, torturera à mort leurs dirigeants et détruira le monde.

Nous restâmes silencieux et pétrifiés par la prédiction de Pepi. Nos amis cessèrent de danser et de bavarder. La partie de Ping-Pong s'interrompit.

— Mais alors, que devrions-nous faire, Pepi ?

— Nous devons nous battre pour la primauté du droit et être convaincus de l'inéluctabilité de l'avènement du paradis socialiste, répondit Pepi en passant son bras autour de mon épaule. Une seule classe, pas de maîtres, pas d'esclaves, pas de Noirs, pas de Blancs, pas de Juifs ni de chrétiens. Une seule race, celle des humains.

Comment puis-je décrire la fierté qui m'envahit à ce moment-là ? Etre la petite amie de Pepi, être l'élue du cœur de notre *leader* intellectuel indiscuté ! Je ne me voyais pas d'autre avenir et sa vision des choses correspondait exactement au futur que je souhaitais pour l'humanité.

Durant mes études à l'université de Vienne de 1933 à 1937, des troubles politiques graves et incessants agitèrent l'Autriche. Le chancelier Dollfuss, déterminé à préserver le caractère catholique de l'Autriche, interdit le parti socialiste. Les socialistes réagirent d'une manière que même moi, une socialiste, je trouvais démentielle.

J'assistais à un *meeting* socialiste clandestin. Je crois me souvenir que Bruno Kreisky en était l'orateur vedette. Nos dirigeants avaient obtenu l'autorisation d'utiliser la salle en déclarant qu'elle servirait à la répétition d'une chorale. Ils nous avaient dit que, si la police venait, nous devions immédiatement entonner l'*Hymne à la joie* de Beethoven, aussi avions-nous répété cet air avant le début de la réunion.

Croyez-moi, le bruit que nous fîmes fut indescriptible. Je me mordis les lèvres, puis les doigts, avalai pratiquement ma partition, mais rien ni personne ne put m'empêcher d'exploser de rire, un énorme fou rire hystérique.

Les socialistes lancèrent un appel à la grève générale. Mais, en 1934, plus d'un tiers de la main-d'œuvre à Vienne était au chômage. Comment pouvait-on se mettre en grève alors que l'on n'avait pas de travail ? Le gouvernement, tout aussi insensé, en appela à l'armée, qui fit donner le canon sur les quartiers ouvriers. Les socialistes répliquèrent. Des centaines de personnes furent tuées ou blessées. Ainsi, les deux forces en Autriche qui auraient dû s'allier contre les nazis furent divisées pour toujours par la colère, l'amertume et le deuil.

Dollfuss expulsa alors les chefs nazis. Hitler les accueillit et leur remit un puissant émetteur radio, dont ils se serviraient depuis Munich pour nous haranguer et nous menacer. Ils racontaient des histoires atroces sur les massacres des bourgeois allemands par les Bolcheviques en Tchécoslovaquie, sur la responsabilité des Juifs « voleurs, menteurs et assassins » dans la crise économique qui avait condamné des millions de travailleurs au chômage. Je refusais d'écouter la radio nazie, aussi n'ai-je jamais entendu le moindre hurlement d'Hitler.

Les étudiants nazis provoquaient des bagarres et des émeutes pour désorganiser la vie universitaire. Ils rouaient de coups les étudiants et les professeurs qui osaient prendre la parole contre Hitler. Ils jetaient des boules puantes dans l'auditorium, ce qui rendait impossible tout rassemblement dans cette enceinte. La police, elle, s'efforçait de briser les manifestations étudiantes à coups de bombes lacrymogènes. Des écrivains allemands participaient à des conférences à la Konzerthalle pour mettre en garde ceux qui auraient encore eu le moindre doute sur la nature du régime que les nazis instaureraient en Autriche s'ils parvenaient au pouvoir. Il y eut entre autres Erich Kästner, un de mes héros, auteur de *Émile et les détectives*, et Thomas Mann, prix Nobel de littérature, auteur de *La Montagne magique*, grand, rigoureux et à la mine si sévère, là-haut sur le podium, que le simple fait de le regarder me glaça le sang.

« Je ne sais pas ce que cette soirée signifie pour vous », déclara Mann à la foule des opposants au nazisme qui s'étaient rassemblés à Vienne pour protester contre l'escalade de la violence, « mais elle a encore plus de signification pour moi. »

Des gens que nous connaissions portaient des chaussettes blanches pour afficher leurs sympathies nazies. Outre Rudolf Gisha, il y avait « Fräulein Einstein », cette élève qui venait me voir chaque matin pour que je corrige ses devoirs de mathématiques, ainsi qu'Elfi Westermayer et son petit ami Franz Sehors. Je me suis dit qu'ils avaient momentanément perdu la raison.

Voyez-vous, j'entretenais mon aveuglement de la même manière que ma grand-mère entretenait ses cactus à Stockerau. Cette plante n'était pas faite pour notre climat.

Les nazis autrichiens se mirent à assassiner les chefs socialistes. Le 25 juillet 1934, ils tuèrent le chancelier Dollfuss. La loi martiale fut décrétée. Les rues grouillaient de policiers, de miliciens armés qui montaient la garde avec vigilance devant les portes des nombreuses ambassades situées dans notre quartier. Un jour, alors que je rentrais à la maison après mes cours de droit, deux hommes qui marchaient devant moi furent soudainement arrêtés par un policier en moto qui leur demanda de présenter leurs papiers et d'ouvrir leurs serviettes. Je tournai au coin de la rue dans *Argentinierstrasse*, où un jeune homme était en train d'être fouillé, tandis qu'on interrogeait sa petite amie, qui avait à peu près mon âge.

Sincèrement, j'aurais bien aimé être arrêtée, moi aussi. Cela aurait été un événement excitant dont j'aurais parlé à mes amis. Mais personne ne me remarquait ! Si quelqu'un avait jamais observé ma manière d'être, c'était sans s'en inquiéter. Quelque chose en moi me faisait paraître « idiote, naïve, sans importance », aussi pouvais-je me promener librement à travers cette ville inquiétante, dangereuse, moi, une étudiante en droit de vingt ans qui en paraissait quatorze et ne représentait de menace pour personne.

Un nouveau chancelier, Kurt von Schuschnigg, prit les rênes du pouvoir après la mort de Dollfuss. Les gens ne l'aimaient pas beaucoup, mais ils le respectaient et pensaient qu'il pourrait nous préserver des funestes desseins d'Hitler.

Pepi et moi nous promenions longuement à travers la ville, échangions nos lectures, et rêvions du paradis socialiste. Pendant ce temps, l'armée allemande envahissait la rive gauche du Rhin qui était supposée être démilitarisée. Ensuite, les nazis provoquèrent une guerre civile en Espagne. Les Italiens, officiellement alliés de l'Autriche, n'en conclurent pas moins une alliance avec Hitler afin d'avoir les mains libres en Éthiopie.

C'est alors que mon père mourut.

Nous étions en juin 1936. Il se trouvait dans l'encadrement de la porte du restaurant de l'hôtel Bristol pour voir si tout se passait bien — si les tables étaient immaculées, si les garçons se tenaient au garde-à-vous, etc. — quand soudain, il s'effondra, mort sur le coup. La nouvelle nous fit un tel choc par sa soudaineté que nous fûmes incapables de la moindre réaction. Notre pilier, notre roc s'était disloqué.

Maman s'assit dans le salon, les yeux vides, les cheveux mal peignés, le visage masqué par un voile de larmes. Mimi était prostrée dans son silence, anéantie, serrant la main de son petit ami, Milo Grenzbauer, un camarade d'études qui était aussi un de mes amis. Notre petite Hansi chérie ne pouvait s'arrêter de pleurer. Je faisais d'incessants allers et retours à la cuisine pour servir le café aux visiteurs qui venaient présenter leurs condoléances. Notre concierge, Frau Falat, était là. Ma cousine Jultschi vint avec son fiancé, Otto Ondrej, un tailleur tchèque arrogant, beau garçon. Jultschi se cramponnait à lui, tenait fermement sa main, s'essuyant les yeux avec son mouchoir.

Pepi arriva avec sa mère. Elle s'assit à côté de maman et dit à quel point il était dur d'être une femme seule. Ensuite, elle s'enquit, pas très discrètement, de la somme d'argent que nous avait laissée mon père.

Dans la cuisine, Pepi me lissait les cheveux en me disant que tout irait bien.

Je n'en croyais pas un mot. J'eus soudain un sentiment de totale impuissance face aux problèmes du temps. Comment pourrions-nous survivre à ces temps tumultueux sans notre père pour nous protéger ? Aux jeux Olympiques, cet été-là, les athlètes allemands salueraient leur hideux petit Führer et chacune de leurs victoires m'apparaîtrait comme une attaque personnelle contre les Hahn de Vienne.

Pour subvenir aux besoins de notre famille, maman décida d'ouvrir son propre atelier de confection de vêtements. Elle avait l'intention de découper des photos de tailleurs élégants et de les confectionner ensuite pour ses clientes, avec les tissus et les garnitures qu'elles désireraient. Selon une coutume de l'époque,

elle était obligée de demander à tous les autres coutu-
riers du quartier s'ils ne voyaient pas d'inconvénients
à ce qu'elle ouvrît un magasin. Sans exception, ils
répondirent qu'ils n'en voyaient aucun. Avec un tel
vote de confiance, comment maman aurait-elle pu dou-
ter de la haute estime dans laquelle nos voisins la
tenaient ?

Pour contribuer aux besoins de ma famille, je donnais autant de leçons particulières que je pouvais et
j'étudiais d'arrache-pied jusqu'à l'examen de fin
d'études. Je me disais que, lorsque je serais docteur en
droit et que je gagnerais bien ma vie, nos problèmes se
résoudraient d'eux-mêmes.

Mais il était difficile de se concentrer. Je me rendais
en cours dans un brouillard de désespoir et d'affliction.
J'avais pris l'habitude de m'asseoir à la bibliothèque,
l'esprit vide, avec un livre ouvert que je ne lisais pas.
Un jour, Anton Rieder, mon ex-petit ami du lycée, est
venu s'asseoir à côté de moi. Il avait perdu son père
dans son enfance. Il savait ce que je ressentais, l'incapacité de se fixer un but, le sentiment d'insécurité, le vieil-
lissement prématuré.

— Tu es toujours belle, me dit-il.

— Et toi, toujours galant !

— Je viens de m'inscrire à l'Académie consulaire,
non pas parce que j'ai envie de devenir diplomate, mais
parce que l'on m'a accordé une bourse.

— Mais c'est merveilleux, Anton. Tu pourras aller
à l'étranger, peut-être même en Angleterre ou en Amérique.

— Viens avec moi.

— Quoi ?

— Je sais que tu es avec Pepi Rosenfeld, mais
crois-moi, il est trop intelligent et ça lui jouera des tours
— son cerveau constituera toujours une barrière pour

sa conscience. Il n'est pas assez bien pour toi. J'ai toujours été amoureux de toi, tu le sais. Quitte-le et viens
avec moi. Je n'ai rien. Maintenant, ton père est mort et
tu n'as rien non plus. On s'entendra très bien.

Il tendit la main à travers la table de la bibliothèque
et prit la mienne. Il était si beau, si sérieux. L'espace
d'un instant, j'ai pensé : « Peut-être. Pourquoi pas ? » Et
puis, bien sûr, toutes les raisons pour ne pas donner
suite à son projet m'apparurent avec évidence, et Anton
fut bien obligé de voir la réalité en face. Comme un
jeune diplomate plein de sagesse, il se leva, me baisa la
main et prit congé.

Un nouveau voisin, un ingénieur nommé Denner,
un bel homme, affable, nous avait rendu visite. Sa
femme venait de mourir, après une longue et pénible
maladie. Il avait deux filles, Elsa onze ans, et Christl
quatorze ans. Il voyageait souvent pour son travail et
était obligé de laisser ses filles se débrouiller toutes
seules. C'est pourquoi il cherchait un répétiteur qui
pourrait les suivre dans leurs études. Le concierge
m'avait fortement recommandée et j'avais tout de suite
accepté ce travail. Chaque jour, après l'université, je
passais donc l'après-midi avec ces délicieuses filles.

Les Denner vivaient dans la salle de danse de notre
maison, un lieu immense où des nobles se rassem-
blaient autrefois pour danser au son de musiques
baroques. Les fenêtres étaient gigantesques. Elles
allaient du sol au plafond. Le parquet semblait
s'étendre à l'infini. Voir ces deux enfants s'échiner à
cirer ce parquet me brisait le cœur.

— Qui vient au bal ? m'écriai-je en les regardant

frotter et astiquer. Les Habsbourg ont été déposés ! Les
Bourbons ont quitté la ville !

— Papa veut que nous contribuions à pérenniser
la gloire passée de notre pays, dit Christl en gémissant.

Chaque fille avait un chiot affublé d'un nom russe,
en l'honneur de Frau Denner, une Russe blanche. Le
chiot d'Elsa était sage et dormait sur ses genoux. Celui
de Christl courait après les pigeons et sautait dans les
bras des visiteurs, qu'il léchait très affectueusement.
Les filles se comportaient de la même manière. Elsa
contrôlait chaque instant de sa vie, tandis que celle de
Christl était une aventure permanente.

Christl suivait les cours d'une école de
commerce, mais elle avait beaucoup de mal avec la
comptabilité, ne pouvait rédiger correctement une
lettre et était incapable de se concentrer. Je m'asseyais
à ses côtés tandis qu'elle s'efforçait laborieusement de
faire ses devoirs. Je me promenais avec elle et avec
son chien dans le parc. Bien vite, je fus confrontée à
tous les problèmes possibles et imaginables d'une
jeune adolescente. Elle était grande et vive, avec des
cheveux brun clair et des yeux presque violets, et elle
était assiégée par les garçons. Ils l'attendaient dans la
rue et chantaient pour elle, la suivaient jusque chez
elle, lui envoyaient des fleurs, achetaient des friandises pour son chien, bref, ils faisaient tout pour cap-
ter son attention.

À l'âge de quinze ans — j'en avais vingt-trois —,
Christl tomba amoureuse d'un garçon. Il se nommait
Hans Beran, mais tout le monde l'appelait Bertschi. « Il
est un peu fou, dit Herr Denner, mais au moins, il ne
jette pas son argent par les fenêtres comme tous ces
jeunes gens. » Bertschi en fit voir de toutes les couleurs
à Christl. Dans un premier temps, il tomba éperdument
amoureux d'elle. Puis, il eut peur de la tendresse de

Christl. Ensuite, il décida qu'elle était trop belle pour lui et qu'il ne pouvait tout simplement pas supporter la jalousie des autres garçons. Enfin, un soir, il lui téléphona très tard pour lui dire qu'il ne pouvait pas vivre sans elle, qu'elle devait se rendre au Café Mozart afin qu'il puisse lui dire à quel point il l'adorait.

Chaque fois que je venais chez elle, Christl m'accueillait toute haletante à la porte et me chuchotait, en proie à une vive agitation : « Je dois te parler... en privé ! » Alors, elle me poussait dans l'ombre du vestibule pour me révéler les merveilleuses bêtises que Bertschi venait de faire, pour me dire qu'elle devait lui écrire une lettre et qu'elle serait bien incapable de la rédiger sans mon aide. « Oh, je t'en prie, Edith, s'il te plaît, si tu écris cette lettre, elle sera parfaite. S'il te plaît, s'il te plaît ! » Comment aurais-je pu lui résister ? Je n'aurais jamais pu résister à une petite sœur.

Lorsqu'elle passa avec succès l'examen de fin d'études à l'école de commerce, son père donna une réception. Il loua un bateau et convia ses invités à une croisière au clair de lune sur le Danube. Vers la fin de la soirée, un garçon de restaurant m'apporta un bouquet de roses rouges. Il n'y avait pas de carte, et je me suis demandé qui avait bien pu me les offrir. Ma mère, qui était assise dans le salon et brodait de jolis oiseaux sur mon nouveau chemisier jaune, comprit immédiatement de qui il s'agissait. « C'est Herr Denner qui t'a envoyé ces fleurs, parce que tu t'es occupée de ses filles comme une mère, et que tu as toujours été à leur écoute avec tendresse. » Puis, elle me dit en souriant : « Tu vois, tu dois devenir mère, Edith, parce qu'il est évident que tu es douée pour cela. »

Les nazis accusèrent le chancelier von Schuschnigg de vouloir restaurer la monarchie des Habsbourg. Dans ce cas, disaient-ils, l'Allemagne serait contrainte d'entrer en Autriche pour s'opposer à cette tentative par la force des armes. C'était une menace directe, un préambule. Le Chancelier leur résista durant un temps, mais il s'aperçut bien vite que personne ne lui viendrait en aide et que toute résistance serait vaine. Le 11 mars 1938, alors que Pepi et moi nous promenions dans un quartier ouvrier — la main dans la main, serrés l'un contre l'autre, comme une chaude colonne d'amour dans la nuit froide et sombre —, quelqu'un se pencha à une fenêtre et dit : « Von Schuschnigg s'est retiré. »

Un silence total envahit la rue.

Pepi me prit dans ses bras. Je murmurai à son oreille :

— Nous devons quitter le pays.

— Il vaut mieux attendre la suite des événements.

— Non, non, il faut partir, dis-je en me serrant contre lui.

— Ne cède pas à la panique. Tout pourrait s'arranger en une semaine.

— J'ai peur...

— Ne crains rien. Je suis là avec toi. Je t'aime. Tu es à moi. Je prendrai toujours soin de toi.

Il m'embrassa avec une telle passion que je sentis une vague de chaleur et de lumière envahir mon corps. Que m'importait que des hommes politiques disparaissent et que des nations se préparent à la guerre ? J'avais Pepi, mon génie, mon soutien, le roc qui avait remplacé mon père.

Le lendemain, la famille au grand complet s'apprêtait à se rendre à Stockereau pour fêter les noces d'or de mes grands-parents maternels. Tout était prêt — cadeaux, gâteaux, vins et toasts.

Mais nous n'avons jamais effectué ce voyage du bonheur.

L'armée allemande décida le même jour d'envahir l'Autriche. Des drapeaux flottaient partout. On jouait des airs martiaux. La station de radio nazie — qui était devenue *l'unique* station — nous assourdissait de hurlements de victoire et, par milliers, des amis, des voisins et des compatriotes se réunirent sur les boulevards pour saluer la Wehrmacht avec une joie frénétique et des acclamations tumultueuses.

Le 10 avril 1938, plus de quatre-vingt-dix pour cent des Autrichiens votèrent « oui » à l'union avec l'Allemagne. Un ami socialiste, dont le père avait été exécuté par les nazis, désireux d'organiser des protestations contre l'*Anschluss*, essaya de me recruter pour l'action clandestine. Il me dit que je devrais changer de nom, que je ferais partie d'une cellule et que mon rôle consisterait à porter des messages. Pour la première fois, je découvris l'aspect concret de l'action politique. « D'accord, dis-je, en lui serrant la main. Tu peux compter sur moi. »

Mais Pepi refusa catégoriquement. Il me dit que le seul fait d'envisager une telle chose était irresponsable, parce que je devais subvenir aux besoins de ma mère, veuve, et de mes jeunes sœurs. Que leur arriverait-il si je venais à être arrêtée ? Je dis alors à mon ami qu'il lui faudrait agir sans moi. Comme il convenait à sa gentille petite amie, j'avais suivi les conseils de Pepi Rosenfeld.

4

LE PIÈGE DE L'AMOUR

Une des premières décisions des nazis fut de distribuer gratuitement cent mille postes de radio aux Autrichiens de confession chrétienne. D'où venaient ces radios ? C'étaient les nôtres, bien sûr. Immédiatement après l'*Anschluss*, les Juifs reçurent l'ordre de restituer leurs machines à écrire et leurs radios. En nous empêchant ainsi de communiquer avec le monde extérieur, les nazis voulaient nous isoler afin de nous terroriser et de nous manipuler plus facilement. C'était une bonne idée. Elle fut très efficace.

Les Allemands recrutèrent Adolf Eichmann pour éliminer les Juifs de Vienne. Son action devait servir de modèle pour rendre *Judenrein*, « nettoyé des Juifs », le Reich tout entier. Elle consista essentiellement à nous faire payer au maximum le droit de quitter le pays. Les riches devaient céder tout ce qu'ils possédaient. Les moins riches devaient payer des sommes si exorbitantes que les parents étaient souvent obligés de choisir celui de leurs enfants qui pourrait partir et celui qui devrait rester.

Des bandes de brutes sanguinaires en chemises brunes avaient pris possession des rues. Ils patrouillaient en camion en exhibant fièrement leurs fusils et leurs brassards ornés de croix gammées et en sifflant toutes les jolies filles. Ils pouvaient vous embarquer ou

vous passer à tabac en toute impunité, si l'envie leur
en prenait. Ceux qui résistaient étaient roués de coups,
assassinés ou envoyés à Dachau, à Buchenwald, ou
dans quelque autre camp de concentration. À cette
époque, les camps de concentration étaient des lieux de
détention pour les opposants au régime nazi comme
von Schuschnigg, ou Bruno Bettelheim. Les prisonniers
étaient astreints à un dur labeur et vivaient dans des
conditions cauchemardesques. Toutefois, dans la plupart des cas, ils revenaient sains et saufs de ces camps.
Ce ne fut qu'à partir des années quarante que l'expression « camp de concentration » recouvra les notions de
cruauté monstrueuse et de mort certaine. Personne ne
pouvait imaginer qu'il pourrait exister un jour un camp
de la mort comme Auschwitz.

Comment pourrais-je vous décrire la confusion et
la terreur qui furent les nôtres lorsque les nazis s'empa-
rèrent du pouvoir ? Nous vivions jusque-là dans un
monde rationnel. À présent, toutes les personnes de
notre entourage — camarades d'école, professeurs, voisins, commerçants, policiers, fonctionnaires — avaient
perdu la raison. Ils nous vouaient maintenant une haine
que nous avions pris l'habitude de qualifier de « préju-
gé ». Quel mot charmant ! Quel euphémisme ! En fait,
ils nous vouaient une haine aussi ancienne que leur
religion. Ils étaient nés avec, ils avaient grandi avec. Et
maintenant, avec l'*Anschluss*, le vernis de civilisation
qui nous avait protégés de leur exécration était en train
de se volatiliser.

Les opposants avaient inscrit des slogans antinazis
sur les trottoirs. Les SS avaient raflé des Juifs et les
avaient contraints, sous la menace de leurs armes, à
effacer les graffiti sous les huées et les sarcasmes de
hordes d'Autrichiens.

À la radio, les nazis nous accusaient de tous les

crimes commis dans le monde. Ils nous qualifiaient de
sous-hommes et, quelques secondes plus tard, de
surhommes. Ils nous accusaient de comploter pour les
assassiner, les escroquer. Ils disaient qu'ils devaient
conquérir le monde avant que nous le fassions nous-
mêmes, qu'il fallait nous déposséder de tous nos biens.
Ainsi, nous ne méritions pas tout ce que mon père avait
acquis en se tuant littéralement au travail : notre bel
appartement, les fauteuils en cuir de la salle à manger
et les boucles d'oreilles de ma mère. Ils considéraient
que tout cela avait été dérobé à l'Autriche « chrétienne », qui pouvait maintenant le récupérer à bon droit.

Nos amis et nos voisins croyaient-ils réellement à
tout cela ? Bien sûr que non. Ils n'étaient pas stupides.
Mais ils avaient souffert de la crise, de l'inflation et du
chômage. Ils voulaient retrouver leur aisance passée, et
le moyen le plus rapide pour y parvenir consistait à
voler. Entretenir le mythe de la cupidité des Juifs leur
donnait un prétexte pour les dépouiller de tout ce qu'ils
possédaient.

Nous étions persuadés que ce cauchemar prendrait
fin rapidement. La Vienne rationnelle, séduisante,
pleine d'esprit, dansante et généreuse devait se rebeller
contre cette démence. Nous restions cloîtrés à la maison, paralysés par la peur, attendant que cette folie
s'achève. Nous allions attendre, attendre. Mais elle
serait toujours là.

La législation antisémite accablait désormais les
Juifs jusque dans les moindres détails de la vie quotidienne. Nous ne pouvions plus aller au cinéma ni au
concert. Nous ne pouvions plus emprunter certaines
rues. Les nazis placèrent des écriteaux sur les vitrines
des magasins juifs pour dissuader les Autrichiens de
les fréquenter. Mimi fut renvoyée de son travail dans
une teinturerie parce que les non-Juifs n'avaient plus le

droit d'employer des Juifs. Hansi n'eut plus le droit
d'aller à l'école.

Un jour, oncle Richard se rendit au café qu'il fréquentait depuis vingt ans. Il y avait maintenant, dans
ce genre d'établissements, un côté aryen et un côté juif.
Il s'assit donc du côté juif. Comme il avait les cheveux
blonds et qu'il n'avait pas l'air juif, un serveur, qui ne
le connaissait pas, lui dit qu'il devait s'asseoir du côté
aryen. Toutefois, du côté aryen, un serveur qui le
connaissait lui dit qu'il devait retourner du côté juif.
Finalement, il renonça et rentra chez lui.

Le baron Louis de Rothschild, un des Juifs les plus
riches de Vienne, voulut quitter la ville. Les nazis l'arrêtèrent à l'aéroport, le jetèrent en prison et réussirent à
le convaincre (en le privant de nourriture, dit-on) de
donner tous ses biens au régime nazi. Alors, ils le laissèrent partir. Les SS prirent possession du palais
Rothschild dans la *Prinz Eugenstrasse* et le rebaptisèrent
Centre pour l'émigration juive.

Tout le monde voulait partir.

— On pourrait peut-être aller dans un kibboutz en
Palestine, ai-je suggéré à Pepi.

— Toi ? Mon adorable petite souris... astreinte aux
travaux de la ferme ? (Il éclata de rire et me chatouilla.)
Tu pourrais attraper des ampoules sur tes jolis doigts.

Je fis la queue, des jours durant, devant le consulat
de Grande-Bretagne pour essayer d'obtenir un permis
de travail d'employée de maison. Il me sembla alors
que toutes les jeunes filles juives de Vienne étaient
venues là pour proposer leur candidature. Un monsieur
aux traits asiatiques s'approcha de moi et de ma cousine Elli. Il s'inclina devant nous, un sourire aux lèvres.
« Peut-être aimeriez-vous découvrir les splendeurs de

l'Extrême-Orient... la Grande Muraille... le Palais impérial... Je peux vous proposer un travail fascinant dans
plusieurs villes de Chine. Nous nous occupons de tout :
passeport, voyage et logement. Ma voiture est à côté.
Vous pourriez quitter l'Autriche dès demain. » Je suis
sûre que certaines filles acceptèrent de le suivre. Ma
cousine Elli décrocha un emploi en Angleterre. Quant
à moi, j'obtins un permis de travail, mais pas d'emploi.

Un après-midi, Hansi ne rentra pas à la maison.
Mimi et moi partîmes à sa recherche. Une jolie fille
juive de dix-sept ans avait disparu dans une ville regor-
geant de brutes sanguinaires en chemise brune. Nous
étions folles de terreur.

Vers minuit, Hansi réapparut. Elle était pâle, tremblante, angoissée et vieillie. Elle nous raconta que les
nazis l'avaient arrêtée et conduite dans un bureau SS.
Là, braquant un pistolet sur sa tempe, un SS lui avait
ordonné de coudre des boutons sur des dizaines d'uni-
formes. Dans la pièce d'à côté, elle vit des Juifs ortho-
doxes, des hommes pieux portant une longue barbe,
contraints par leurs bourreaux — qui trouvaient ce
spectacle extrêmement drôle — à accomplir de ridicules
mouvements de gymnastique. Hansi protesta de toutes
ses forces. Un voyou menaça de la frapper et lui intima
l'ordre de se taire et de continuer à coudre. À la fin de
la journée, ils la laissèrent partir. Elle avait longtemps
erré dans les rues.

— Nous devons absolument nous en aller, dit-elle.

Il était plus facile de quitter l'Autriche si l'on était
marié, aussi Milo et Mimi décidèrent-ils de se marier.

— Épouse-moi, dis-je à Pepi.

Il me sourit en fronçant les sourcils.

— Mais tu as promis à ton père de ne jamais épouser un chrétien, dit-il en plaisantant.

En vérité, il était bel et bien devenu chrétien. Anna, sa mère, dans le dessein de le préserver des lois de Nuremberg — destinées à éliminer les Juifs de la vie sociale et économique du Reich — avait conduit son fils âgé de vingt-six ans à l'église pour le faire baptiser. Ensuite, grâce à ses relations, elle avait pu obtenir que leur nom de famille soit éliminé du fichier de la communauté juive. Aussi, lorsque l'on procéda au recensement de la communauté — les juifs étaient constamment comptabilisés par le très méticuleux colonel Eichmann — Joseph Rosenfeld ne figurait plus sur cette liste.

— Cela ne servira à rien, lui dis-je. Les lois de Nuremberg sont rétroactives. Elles s'appliquent dans tous leurs détails à ceux qui étaient juifs avant leur promulgation. Dans ces conditions, le fait d'être devenu chrétien en 1937 n'entre pas en ligne de compte.

— Rends-moi un service, ma chérie. Ne dis rien de tout cela à ma mère. Elle pense qu'elle m'a sauvé de toute cette folie. Je ne veux à aucun prix lui faire perdre ses illusions.

Il m'embrassa et la tête me tourna. Je ne sais pourquoi, mais ma proposition de mariage fut oubliée.

L'idée que la situation politique puisse entraver le cours de mes études m'était insupportable. J'avais obtenu mes deux diplômes d'État avec de bonnes notes. Il ne me restait plus qu'un seul examen à passer pour être docteur en droit, ce qui me permettrait non seulement d'être avocat, mais aussi juge. Je me suis dit qu'il me serait beaucoup plus facile d'émigrer avec cet examen et toutes les qualifications requises. En avril 1938, je me rendis à l'université pour prendre possession du certificat d'obtention de mon dernier diplôme et pour connaître la date des épreuves de doctorat. Une jeune employée, que je connaissais d'ailleurs, me dit : « Tu ne passeras pas cet examen, Edith. Tu n'es plus la bienvenue dans notre université. » Elle me donna mon certificat et le relevé de mes notes.

Pendant presque cinq ans, j'avais étudié le droit, les constitutions, les délits civils, la psychologie, l'économie, la théorie politique, l'histoire et la philosophie. J'avais écrit des articles, suivi des conférences, analysé des questions juridiques, étudié avec un juge trois fois par semaine pour préparer mon doctorat. Et maintenant, voilà qu'ils m'interdisaient de le passer.

Mes jambes se dérobèrent. Je m'appuyais sur son bureau pour ne pas tomber. « Mais... mais... il ne me reste que ce dernier examen pour obtenir mon diplôme ! »

Elle me tourna le dos. Je pouvais sentir son sentiment de triomphe, sa satisfaction authentique de détruire ma vie, une sorte d'excitation profondément malsaine.

Grand-mère se fit une hernie en aidant la bonne à porter de lourds matelas dans la cour. Il fallut l'opérer et elle décéda au cours de cette opération. Grand-père n'arrivait pas à le croire. Il errait sans cesse comme une âme en peine, apparemment dans l'espoir de retrouver sa femme, mais il se rappelait bientôt dans un gros soupir qu'elle était partie.

Peu après la mort de grand-mère, la communauté internationale organisa une conférence à Évian pour discuter du sort des Juifs autrichiens. Eichmann envoya des représentants de notre communauté afin d'obtenir de certains pays qu'ils paient une rançon, le prix de notre liberté. « Ne voulez-vous pas sauver des Juifs autrichiens courtois, instruits, joviaux, cultivés ?

auraient pu dire ces délégués. Cela vous conviendrait-il de payer quatre cents dollars par tête de Juif au régime nazi ? Non, c'est trop ? Que diriez-vous de deux cents dollars ? »

Ils ne purent même pas obtenir un centime.

Aucun pays ne voulait payer pour notre délivrance. Le dictateur de la République dominicaine, Trujillo, accepta de prendre quelques Juifs, dans l'idée qu'ils pourraient apporter un peu de prospérité à son petit pays plongé dans la misère. J'ai entendu dire qu'ils y parvinrent.

Le 9 novembre 1938, je n'allai pas travailler chez les Denner. Ma sœur Hansi avait reçu son billet pour émigrer en Palestine. Avec un sentiment de joie mêlé de chagrin, nous l'accompagnâmes à la gare. Dans son sac à dos et dans l'unique valise autorisée par les nazis, elle avait emporté du pain, des œufs durs, un gâteau, du lait concentré, des sous-vêtements, des chaussettes, des chaussures, de solides pantalons, des chemises épaisses, une seule robe et une seule jupe. La féminité — et tous les jolis accessoires qui vont avec — avait perdu beaucoup de son importance. À l'instar des fruits et des fleurs, la féminité s'altère rapidement et coûte trop cher par rapport à son utilité négligeable en temps de guerre.

Maman, Mimi et moi étions en larmes, mais pas Hansi. « Venez me rejoindre au plus vite, nous dit-elle. Quittez ce maudit pays ; quittez-le aussi vite que vous le pouvez. »

Le train arriva et l'emporta. Elle se pencha à la fenêtre en même temps que les autres jeunes gens qui s'enfuyaient, agitant la main en signe d'adieu. Elle ne souriait pas.

Maman avait vidé son compte en banque pour payer aux nazis la somme énorme qu'ils exigeaient pour laisser partir Hansi. Nous n'avions pratiquement plus d'argent pour payer notre propre rançon. « Mais plusieurs hommes sont amoureux de toi, dit maman en me serrant très fort. Ils te sauveront. Hansi était trop jeune pour avoir un homme dans sa vie. »

En rentrant à pied de la gare à la tombée du jour, nous avions entendu un grondement étrange et aperçu la lueur orange d'un incendie. De l'autre côté de la ville, un bâtiment était en train de brûler. Les trottoirs étaient inhabituellement déserts. Des véhicules nazis passaient en vrombissant, remplis de jeunes gens en proie à une grande excitation. Mimi et moi avions acquis un sens aigu du danger ces derniers mois, et c'est pourquoi nous nous étions mises à courir, entraînant maman avec nous. Parvenues à la maison, nous étions tombées sur la concierge.

Frau Falat nous attendait, le visage hagard et inquiet. « Ils ont attaqué tous les magasins juifs, dit-elle. Une des synagogues est en train de brûler. Ne sortez pas ce soir. »

Milo Grenzbauer arriva, à bout de souffle, après une longue errance à travers les rues de la ville. « Puis-je vous importuner, Frau Hahn ? demanda-t-il courtoisement. Il faudrait que je puisse passer la nuit chez vous. Un ami de mon frère qui est dans les SA dit que les nazis embarquent tous les jeunes Juifs pour une destination inconnue, sans doute Dachau ou Buchenwald. Il nous a dit, à moi et à mon frère, de ne pas rester chez nous cette nuit. » Il s'affaissa dans l'un des fauteuils en cuir. Mimi s'assit à ses pieds, tremblante, agrippée à ses genoux.

Dehors, un vacarme de cris, de crissements de pneus et de fenêtres fracassées emplissait les rues. Vers 22 heures, notre cousin Erwin, un étudiant en médecine, nous rejoignit. Il était en nage, livide. Il était rentré tard chez lui de la faculté quand il avait aperçu une meute devant la synagogue. Soudain, la synagogue avait été incendiée, des Juifs avaient été passés à tabac et emmenés de force. Il avait fait alors demi-tour et pris la direction de notre quartier.

Pepi arriva juste après lui. Des trois jeunes hommes présents dans notre maison, il était le seul à garder son calme — net, coquet, serein.

— Au bout d'un certain temps, la populace se fatigue et rentre chez elle, dit-il. Vous verrez, demain matin, ils auront une terrible gueule de bois, il y aura de nombreuses vitres cassées, ils seront dégrisés, répareront les fenêtres et la vie reprendra son cours normal.

Nous le dévisagions, stupéfaits. Était-il devenu fou ?

— Tu as toujours une vision optimiste des choses, Pepi, dit ma mère, très amusée. Tu feras un merveilleux avocat.

— Je n'aime pas voir ma douce chérie bouleversée, murmura-t-il en posant sa main sur mon front pour me rassurer.

Il passa son bras autour de moi et m'attira contre lui sur le sofa. À cet instant-là, je l'aimais follement. J'eus le sentiment que sa bonté et son courage nous permettraient finalement de sortir de cet enfer.

Et puis Anna, sa mère, surgit en hurlant :

— Es-tu devenu fou, ou quoi ? J'ai soudoyé la moitié des fonctionnaires de la ville pour faire de toi un chrétien, pour te sortir du fichier des Juifs ! Et toi, qu'est-ce que tu fais, alors que les Juifs sont arrêtés et leurs magasins incendiés ? Tu vas tout droit chez eux,

là où ils se cachent et tu te pavanes dans leur salon !
Laisse tomber ces gens ! Tu n'appartiens pas à leur peuple ! Tu es chrétien, catholique, autrichien ! Ces gens
sont des étrangers ! Tout le monde les déteste ! Tu ne
resteras pas une minute de plus en leur compagnie !

Elle se tourna vers moi, avec un regard de folle.

— Laisse-le partir, Edith ! Si tu l'aimes, laisse-le
partir ! Si tu t'accroches à lui, ils vont l'embarquer pour
le mettre en prison, mon unique garçon, mon fils, mon
trésor...

Elle se mit à sangloter.

Ma mère, compatissante comme toujours, lui offrit
un cognac.

— Maintenant, ça suffit, maman, dit Pepi. Arrête
de faire une scène, s'il te plaît. Edith et moi allons partir
d'ici très bientôt. Nous envisageons d'aller en Angleterre, ou peut-être en Palestine.

— Quoi ? C'est ça que vous complotiez derrière
mon dos ? M'abandonner, moi une pauvre veuve, seule
à la veille de la guerre ?

— Bon, arrête de jouer les « pauvres veuves » !
C'est ridicule ! Tu es mariée à Herr Hofer et il prendra
soin de toi, lui dit Pepi d'un ton réprobateur.

La révélation de son secret rendit Anna folle
furieuse :

— Si tu m'abandonnes, si tu t'enfuis avec ta petite
pute de juive, je me tuerai !

Elle se précipita vers la fenêtre et enjamba le
rebord, faisant mine de se jeter dans le vide.

Pepi bondit, se saisit d'elle, serra contre lui son
corps large et volumineux, et lui tapota le dos.

— Là, là, ne t'inquiète pas, maman...

— Viens avec moi, dit-elle d'un ton plaintif. Laisse

tomber ces gens ! Quitte cette fille — elle te mènera tout droit à la mort ! Viens à la maison avec moi !

Il me regarda par-dessus le dos tremblant de sa mère et ce regard me fit comprendre ce qu'il avait supporté durant toutes ces semaines depuis l'*Anschluss*. Je compris alors la raison pour laquelle il n'avait jamais vraiment accepté de partir. Je compris qu'Anna était en permanence dans un état d'hystérie, exerçant une folle pression sur lui, hurlant, pleurant, menaçant de se suicider, qu'elle l'avait pris au piège et immobilisé avec une chaîne en acier qu'elle appelait « amour ».

— Va-t'en, dis-je doucement. Retourne chez toi avec elle. Va-t'en.

Il partit. Pendant tout le reste de la Nuit de cristal, nous restâmes là, terrifiés par ce fracas du monde extérieur qui annonçait celui de nos vies.

Ma sœur Mimi épousa Milo Grenzbauer en décembre 1938. Ils partirent clandestinement pour Israël en février 1939. Ma mère avait vendu les fauteuils en cuir pour payer leurs billets. Nous aurions pu trouver l'argent nécessaire à l'achat d'un troisième billet pour moi, mais, pour être honnête, la perspective de quitter Pepi m'était insupportable.

Les événements se télescopèrent à une telle vitesse et avec une telle violence que nous eûmes l'impression d'être ensevelis sous une avalanche, sans la moindre échappatoire possible. En mars 1939, un an après l'*Anschluss*, Hitler — ayant reçu le feu vert de Chamberlain — s'empara de la Tchécoslovaquie. « Si les *goys* eux-mêmes ne défendent pas leurs alliés, comment pourrions-nous espérer qu'ils nous défendent ? » dit ma mère. Peu après, mon grand-père eut une attaque cérébrale. Oncle Richard engagea une infirmière et nous fîmes tous de notre mieux pour aller le voir le plus souvent possible à Stockereau. Mais un jour, les nazis arrêtèrent oncle Richard et tante Roszi.

Ils passèrent six semaines en prison. Pour sortir, ils livrèrent aux nazis tout ce qu'ils possédaient : biens immobiliers, comptes bancaires, obligations, vaisselle, argenterie. Ensuite, ils quittèrent immédiatement le pays, vers l'Est. L'Union soviétique les engloutit. Ma mère attendit et pria pour recevoir un mot d'eux, mais elle n'en reçut jamais.

Un jour, un jeune homme en uniforme frappa à notre porte. Il faut que vous sachiez que ces nazis avaient une façon toute particulière de frapper aux portes, comme s'ils leur en voulaient, comme s'ils voulaient les fracasser à coups de poing rageurs. Quand ils frappaient à la porte, je savais toujours que c'était eux. J'avais la chair de poule et mon estomac se serrait. Les autorités nazies informèrent maman que la maison et le magasin de grand-père avaient été repris par de « bons » Autrichiens, et qu'il devait maintenant aller vivre avec ses proches.

Ce fut tout. Plus de Stockerau.

Grand-père vivait dans cette maison depuis quarante-quatre ans. La vaisselle, les fauteuils, les photos, les oreillers, les tapis, le téléphone, les marmites, les casseroles et les cuillères, le piano, les magnifiques petits napperons en dentelle, les motos Puch, les machines à coudre, les lettres que nous lui avions écrites et qu'il gardait précieusement dans son grand bureau en bois, le bureau lui-même — tout fut volé, le moindre morceau de bois, le moindre souvenir. Et les voleurs vendirent tout cela à vil prix à ses voisins de toujours.

Maman me demanda de prendre soin de lui. L'attaque cérébrale dont il avait été victime après la mort de grand-mère avait ralenti son rythme. Mais la perte de sa maison, où il se sentait si bien, l'avait définitivement rendu invalide. Je le conduisais aux toilettes, je massais ses pieds. Un jour, je lui ai préparé un de ses plats préférés. Il me remercia dans un premier temps, pour me dire ensuite, gentiment, presque en s'excusant :

— Ta grand-mère le faisait mieux.

— Oui, je sais.

— Où est-elle ?

— Elle est morte.

— Ah oui, bien sûr, je le savais... Quand vais-je rentrer à la maison ? ajouta-t-il en regardant ses vieilles mains usées, calleuses, marquées par des années de dur labeur.

Il mourut un matin. J'ai revu sa maison, des années plus tard. Je crois qu'elle est toujours habitée aujourd'hui. Au 12, *Donaustrasse*, à Stockerau.

Par comparaison avec l'expulsion de grand-père, la nôtre eut un caractère insignifiant. La concierge pleurait dans l'encadrement de la porte, en brandissant l'avis d'expulsion que nous avait adressé notre propriétaire. « Que pouvait-il faire ? dit-elle. C'est le régime qui l'exige. »

Et ce fut ainsi que maman et moi emménageâmes dans le ghetto de Vienne au 13, *Untere Donaustrasse*, à Leopoldstadt. Frau Maimon, la tante de Milo, nous accueillait dans son appartement. Deux autres dames, des sœurs, étaient déjà en pension chez elle, l'une célibataire, et l'autre mariée à un homme détenu à Dachau.

Nous étions donc cinq femmes à vivre dans un appartement conçu pour une seule personne. Jamais il ne nous arriva de nous disputer. Chacune d'entre nous s'excusait invariablement si elle ne pouvait faire autrement que de violer l'intimité d'une autre.

Maman et moi gagnions notre vie en effectuant des travaux de couture. Nous ne faisions pas de la haute couture, bien sûr, mais du raccommodage de vêtements usagés pour les remettre à la mode du temps. Nous devions aussi retailler nombre de vêtements, parce que nos voisins juifs du ghetto avaient beaucoup maigri.

Ma cousine Jultschi, elle, grossissait à vue d'oil.

Un jour, alors que nous étions assises dans le parc, elle se mit à pleurer à chaudes larmes. Elle avait la peau couverte de rougeurs et de boutons.

— Je sais que je n'aurais pas dû tomber enceinte à une époque si terrible, me dit-elle, mais Otto a été appelé sous les drapeaux et nous avons eu peur de ne jamais nous revoir. Nous étions si accablés... C'est arrivé comme ça, et je ne sais pas ce que je vais faire. Peut-être laisseront-ils l'enfant tranquille ? Qu'en penses-tu, Edith ? Je veux dire que ça doit quand même compter que le père, au moins, ne soit pas juif, qu'il soit un soldat du Reich.

— Peut-être en tiendront-ils compte, dis-je sans y croire vraiment.

— J'ai essayé de décrocher un emploi de bonne en Angleterre. Je croyais qu'ils penseraient seulement que je suis grassouillette. Mais ils ont tout de suite compris que j'étais enceinte.

Elle me fixa de ses grands yeux attendrissants.

— Je ne peux pas me permettre d'être enceinte, Edith, avec Otto qui va partir à la guerre et toutes ces lois contre les Juifs. Il faut que je voie un médecin.

Je pris contact avec notre vieil ami Kohn. Il venait de finir ses études de médecine et avait ouvert un cabinet, mais les nazis lui avaient retiré l'autorisation d'exercer. Il était dans un état épouvantable.

— Connais-tu Elfi Westermayer ? dit-il avec amertume. Elle a des patients alors qu'elle n'a même pas été fichue d'obtenir son diplôme de médecin. Apparemment, la seule chose dont on ait besoin dans ce pays pour pratiquer la médecine, c'est d'avoir une carte de membre du parti nazi.

Il accepta de voir Jultschi, mais il prit finalement la décision de ne pas l'avorter.

— Je n'ai pas de cabinet, pas de poste à l'hôpital, pas d'accès aux médicaments. Grands dieux ! Tu pourrais avoir une infection... Il pourrait y avoir de terribles conséquences.

Il lui prit la main.

— Rentre chez toi. Donne naissance à l'enfant. Il sera pour toi une source de réconfort dans les temps qui viennent.

Jultschi rentra chez elle et raconta à son mari ce qui s'était passé. Il était en train de préparer ses affaires pour aller conquérir la Pologne. Il l'embrassa, lui promit de revenir et la laissa seule jusqu'à la naissance de son enfant.

Maman et moi avons sombré dans la pauvreté à une vitesse stupéfiante. Il nous était impossible de gagner correctement notre vie, étant donné que nos clients nous payaient en *groschen* (alors assimilés à des *pfennigs* par les Allemands)[1]. Nous décidâmes de troquer nos biens contre des produits dont nous avions désespérément besoin.

---

1. L'unité monétaire autrichienne, le *schilling*, est divisée en 100 *groschen*. (N.d.T.)

Maman avait une dent cariée qui la faisait horriblement souffrir. Notre dentiste juif n'était plus autorisé à
professer, mais, grâce à Pepi, maman trouva un dentiste aryen qui accepta d'arracher cette dent. Il voulait
de l'or. Maman lui donna une chaîne en or. Cela ne
lui suffisait pas. Elle lui en donna une autre. Ce n'était
toujours pas suffisant. Elle lui donna sa dernière chaîne.
Trois chaînes en or pour une dent...

J'essayais de recouvrer les mensualités des
machines à coudre et des motocyclettes louées par mon
grand-père grâce à son contrat de franchise, mais personne — parmi ceux qui avaient contracté une dette
avec un Juif — ne se sentait obligé de rembourser un
pfennig de plus. La plupart me rirent au nez.

La sœur cadette de maman, tante Marianne, avait
épousé un homme nommé Adolf Robicheck. Ils
s'étaient installés à Belgrade, où Adolf travaillait pour
une société de transport maritime opérant sur le
Danube. Les Robichek nous faisaient parvenir des colis
de nourriture par l'intermédiaire de certains capitaines
de la compagnie, et nous partagions notre bonheur
avec Frau Maimon et les deux sœurs. Ces colis devinrent pour nous une vraie bouée de sauvetage.

Les Autrichiens connaissaient-ils le sort réservé
aux Juifs ? Comprenaient-ils que nous étions dépos-
sédés, que nous commencions à avoir faim ? En guise
de réponse, laissez-moi vous raconter une histoire.

Un jour, après l'*Anschluss*, je fus interpellée par un
policier pour avoir traversé la rue en dehors des passages piétons. Il m'ordonna de payer immédiatement
une forte amende. « Mais je suis juive », lui dis-je. Il ne
lui en fallait pas plus pour comprendre que je n'avais
pas un sou, et il me laissa partir. Ainsi, voyez-vous,
quand ils vous disent qu'ils ne savaient pas, vous ne
devez jamais les croire. Jamais.

La vie sentimentale de Christl Denner, déjà tumul-
tueuse, le devint plus encore à cause de la politique
nazie. Nous discutions dans la salle de bains, parce que
toutes les autres pièces, dotées de fenêtres immenses,
étaient glaciales.

— Écoute-moi, Edith, il n'y a vraiment que les SS
pour créer une situation aussi absurde. Selon les décrets
de Nuremberg, on ne peut être aryen que si ses grands-
parents maternels et paternels sont aryens, n'est-ce
pas ? Donc, si l'on a un grand-parent juif, on est considéré comme juif et privé de tous ses droits de citoyen,
pas vrai ? Eh bien, devine quoi ? Le père de Bertschi est
un Juif tchèque.

— Oh, mon Dieu, dis-je, consternée.

— Heureusement, mon père a aidé le père de
Bertschi à se procurer des faux papiers « prouvant »
qu'il était, lui aussi, aryen depuis trois générations. Une
bonne idée, non ?

— Excellente, dis-je.

— Le problème, c'est que le père de Bertschi a aussitôt été appelé sous les drapeaux.

— Oh, mon Dieu !

— À l'armée, ils ont découvert la véritable identité
de Herr Beran, et ils l'ont jeté en prison. Mais, entre-
temps, ils ont incorporé Bertschi, qui, du fait des faux
papiers de son père, était à présent un bon aryen. Mais
ensuite, très rapidement, l'armée découvrit que le père
de Bertschi était en prison, sans en connaître la raison.
Aussi décidèrent-ils d'infliger à Bertschi une démobili-
sation déshonorante et de le renvoyer à Vienne. Et,
écoute ça, Edith, tu ne vas pas le croire...

— Quoi ? Quoi ?

— Pendant que Bertschi retournait à Vienne, tous
les soldats de son unité ont été décimés lors d'une
attaque de la résistance française.

Cela me fit de la peine pour les Allemands, je frémis pour Bertschi, et je fus ravi d'apprendre qu'il y avait une résistance en France.

— Maintenant, ils ont découvert que Bertschi est à moitié juif, et la Gestapo est à sa recherche.

— Oh, non...

— Mais j'ai un plan. Mon père m'a acheté une boutique ayant appartenu à un Juif. Je vais vendre des souvenirs : des tasses à café décorées de la cathédrale Saint-Stéphane, des répliques des statuettes de la manufacture de Nymphenberg, des boîtes à musique qui jouent du Wagner. Bien entendu, j'ai besoin d'un comptable pour m'aider à gérer le magasin. Alors j'ai embauché Bertschi.

Elle sourit. Son chien posa sa tête sur ses genoux et la regarda avec adoration.

— Oh, Christl, c'est extrêmement dangereux. Ils vont te faire des histoires...

— Ils m'en font déjà. Je suis convoquée au commissariat de la *Prinz Eugenstrasse* demain.

— Tu ne dois pas y aller ! m'écriai-je. Tu es aryenne, tu peux sortir du pays. Tu as des papiers en règle. Quitte la ville, quitte le Reich !

— Mon père a été affecté à l'unité de défense antiaérienne à Münster, en Westphalie. Je ne partirai nulle part.

Je pensais à Hansi, aux SS, à leur façon brutale de traiter les femmes.

Christl souriait.

— Prête-moi juste ton chemisier jaune aux oiseaux brodés, et tout ira bien, dit-elle.

Le lendemain, Christl Denner revêtit le chemisier que ma mère avait confectionné pour moi. Il lui allait parfaitement. Elle mit son rouge à lèvres le plus écarlate et du rimmel sur ses cils. En descendant la rue, sa jupe voletait, ses cheveux brillaient, comme si elle allait danser. Elle entra au quartier général de la Gestapo. Tous les hommes présents se haussèrent derrière leur bureau pour mieux la contempler. L'officier nazi fit son possible pour paraître sévère.

— Un homme travaille pour vous, Fräulein Denner, un certain Hans Beran...

— Oui, c'est mon comptable. Il voyage actuellement dans le Reich. Il m'a adressé une carte postale.

— Lorsqu'il reviendra, dites-lui que nous voulons le voir.

— Mais bien sûr, capitaine, je vous l'enverrai aussitôt.

Elle lui fit un grand sourire. Il lui baisa la main et lui demanda s'il pouvait lui offrir un café. Elle accepta.

— Quoi ? Tu es sortie avec un SS ?

— Une femme peut-elle refuser une simple invitation à prendre un café ? Ce serait impoli et pourrait éveiller les soupçons. Quand il m'a proposé de nous rencontrer à nouveau, je lui ai simplement dit que j'étais fiancée à un courageux marin de haute mer et qu'il m'était absolument impossible de trahir sa confiance.

Elle sourit en me rendant mon chemisier. Elle avait la classe d'une héroïne hollywoodienne, mon amie Christl ! Dans la cave de son magasin, se trouvait Bertschi Beran, le plus chanceux des hommes.

Pepi venait me voir tous les jours. Il travaillait comme sténographe au tribunal. Après son travail, il mangeait un morceau dans un café, puis me rendait visite, après une marche de quarante-cinq minutes. Il arrivait généralement à 19 heures, posait sa montre sur la table afin de ne pas oublier l'heure, car il devait partir à 21 h 15 précises, l'heure à laquelle sa terrible mère l'attendait.

Notre amour frustré, sans cesse différé, ne pouvait s'exprimer nulle part, et nous commencions à avoir follement envie l'un de l'autre. Par les froids les plus vifs, nous sortions pour trouver un banc ou une porte cochère où nous pourrions nous embrasser.

Un après-midi, nous sommes entrés furtivement dans son appartement, terrifiés à l'idée d'être découverts par les voisins. Il avait acheté des préservatifs et les avait cachés dans une boîte portant l'inscription « FILM NON DÉVELOPPÉ ! NE PAS EXPOSER À LA LUMIÈRE ! » pour qu'Anna ne les découvre pas (elle fourrait son nez partout). Nous étions fous d'excitation et impatients de nous aimer. Mais à peine avions-nous commencé à nous déshabiller que nous entendîmes des hurlements dans le couloir à l'extérieur et ce bruit atroce que faisaient les nazis quand ils frappaient à une porte. La maîtresse de maison se mit à hurler. « Non ! Non ! Il n'a rien fait ! Ne l'emmenez pas ! » Et puis il y eut ces pas lourds des nazis qui embarquaient le prisonnier.

La frayeur éteignit aussitôt notre passion. Il nous fut impossible de la raviver ce soir-là. Pepi me ramena au ghetto.

Il ne fut pas renvoyé de son emploi au tribunal. Il cessa simplement un jour de s'y rendre et ses collègues supposèrent que, comme tous les autres Juifs, demi-Juifs et quart de Juifs, il avait été arrêté ou qu'il faisait l'impossible pour sortir du pays. Il ne pouvait recevoir les tickets de rationnement destinés aux Juifs parce qu'il n'était plus fiché comme juif. D'un autre côté, s'il avait tenté d'utiliser des tickets aryens, il aurait été incorporé dans l'armée.

Pepi était ainsi pris au piège dans l'appartement de sa mère. Elle lui donnait tout ce dont il avait besoin, y compris des cigarettes, qu'elle s'était procurées en se faisant passer pour une fumeuse invétérée. Dans la journée, il sortait pour aller s'asseoir dans un parc où personne ne le remarquerait. Il occupait son temps à rédiger des lois pour la nouvelle Autriche démocratique qui, il en était sûr, renaîtrait de ses cendres après l'élimination des nazis. Pouvez-vous imaginer une chose pareille ? Mon brillant Pepi, plongé dans la clandestinité et refaisant le code pénal autrichien, pour se distraire !

En 1939, lorsque les nazis attaquèrent la Pologne, forçant la France et la Grande-Bretagne à entrer en guerre, nous eûmes un moment l'espoir que les Allemands seraient rapidement vaincus. En fin de compte, pensions-nous, rester à Vienne était peut-être la meilleure décision. Mais, bien vite, nous comprîmes que l'extension de la guerre nous privait de tout espoir de fuite.

Les vieux et les malades ne voyaient plus aucune échappatoire. Une vieille dame, la veuve du grand peintre juif allemand Max Liebermann, se donna la mort au moment même où la Gestapo venait l'arrêter. L'oncle de ma mère, Ignaz Hoffman, médecin éminent, avait épousé une jeune femme et passé quelques années de bonheur à ses côtés. Avant que la Gestapo ne vienne l'arrêter, il avala du poison. « Maintenant, tu dois t'enfuir à toute jambes, mon amour, dit-il. Cours aussi vite que le vent. Un vieil homme comme moi serait un fardeau trop lourd pour toi. » Et il mourut dans ses bras.

J'appris qu'une mystérieuse femme nazie avait aidé la femme d'oncle Ignaz — avant que celle-ci ne prenne la fuite — à faire sortir illégalement ses biens.

Tous les Juifs d'origine polonaise furent renvoyés au pays de leurs ancêtres. Ce fut ainsi que les deux gentilles sœurs s'en allèrent après d'émouvants au revoir. Nous leur envoyâmes des colis aux bons soins de la communauté juive de Varsovie, mais ils nous furent retournés parce qu'il était interdit d'expédier quoi que ce soit aux Juifs. Aussi, forts des conseils d'un voisin astucieux, nous écrivîmes l'adresse en polonais et, comme par magie, les colis arrivèrent à bon port. J'appris moi aussi à faire preuve de ruse. Je n'expédiais jamais deux colis depuis le même bureau de poste.

Peu à peu, nous perdîmes contact avec tous nos parents et amis. Ils tentaient de s'échapper par tous les moyens, à travers la moindre fissure ouverte dans le mur de l'empire nazi.

Ma tante Marianna Robicheck nous écrivit qu'elle avait pris le chemin de l'Italie avec sa famille. Oncle Richard et tante Rozsi nous envoyèrent une carte postale de Chine. Hansi, Milo et Mimi nous firent savoir, par l'intermédiaire d'autres parents, qu'ils avaient réussi à rejoindre la Palestine. Mon cousin Max Sternbach, un artiste de talent, diplômé de l'école des beaux-arts, opposant aux nazis, disparut au-delà des Alpes pour se réfugier en Suisse — du moins, c'était notre espoir.

Pour l'anniversaire de Pepi, j'empruntai le chemisier lilas de Christl et me fis prendre en photo dans une attitude solennelle. J'avais quelque part le sentiment que nous aurions chacun besoin d'avoir la photo de l'autre, si d'aventure nous devions être séparés. Il disait que cela n'arriverait jamais, mais tant de gens étaient séparés. Voyez Otto Ondrej, embourbé sur le front Est, il ne sut jamais à quoi ressemblait son fils à qui Jultschi avait donné le même nom que lui.

À présent, tous mes espoirs résidaient dans la défaite de l'Allemagne. Si seulement la France pouvait tenir bon... Si seulement l'Italie pouvait s'allier avec l'Angleterre... Si seulement l'Amérique pouvait entrer en guerre, alors les nazis seraient balayés.

En juin 1940, Pepi et moi marchions le long du canal du Danube quand soudain quelqu'un sur l'autre rive nous cria joyeusement : « La France est tombée ! » Toute la ville retentit d'acclamations... Quant à moi, je vomis dans la rue. Je ne pouvais plus respirer ni marcher. Pepi dut me soutenir jusqu'à la maison. Sa mère prenait des comprimés pour maîtriser ses nerfs. Comme j'étais maintenant dans le même état d'hystérie qu'elle, Pepi lui en vola quelques-uns, les plaça dans ma bouche et veilla à ce que je les avale bien.

Lorsque l'Italie déclara la guerre à la France et à l'Angleterre — manifestement, Mussolini était persuadé qu'Hitler gagnerait la guerre —, je pris ces comprimés de mon propre gré, car j'eus alors le sentiment que tout était perdu. Nous étions piégés, au cœur de l'empire fasciste.

Pepi refusait de céder au désespoir. Sa fidélité rythmait et apaisait notre existence. Les petits cadeaux qu'il nous rapportait de sa famille aryenne — café, fromage, livres — nous rappelaient les jours meilleurs d'antan. Et puis, dans un élan des plus romantiques, il demanda un peu d'argent à sa mère afin de m'offrir un séjour dans la vallée de la Wachau.

Nous devions passer trois jours splendides dans un pays de conte de fées : naviguer sur le fleuve d'un bleu cristallin, monter jusqu'aux ruines du château de Dürnstein, où Richard Cœur de Lion fut fait prisonnier et où Blondl, le ménestrel, chantait pour la délivrance de son seigneur ! Nous fermions à clé la porte de notre chambre d'hôtel et nous jetions sur le lit, dans les bras l'un de l'autre. Aux gens qui me demandaient pourquoi j'avais épousé un homme beaucoup plus âgé que moi — car Pepi faisait beaucoup plus vieux que son âge et moi, beaucoup plus jeune —, je répondais : « Parce que c'est le plus grand amant du monde ! »

Les démons nazis disparurent de nos pensées comme par enchantement. Nous nous promenions le long des sentiers pittoresques que Bertrand Russell avait empruntés avant nous — il disait que cette région était le jardin enchanté de l'Autriche — et seul nous importait l'infini bonheur d'être ensemble. La politique, la pauvreté, la terreur et l'hystérie, tout cela avait disparu dans l'air pur et vivifiant de la montagne.

— Tu es mon ange, murmura-t-il. Tu es ma petite souris magique, ma petite chérie...

Voyez-vous, c'était pour cela que je restais en Autriche. J'étais amoureuse, et je ne pouvais imaginer ma vie sans Pepi.

Lorsque, parmi les cent quatre-vingt-cinq mille Juifs de Vienne, environ cent mille eurent réussi, d'une manière ou d'une autre, à quitter le pays, les nazis décidèrent que tous ceux qui étaient restés à Vienne devaient être fichés. Tous les Juifs dont le nom commençait par F devaient se présenter tel jour dans un square, tous ceux dont le nom commençait par G tel autre jour, et tous ceux dont le nom commençait par la lettre H, le 24 avril 1941. De bon matin, maman et moi nous rendîmes à l'endroit indiqué pour faire la queue. Lorsque des gens s'évanouissaient, nous tentions de les porter jusqu'à un endroit ombragé. Soudain, un camion de la Gestapo s'arrêta à côté de nous. Un SS sauta à terre et nous emmena de force, ma mère et moi.

— Montez dans le camion, dit-il.

— Quoi ? Mais pourquoi ?

— Ne pose pas de questions stupides, sale youpine ! Monte !

On nous poussa dans le camion. Je serrai fort la main de maman. Ils nous emmenèrent dans un bureau de la SS et nous mirent un document sous les yeux.

— Vous êtes toutes deux réquisitionnées pour effectuer des travaux agricoles dans le Reich. Voilà. Signez ce document. C'est un contrat.

Comme par enchantement mes connaissances en droit me revinrent brutalement à l'esprit. Je me mis dans la peau d'un avocat. J'argumentai comme si j'étais en train de réinventer l'art de la plaidoirie :

— Mais cette femme ne devrait même pas se trouver ici, dis-je en tirant maman derrière moi. Elle n'est pas viennoise, elle n'est pas juive. Il s'agit seulement d'une vieille domestique que nous employions autrefois. Elle est venue ici pour me tenir compagnie.

— Signez ce document.

— D'ailleurs, regardez-la ! Vous voyez bien qu'elle est incapable de fournir un travail quelconque. Elle a des ostéophytes aux pieds, de l'arthrite aux hanches. C'est une véritable catastrophe orthopédique, croyez-moi sur parole. Si vous avez besoin de travailleurs, allez chercher mes sœurs. Ma sœur Gretchen est très belle. Elle a seulement vingt-deux ans et c'est une athlète. Oui, monsieur, la meilleure ! Si elle n'avait pas été juive, elle aurait fait partie de l'équipe olympique féminine de natation. Et ma sœur Erika est forte comme deux chevaux. Vous pourriez l'atteler à une charrue, croyez-moi. Mes sœurs étaient dans la queue comme nous. Elles ont dû échapper à votre attention. Comment avez-vous pu ne pas remarquer deux jeunes femmes aussi fortes et robustes et embarquer à la place cette vieille bique ? Avez-vous des problèmes oculaires ? Peut-être devriez-vous consulter un ophtalmo...

— Ça va, ça va, ferme-la ! hurla le nazi. Laissez partir la vieille dame. Allez, la vieille, tire-toi !

Ils poussèrent maman dans la rue ensoleillée.

Je signais leur document. Il s'agissait d'un contrat qui m'obligeait à effectuer pendant six semaines des travaux agricoles dans le nord de l'Allemagne. Si je ne me présentais pas à la gare le lendemain, stipulait ce document, je serais traitée comme une criminelle en fuite et impitoyablement pourchassée.

Cette nuit-là, ma mère et moi dormîmes dans les bras l'une de l'autre.

— Six semaines, dis-je. C'est tout. Six semaines et je serai de retour. D'ici là, l'Amérique sera entrée en guerre et aura conquis l'Allemagne, et tout ce cauchemar sera fini.

Je pris un sac à dos et une valise, tout comme l'avait fait ma sœur Hansi. Maman me donna presque tous les aliments qu'elle put trouver.

Pepi vint à la gare accompagné de sa mère. Il avait l'air si doux, si triste. Il avait perdu son adorable bagout et sa gaieté. Il prit mes mains et les mit avec les siennes dans les poches de son manteau. Maman était là, aussi, les yeux ourlés de grands cernes sombres. Nous gardions tous trois le silence. Mais Anna Hofer ne pouvait pas se taire. Elle jacassait à propos du rationnement et de la mode, folle de joie de me voir partir.

Soudain, maman entoura Anna de son bras et, sans lui laisser le temps de protester, l'emmena un peu plus loin pour nous laisser, à Pepi et à moi, un dernier moment d'intimité. Son baiser mêlé de larmes demeura en moi. Longtemps après, son goût salé hanta mes rêves.

Quand le sifflet du train retentit, je murmurai à maman qu'elle ne devait pas être triste, que l'on se reverrait dans six semaines.

5

LES CHAMPS D'ASPERGES D'OSTERBURG

Au début, cela ressemblait à un voyage ordinaire. Je partageais mon compartiment avec plusieurs autres femmes. Lorsque nous arrivâmes à Melk, je connaissais tous les détails sur l'accouchement de chacun de leurs enfants. Une fille pleurnicharde se cramponnait à moi, mais je finis par réussir à m'en débarrasser. Nous avions une gardienne, une Allemande toujours affairée. Durant cette longue nuit sans sommeil, privée de l'autorité que lui conférait habituellement son uniforme nazi, elle avait erré dans le train, désemparée, en robe de chambre.

À la station de Leipzig, on nous entassa dans une pièce gardée par deux policiers et l'on nous ordonna d'enlever notre rouge à lèvres ou tout autre maquillage. Nous devions demander la permission pour aller aux toilettes. Nous continuâmes ensuite notre voyage à bord d'un train régional. Notre bavardage féminin avait maintenant cessé. Après avoir été traitées pendant des heures comme des prisonnières, nous étions réellement devenues des prisonnières, vigilantes, silencieuses. J'étais restée tout le temps debout à regarder l'Allemagne à travers la fenêtre, ses villages d'une propreté maladive avec leurs petites maisons grises en bon ordre, toutes de conception identique. La campagne, encore parsemée des dernières traces de neige, était extrêmement boueuse.

« Cette boue, c'est là où je vais », avais-je pensé.

À Magdeburg, nous avions dû traîner nos bagages en haut d'un escalier très raide. Un tortillard nous emmena ensuite à Stendahl. Là, nous attendîmes sur le quai, frigorifiées.

Les paysans se montrèrent enfin — des gens simples, rudes, déterminés à se comporter comme des petits chefs, même si ce nouveau pouvoir les mettait un peu mal à l'aise. Ils nous jaugèrent d'un œil critique, comme si nous étions des chevaux, puis nous divisèrent en groupes. Le paysan le moins riche prit deux filles. Certains autres en prirent huit ou dix. Je partis avec le groupe le plus important — je crois que nous étions dix-huit — pour la ferme des Mertens à Osterburg.

C'était une grande ferme d'une surface de six cents *morgens*[1]. Cette ferme était composée d'une grande maison — dans laquelle je ne suis jamais entrée —, de plusieurs étables et de baraques pour nous, les travailleurs. En outre, il y avait là cinq chevaux très robustes. Frau Mertens, une femme d'environ vingt-cinq ans dont le mari était parti à la guerre, s'attendait à ce que les Juifs fussent conformes à la description qu'avait faite Goebbels : des mécréants hideux, primitifs, semblables à des rats qui essaieraient sûrement de voler tous ses biens. Elle m'apparut humble et lasse, et elle sembla ravie que nous soyons capables de dire *Bitte* et *Danke*.

---

1. Le *morgen* « matin, matinée » en allemand est une ancienne mesure agraire utilisée par les paysans allemands depuis le Moyen Âge. Elle équivaut à environ 0,3 hectare, soit la surface que l'on pouvait labourer en une matinée. (N.d.T.)

Le lendemain, nous commençâmes à travailler dans ses champs.

C'était la première fois dans ma vie que j'effectuais des travaux de cette nature. Si seulement je n'avais pas arrêté la gym, j'aurais été plus forte, mais il était trop tard pour avoir des regrets.

Nous travaillions de 6 heures du matin jusqu'à midi, puis de une heure à 18 heures l'après-midi, six jours par semaine, avec la demi-journée du dimanche pour tout repos. Notre tâche consistait à planter des haricots, des betteraves et des pommes de terre, et à couper des asperges. Pour ce faire, nous devions chercher les tiges tendres dans la terre, les couper avec un couteau, les sortir, puis reboucher le trou — des milliers de fois par jour. Bien vite, je ressentis des élancements douloureux et une sensation de brûlure dans toutes mes articulations et dans tous mes muscles. J'avais mal aux os. J'avais mal à la tête. Herr Fleschner — nous l'appelions *Herr Verwalter*, c'est-à-dire *contremaître* — était un homme mince avec des yeux ternes et un caractère nerveux. Il portait une casquette et, sous sa veste et son gilet, une chemise blanche toute propre. Nous l'avions toujours sur le dos.

On m'avait dit au commissariat de la *Prinz Eugenstrasse* que je devrais rester six semaines à la ferme des Mertens. Dans le train, j'avais entendu dire que ce serait deux mois. Mais à la ferme, quand j'évoquai ces deux mois devant *Herr Verwalter*, il se mit à rire. Je m'en souviens, il gloussait d'une manière aiguë comme un démon de la plus basse engeance.

« C'est le destin de certaines races de travailler pour d'autres races, avait-il l'habitude de dire lorsqu'il nous surveillait au travail. C'est la loi de la nature. C'est la raison pour laquelle les Polonais et les Français travaillent pour nous les Allemands, comme vous travaillez pour nous aujourd'hui et comme les Anglais, eux aussi, travailleront pour nous demain. »

On m'avait assigné comme tâche de creuser un fossé à la pelle. La terre meuble s'affaissait sans cesse sur moi. Le contremaître hurla : « Plus vite ! Plus vite ! » Je redoublai d'efforts. « Idiote ! hurlait-il. Imbécile de Juive ! Tu n'es donc bonne à rien ? » J'éclatai en sanglots. Mais j'aurais aussi bien pu remplir ce fossé de mes larmes et m'y noyer, je n'aurais suscité aucune commisération de sa part.

Dans mon lit, ce soir-là, je m'en voulus de m'être conduite d'une manière aussi indigne face à un individu aussi méprisable. Je me fis la promesse qu'une telle situation ne se reproduirait jamais, et elle ne se reproduisit jamais. Dans les semaines qui suivirent, le contremaître put s'apercevoir que j'étais devenue l'une de ses meilleures travailleuses, rapide et efficace. Il dirigea alors son courroux sur une malheureuse Roumaine. « Eh, toi, vieille vache ! hurlait-il. Espèce de stupide Juive, bonne à rien ! À quoi donc pourrais-tu servir ? » À plusieurs reprises, il la précipita par terre, le visage contre le sol.

De temps à autre, Frau Mertens, toute pimpante, venait dans les champs pour voir comment les choses se passaient. Elle affichait une condescendance coloniale. Un jour, en guise de salut, elle nous gratifia d'un *Heil Hitler*, avec un sourire en prime. Nous nous redressâmes, les pieds dans la boue, et la fixâmes du regard. Personne ne dit mot. Elle sembla déçue.

Nos baraques de briques et de bois étaient composées de cinq pièces et d'une cuisine. Nous étions quatre dans ma chambre : Frau Telscher, distante et silencieuse ; Trude et Lucy, toutes deux âgées de dix-huit ans, et moi. Personne n'arrivait à croire que j'avais vingt-sept ans et — presque — un diplôme universitaire. De l'autre côté du couloir se trouvait un groupe que nous appelions « les six élégantes », des femmes issues de la bonne société viennoise. Dans la chambre suivante vivaient six autres femmes, parmi lesquelles la malheureuse Roumaine — une jolie fille aux cheveux foncés, toujours tendue, qui s'appelait Frieda. Il y avait une autre fille, enceinte de deux mois, et une femme qui avait autrefois travaillé comme bonne au service d'autres « élégantes ». Elle adorait observer ces femmes, habituées à être dorlotées, quand elles pataugeaient comme nous dans les champs boueux. Mais sa joie prit fin bien vite. À la longue, on ne pouvait trouver rien de bon à un travail éreintant, pas même la satisfaction d'une bataille gagnée dans la lutte des classes.

Nous avions chacune un lit de fer et un matelas en paille, des draps à carreaux bleus et blancs, et une seule couverture. Il faisait tellement froid que je portais presque tous mes vêtements au lit — deux pantalons, deux chemises, ma chemise de nuit, mon peignoir et deux paires de chaussettes. J'avais écrit à maman et à Pepi pour leur demander de m'envoyer un chaud duvet rempli de plumes.

Il fut rapidement évident que si les Allemands étaient intéressés par notre force de travail, ils se moquaient éperdument de la préserver. Nous recevions une seule ration de « café de fleurs » — à base de fleurs ou peut-être de glands. On nous accordait à chacune une miche de pain, que nous devions faire durer du dimanche au mercredi. À midi, nous avions une soupe froide composée d'asperges abîmées et invendables, ou une soupe à la moutarde avec des patates, et parfois un œuf dur. Le soir, on nous donnait une soupe au lait, accompagnée, les jours de chance, d'un peu de porridge. Nous étions toujours affamées. Comme le vieux marin du livre de Coleridge, perdu au milieu de la mer et mourant de soif, nous mourions de faim au milieu de l'abondance. J'attendais avec une vive impatience les petits colis de la maison qui contenaient généralement du pain, ou un petit gâteau, ou encore ce trésor inestimable qu'était la confiture de fruits.

Frau Fleschner, la femme du contremaître, nous surveillait. Elle avait une fille âgée de quatre ans, prénommée Ulrike, qui jouait autour de la ferme — une lueur de douce innocence dans cet univers si dur. Frau Fleschner fumait constamment. L'autorité qui lui était conférée lui procurait un immense plaisir. Le premier jour, elle nous mit en ligne dehors pour nous lire le « Règlement concernant les Juives qui travaillent à la production d'asperges ».

« Toutes les détenues doivent se conformer au règlement et relèvent de l'autorité de Frau Fleschner — c'est-à-dire moi », dit-elle.

« Chaque détenue, le matin quand elle quitte sa chambre, doit avoir fait son lit, nettoyé son lavabo, et s'être assurée que son coin est bien propre. »

« La fille la plus âgée de la chambrée est responsable de la propreté et de l'ordre dans la chambre. » Elle me désigna du doigt. « C'est-à-dire vous. » Puis, elle poursuivit sa lecture.

« Les repas seront pris dans la salle à manger et dans la salle commune. Il est interdit d'apporter des aliments dans les chambres.

« Il y a des locaux particuliers pour la lessive et le repassage.

« Il est interdit de fumer.

« Il est interdit de quitter le camp et ses environs. Il est donc interdit de visiter les villes et villages environnants, ou bien d'aller au cinéma, au théâtre, etc.

« Tous les achats personnels doivent être présentés à la directrice du camp — c'est-à-dire moi — pour autorisation. »

Avec un serrement de cœur, je réalisai qu'il me faudrait obtenir son autorisation pour tout — une brosse à dents, une serviette hygiénique, du sel.

« Il est possible d'aller se promener le samedi de 19 heures à 21 heures et le dimanche de 14 à 18 heures. Ces promenades doivent s'effectuer en groupes d'au moins trois personnes.

« Enfin, bien entendu, il est interdit d'emprunter certaines rues ou de prendre part à une quelconque activité dans la ville d'Osterburg. Vous allez vous promener, et vous rentrez. Un point c'est tout. »

La police locale venait souvent. Ils menaçaient de nous jeter en prison en cas d'atteinte à l'ordre public. Nous écoutions docilement, et quand ils s'en allaient, nous nous écroulions de rire. Nous pouvions à peine ramper jusqu'à nos lits, le soir ! Qui aurait pu avoir la force de semer le désordre ?

Régulièrement, la police placardait des avis pour nous avertir que certaines activités banales seraient dorénavant considérées comme des crimes. Fréquenter une salle de danse, aller au cinéma, boire une bière dans un café, tout cela était devenu un crime pour les Juifs. Et le plus grand de tous les crimes, disait Frau Fleschner, le doigt pointé sur l'avis, était le *Rassenschande*, le déshonneur racial, plus exactement les relations sexuelles entre des Allemands et des Juifs. On pouvait aller en prison pour cela, menaçait-elle.

Le fait d'être malade ne pouvait jamais servir d'excuse à l'exploitation maraîchère d'Osterburg. Ainsi, par exemple, la fille enceinte voulut rentrer chez elle. Elle pleurait et suppliait. Le médecin la déclara apte au travail. Elle vomissait délibérément dans les champs chaque matin. Un fonctionnaire du service du travail, engoncé dans son uniforme nazi, lui donna finalement la permission de partir, non pas dans son pays, mais en Pologne.

Frieda la nerveuse commit l'erreur de se plaindre d'un mal de dents. On l'emmena chez un dentiste. Il lui arracha dix dents. Au bout d'une journée, on la renvoya dans les champs, alors qu'elle crachait le sang. Elle avait vingt-quatre ans.

La récolte des asperges dura tout le début du printemps. Nous rampions dans les rangées pour creuser, arracher les mauvaises herbes, et couper les asperges. Mes doigts me faisaient horriblement mal, comme s'ils étaient cassés. J'arrivais à peine à me redresser. Au début, nous travaillions cinquante-six heures par semaine, mais à présent, nous en étions à quatre-vingts. Tous les paysans de la région s'étaient rencontrés et s'étaient mis d'accord pour mettre fin à la récolte des asperges à une certaine date, ce qui nous obligea à travailler d'arrache-pied pour tenir les délais. Nous nous levions à 4 heures du matin et restions aux champs jusqu'à 6 heures du soir et plus. J'avais toutefois organisé ma campagne de sabotage personnelle. Lorsque je fourrais mon couteau dans la terre, je faisais de mon mieux pour couper le maximum possible de jeunes pousses de l'année suivante.

Un jour, après avoir travaillé douze heures durant sous une pluie battante, je m'apitoyai sur moi-même, sur mes genoux gonflés de rhumatisme et mes vêtements détrempés. « N'aurait-il pas mieux valu que je meure rapidement à Vienne plutôt que de mourir à petit feu, ici, dans ce bourbier ? » écrivis-je à Pepi.

Toutefois, tout de suite après, j'eus honte de mes lamentations et le recours à la pensée socialiste me permit d'amoindrir ma souffrance : « N'est-ce pas là le sort de quatre-vingt-dix pour cent des gens dans ce monde ? Ne sont-ils pas condamnés à travailler durement du matin jusqu'au soir ? À se coucher le ventre creux, en grelottant ? »

Voyez-vous, la honte représentait un outil psychologique précieux pour moi. J'avais encore ma fierté.

Après la récolte, la charge de travail diminua, et certaines filles furent renvoyées chez elles. Six d'entre nous — considérées comme les « meilleures travailleuses » — durent rester.

La chaleur arriva. Les champs, semblables à des vagues vertes, frémissaient dans la brise. Mon corps, qui s'était quelque peu adapté à ce dur labeur, était maintenant plus résistant. Un élan d'amour emplit mon être.

« Je veux sentir à nouveau le goût de tes lèvres, mais tu es si loin ! Quand pourrai-je te toucher à nouveau ? » écrivis-je à Pepi.

Je cueillais des coquelicots et des marguerites pour orner les cheveux de toutes mes camarades. J'étais devenue la consolatrice du camp, simulant la gaieté, valsant avec Trude et Lucy au milieu des betteraves à sucre. À l'extinction des feux, je récitais à mes jeunes camarades de chambre mes vers favoris du *Faust* de Goethe :

« Les pensées lâches, l'hésitation inquiète,
Une timidité de jeune fille, les plaintes timorées
N'éloigneront pas le malheur de toi
Et ne feront pas de toi un homme libre.
Préserver ton pouvoir envers et contre tout,
Ne jamais faiblir et montrer ta force,
T'apportera l'aide des dieux puissants. »

Ces encouragements prodigués à tout le monde, et surtout à moi-même, m'épuisaient, et il m'arrivait de m'endormir sous le soleil, à l'heure du déjeuner, la tête posée sur une gerbe d'orge.

Le courrier représentait notre plus grand réconfort. Nous vivions dans l'attente de nos colis. À cette époque, les nazis assuraient encore la régularité du courrier. Ils savaient que chaque colis appauvrissait encore plus nos parents à Vienne et, par la même occasion, soulageait nos geôliers du coût d'une nourriture abondante. Les *Ostarbeiter* — les travailleurs polonais, serbes et russes — n'étaient pas autorisés à correspondre avec leurs familles. Le régime craignait en effet qu'ils ne révèlent à leurs proches les mauvais traitements subis et que, de ce fait, les futures déportations de travailleurs forcés ne se heurtent à des résistances.

J'écrivais tout le temps à maman, à Pepi, à Jultschi, aux filles Denner, aux Roemer et aux Grenzbauer, parfois trois fois par jour. Souvent, mes lettres ne contenaient rien d'autre qu'un bavardage incohérent ou des protestations de jeune étudiante. Parfois, je décrivais avec précision les travaux agricoles : le nombre d'asperges que j'avais récoltées, la longueur des rangées (deux cents mètres), le fait que tel insecte nuisible dévorait les feuilles légères et que tel genre de larves détruisait les racines, que l'on utilisait tel outil pour arracher les mauvaises herbes et tel autre pour couper. Je racontais comment les prisonniers serbes étaient vendus comme du matériel agricole, comment *Herr Verwalter* m'avait chipé le tabac que Pepi m'avait envoyé (et que je destinais au prisonnier français qui nous avait tant aidées, à nous toutes), comment j'avais appris à m'asseoir d'une certaine façon sur mon derrière dans les rangées pour préserver mes genoux.

Je m'efforçais de dire la vérité à Pepi. Quant à maman, je lui mentais délibérément et systématiquement.

Je disais à Pepi que j'avais attrapé la grippe, et à maman que j'étais en bonne santé et en pleine forme. Je disais à Pepi que Frau Hacheck, une vieille connaissance, se trouvait dans le camp. Je le cachai à maman car elle aurait pu correspondre avec cette dame. Elle aurait ainsi découvert que j'avais une bronchite chronique et une éruption d'origine inconnue, que mes dents noircissaient et que je souffrais de carences alimentaires. Quand Frieda, Trude, Lucy et moi nous rendions à pied sur notre lieu de travail, les enfants allemands nous huaient : « Espèces de truies juives ! » En ville, les commerçants ne voulaient même pas nous vendre une bière. J'écrivais à maman qu'Osterburg était une ville accueillante.

Je lisais Nordau, Kästner, *Faust* et *L'Idée du Baroque*. J'essayais d'apprendre un peu de français et un peu d'anglais parce qu'il était évident que mon corps, maintenant mince et endurci, était sacrifié dans cette épreuve et que seul mon esprit pouvait être préservé.

Nous étions complètement coupées du monde. Nous ne voyions jamais le moindre journal, n'entendions jamais la radio. J'adressai une lettre à notre vieil ami Zich, alors soldat dans la Wehrmacht, dans l'espoir d'avoir de ses nouvelles. J'avais même écrit en Tchécoslovaquie à Rudolf Gisha, mon ex-prétendant nazifié.

Je suppliais Pepi de m'envoyer des nouvelles. « Est-il vrai que la Crète a été occupée ? » lui demandai-je à la fin du mois de mai 1941. Je n'arrivais pas à le croire. Pour moi, la Crète faisait partie de la mythologie grecque. J'imaginais les soldats allemands en train de tirer au bazooka sur des fresques représentant des guerriers barbus, en sandales, portant des lances effilées. Je ne parvenais pas à prendre conscience de la réalité de la guerre. J'avais entendu parler de Guernica, mais il m'était impossible d'imaginer que l'on puisse bombarder des civils non armés. Voyez-vous, il y avait encore des chevaux sur les routes de campagne allemandes à cette époque, et très rares étaient ceux qui pouvaient imaginer ce qu'était un bombardement.

Un matin, à 6 heures, alors que nous nous rendions dans les champs d'asperges, nous vîmes des nuages noirs s'amonceler à l'horizon. Nous savions qu'il allait pleuvoir. « Plus vite, plus vite », grommela le contremaître, soucieux de respecter son quota. La pluie se mit à tomber. La terre se ramollit. Les couteaux commencèrent à nous glisser des mains. Nous nous attendions à ce qu'il nous dise : « Bon, ça suffit pour aujourd'hui. » Mais il ne le dit pas. Il resta planté là, à l'abri sous un parapluie, et nous continuâmes, tête baissée, à ramasser les asperges. Lorsque la pluie se fit torrentielle et que les asperges commencèrent à flotter dans l'eau, il nous autorisa enfin à nous abriter sous le hangar.

Nous pensions qu'il ferait venir la charrette pour nous renvoyer à la cabane, mais nous nous trompions. « Nous attendrons que le plus fort de l'orage soit passé, dit-il, et nous retournerons aux champs. »

Frieda, la fille qui avait perdu dix dents, se lamenta : « Comment des asperges peuvent-elles compter plus que des êtres humains ? À quoi bon vivre si c'est pour souffrir autant ? » Le contremaître, miraculeusement touché par la complainte de Frieda, nous laissa partir pour la cabane.

Voyez-vous, même les êtres les plus inhumains ne le sont pas toujours. Ce fut pour moi une leçon que je ne devais jamais oublier. Les individus sont absolument imprévisibles lorsque leurs principes moraux sont en cause.

Pierre, le Français qui travaillait avec nous, était vigneron dans les Pyrénées.

Les Allemands l'avaient baptisé Franz (diminutif de *Franzose* — Français) parce qu'ils n'arrivaient pas à prononcer son nom. Ses vêtements portaient l'inscription « KG » (pour *Kriegsgefangener* — prisonnier de guerre). Il conduisait le cheval attelé à la charrue dans les champs et nous le suivions, d'ordinaire à genoux, semant, arrachant les mauvaises herbes, tandis que je m'efforçais de crier des mots en français pour qu'il puisse corriger mon accent.

— Igless !

— *Non, non, église !*

— Palme de turre.

— *Pommes de terre !* me corrigeait-il.

Avec mon appareil, je pris une photo de lui. Puis, ayant expédié la pellicule à Vienne pour que Pepi la développe, je l'offris ensuite à Franz pour qu'il l'envoie à sa femme et à ses enfants.

Pepi était jaloux ! Comme tant d'Allemands, il était persuadé que les Français étaient les meilleurs amants du monde et que celui-là ne manquerait pas de nous séduire. « Il est temps d'en finir avec ces stéréotypes stupides, dis-je à mon brillant petit ami. Franz est bien trop épuisé, bien trop décharné, et bien trop triste d'être séparé de sa famille pour avoir la moindre pensée érotique. »

En fait, c'était les Allemands qui essayaient de nous séduire. Le contremaître accablait Frieda de plaisanteries grossières, essayant de la gagner en jouant de son pouvoir. Werner, un garçon du coin qui voulait s'engager dans l'armée, saisissait toutes les occasions pour peloter la jeune Eva, la fille de la soubrette vengeresse. Otto, le SA de la ferme voisine, nous martyrisait avec ses infâmes propositions et ses plaisanteries vulgaires.

Les paysans étaient devenus arrogants et hautains. Ils mangeaient à présent bien mieux que les autres Allemands. En outre, à l'instar de Volkswagen et de Siemens, ils avaient des esclaves. Leur seule contrainte était de procurer des aliments à l'élite nazie locale et, en échange, ils pouvaient avoir tous les esclaves qu'ils voulaient. « Les gens des villes disent qu'on est des "paysans de merde", disait Otto en ricanant, mais maintenant, ils vont casquer, croyez-moi ! » Il faisait payer à prix d'or ses poulets et ses cochons, et il était aux anges quand les gens de la ville se battaient pour acheter ses produits.

En lisant entre les lignes des lettres de nos proches, nous comprîmes que Vienne souffrait de difficultés croissantes. Je pouvais connaître les choses dont maman se privait, parce que c'était justement ce genre de produits qu'elle me faisait parvenir. Si elle avait froid, elle m'envoyait des moufles qu'elle avait tricotées avec des fils de laine trouvés je ne sais où. Si elle avait faim, elle m'expédiait des petits gâteaux.

J'avais mis de côté l'équivalent de quelques Reichsmarks que j'avais adressés à Pepi en lui demandant d'acheter du savon pour maman, du papier à lettres pour moi, et même un cadeau pour sa mère, dont j'essayais toujours de gagner les faveurs. Au moment des récoltes, j'achetais aux paysans des pommes, des pommes de terre et des asperges, ainsi que des kilos de haricots pour les faire mariner, au sel. J'expédiais tout cela à Pepi et à maman, aux Roemer et à Jultschi, sachant qu'ils sauraient partager cette générosité.

Les Juifs d'origine polonaise avaient d'ores et déjà été renvoyés en Pologne. À présent, en cet été 1941, le bruit courait que les Juifs allemands et autrichiens seraient également déportés dans ce pays. Ces déportations — ou *Aktions*, comme nous les appelions — nous plongeaient dans la terreur. À l'époque, nous ne savions pas ce qui nous attendait en Pologne, mais nous savions que ce ne serait certainement pas le paradis. Nous imaginions ce pays comme une sorte d'étendue sauvage que les Allemands étaient venus coloniser en asservissant les paysans locaux. Si maman allait en Pologne, pensais-je, elle serait contrainte de travailler comme bonne au service de colons allemands. L'idée qu'elle puisse faire leur vaisselle, nettoyer leurs sols et repasser leurs vêtements m'était insupportable. Ma mère, bonne à tout faire ? Impossible !

Frau Fleschner et le contremaître nous assuraient que, tant que nous travaillerions ici, nos familles ne seraient pas déportées. J'eus le sentiment qu'ils s'efforçaient à présent de nous protéger. Un dimanche, alors que nous étions parties nous promener toutes les six, des policiers vinrent fouiner. Le contremaître leur dit que nous étions parties travailler loin dans les champs et qu'il ne fallait pas nous déranger. Lorsque nous sommes rentrées, il sourit et déclara : « Vous pouvez me remercier, mesdames. Je vous ai encore sorties de la merde. »

À la lisière de notre ferme, il y avait un camp d'esclaves polonais qui déplaçaient de gros blocs de pierre pour les paysans, réparaient leurs maisons et nettoyaient leurs porcheries. Ces Polonais nous interpellaient lorsque nous nous rendions sur notre lieu de travail avec nos sarcloirs et nos bêches.

— Ne les écoutez pas, disais-je à l'intention de mes jeunes camarades.

Mais un jour, Liesel Brust, une fille pleine d'entrain aux cheveux foncés, désireuse d'en savoir davantage sur ce pays où tant de Juifs étaient maintenant déportés, s'approcha d'un Polonais et lui demanda :

— C'est comment, la Pologne ?

— C'est magnifique.

Il était jeune. Il souriait. Il avait perdu ses dents de devant.

— Et Varsovie ?

— Des palais, des musées, des opéras, des bibliothèques brillant de tous leurs feux, des universités remplies de professeurs — exactement le genre d'endroit qu'une jolie petite Juive comme toi adorerait. Viens ici, mon cœur, et je t'en dirai davantage sur Varsovie.

J'éloignai Liesel en la tirant par le bras.

— J'ai rencontré un Chinois qui m'a sorti le même genre de discours à Vienne, lui dis-je pour la mettre en garde. Si j'étais partie avec lui, je serais maintenant dans un bordel à Kowloon. Si tu vas dans ce camp polonais, je peux t'assurer que tu n'en sortiras jamais.

En évoquant ce camp polonais, je pensais à un tas de prisonniers frustrés dans les plaines allemandes. Comment aurais-je pu imaginer que la Pologne tout entière était devenue un camp pour les Juifs ?

Je travaillais durement et maigrissais. Plus je perdais espoir et voyais la mort se rapprocher, et plus j'éprouvais de tendresse pour chaque créature vivante. Je ne faisais plus de distinction entre les êtres. Je n'en voulais à personne et j'appréciais tout le monde. Un jour, nous avons trouvé des souris dans la cabane. Au lieu de les tuer, nous leur laissâmes des miettes de pain.

Un poussin très mal en point venait de sortir de sa coquille au poulailler. Je le portai dans notre chambre et le nourris soigneusement pendant trois jours, mais il mourut.

Dans une lettre, je dis à Pepi que deux êtres s'affrontaient en moi. Le premier pensait que cette souffrance ne prendrait jamais fin, que nous allions tous mourir ici, dans cette boue. Le second croyait qu'un miracle surviendrait. La RAF lâcherait une bombe pile sur Hitler et sur Goebbels, les nazis disparaîtraient, je redeviendrais une femme libre et nous nous marierions et aurions beaucoup d'enfants.

Je me fis une véritable amie à Osterburg, Mina Katz, une jeune fille adorable de dix-huit ans, allègre, blonde et gracieuse. Elle était d'une certaine manière immunisée contre la dépression et elle voyait toujours le bon côté des choses. Elle était issue d'une famille nombreuse et ruinée, et elle n'avait rien apporté avec elle au camp à l'exception d'un complexe d'infériorité. Elle serait devenue une grande savante si le destin lui avait permis de faire des études.

Mina et sa camarade plus âgée, Frau Grünewald, avaient travaillé pour une entreprise de livraison appartenant à un Juif. Cette société avait été reprise par une femme nazie, Maria Niederall, qui eut besoin des deux employées juives pour apprendre à gérer cette affaire. Au fil du temps, elle s'attacha à elles et leur demanda de continuer à travailler à ses côtés. Malheureusement, la Gestapo avait d'autres projets. Mina et Frau Grünewald recevaient régulièrement des colis de leur ancienne employeuse — de somptueux assortiments de nourriture, de savons et de vêtements que seule une aryenne ayant de puissantes relations pouvait se procurer.

Comme une bougie dans l'obscurité, Mina éclairait notre triste quotidien de sa lumière intérieure. Elle gloussait. Elle chantait des chansons d'amour idiotes. Elle inventait des histoires. Elle offrait des petits cadeaux à tout le monde. Nous l'adorions tous. Peu à peu, elle et moi avons pris l'habitude d'effectuer toutes les tâches côte à côte, qu'il s'agisse de couper les asperges, de lier les énormes meules de foin, ou d'arracher les pommes de terre nouvelles du sol noir et détrempé. Nous jetions les pommes de terre dans des paniers, puis nous les tirions — ils pesaient vingt-cinq kilos — jusqu'à une charrette, en tenant chacune une poignée. Nous portions des chaussures en bois. Nous nous parlions réciproquement de nos sœurs et de nos écoles. Nous travaillions sans penser à notre travail, si rapidement qu'une fille nous avait surnommées les « chevaux de course des champs de haricots ». Tout en arrachant péniblement les betteraves, en recouvrant le sol de paillis pour protéger les minuscules pousses de haricots, je transmettais mes connaissances à Tina — économie, droit, politique, littérature. Elle buvait mes paroles. Cet enseignement prodigué dans les champs nous enrichissait toutes deux et nous permettait de tenir le coup.

En juillet, il fallut mettre le foin en balles. La sueur coulait sur nos visages. Le soleil était si brûlant que j'étalais de la boue sur mes bras et sur ceux de Mina.

J'écrivis une lettre à la maison pour demander une crème quelconque pour la peau, mais, évidemment, il fut impossible d'en obtenir, non parce que ce genre de produit avait disparu de Vienne, mais parce que les Juifs n'avaient plus le droit d'acheter quoi que ce soit, à l'exception des maigres rations autorisées. Vous voyez ces taches noires sur mon visage ? Elles sont apparues ces dernières années. Elles constituent un brutal rappel du soleil ardent d'Osterburg.

Parfois, dans le terrible tumulte de mes pensées, j'avais des visions de paix, d'une communauté rurale parfaite semblable à celles de la littérature socialiste, où l'amour de la vie chasserait à jamais la guerre et la haine.

Un jour, alors que je revenais des champs de haricots, je vis un groupe de personnes qui se reposaient à l'ombre d'un châtaignier à la lisière d'une ferme voisine. Il y avait là des vieilles Allemandes au visage ridé et aux mains calleuses. Il y avait là des jeunes filles juives — des lettres « H » de Vienne, comme moi — et des jeunes Allemands, trop jeunes pour être incorporés dans la Wehrmacht, qui portaient des chapeaux à larges bords. Et il y avait quelques Français. Personne ne semblait être le chef de personne, ni l'esclave de personne. Ils étaient juste assis tranquillement à l'ombre, buvant l'eau d'une cruche.

— Viens donc t'asseoir un moment, Edith, me lança une des filles.

Je me joignis à eux. Un jeune Français posa devant nous sur l'herbe la photo abîmée d'une petite fille.

— *Elle est très belle*[1], dis-je.

Des larmes tracèrent des sillons dans la poussière qui maculait son visage.

Tant pis pour ma vision utopique !

En août, vint la pluie, encore une fois prématurément. La récolte, qui avait si bien commencé, était

---

1. En français dans le texte. (*N.d.T.*)

maintenant perdue et nous manquions de nourriture. Nous espérions, après la récolte de maïs, pouvoir utiliser les quelques marks de notre « salaire » pour acheter quelques aliments complémentaires à Frau Mertens. Je me disais que, si la situation était mauvaise ici, elle devait être épouvantable à Vienne. J'avais donc demandé la permission d'aller au bureau de poste pour expédier un sac de pommes de terre.

— Vous n'avez plus le droit d'expédier des pommes de terre à Vienne, cria la postière à tue-tête, afin que son chef de service, dans la pièce du fond, puisse bien l'entendre.

— Et pourquoi donc ?

— Il n'y a pas assez de pommes de terre pour nourrir les Allemands. Les Juifs n'ont qu'à manger la boue.

Je lui tournai le dos. Elle me saisit alors par le bras et me murmura à l'oreille :

— Inscrivez sur le colis la mention « vêtements ». Comme cela, ça passera.

Nous avions alors compris que le courrier était intercepté. J'étais terrifiée en pensant à ce que j'avais écrit, à ce que ma mère ou Pepi étaient susceptibles de m'écrire. On parlait de dénonciations et de déportations. Soudain, je réalisais qu'il y avait beaucoup de choses à cacher. Si ma mère m'écrivait pour me dire : « N'oublie pas, ma chérie, que j'ai mis de côté mon manteau de fourrure pour toi », quelqu'un pourrait lire la lettre et venir ensuite agresser ma mère pour lui voler son manteau. Si Pepi m'écrivait qu'il fréquentait le petit parc près du vieux café pour lire son journal, alors la Gestapo pourrait venir l'arrêter.

« Détruis mes lettres, lui écrivis-je. Lis-les, garde-les dans ton cœur, puis brûle-les ! J'en ferai de même avec les tiennes. Et quand tu écris, utilise des initiales. Ne cite jamais de lieux ou de personnes. »

Ainsi, nous décidâmes de surnommer la Gestapo « PE », pour *Prinz Eugenstrasse*, l'adresse de son quartier général. Nous disions « aller à l'école » pour évoquer les déportations, car les personnes déportées étaient souvent rassemblées dans des bâtiments scolaires.

À cette époque, je faisais de plus en plus pression sur Pepi pour qu'il m'épouse. Je me disais qu'ainsi, il nous serait plus facile d'émigrer, comme Milo et Mimi, ou qu'au moins, nous pourrions être heureux ensemble. « Être une femme mariée, avoir la bague au doigt, avoir des enfants ! Quel bonheur indescriptible ! » pensais-je. Même si on ne pouvait plus partir, je rêvais de me marier avec Pepi et de partager sa vie clandestine. Il disait qu'il m'aimait. Il évoquait sa passion pour moi. Mais, en réponse à mes propositions, il ne me donnait ni espoir, ni réponse négative.

Nous pensions tous à nous convertir au christianisme. Ce qui autrefois aurait été impensable, une trahison honteuse de nos ancêtres et de notre culture, apparaissait maintenant comme un stratagème tout à fait justifié. Je pensais aux Marranes, ces Juifs d'Espagne ou du Portugal convertis au christianisme par la contrainte et la terreur de l'Inquisition, mais qui restaient secrètement fidèles à leur foi ancestrale. Peut-être pouvais-je moi aussi devenir chrétienne ? Je me disais que Dieu comprendrait sûrement. Et cela pourrait me sauver la vie. Pourquoi ne pas essayer ?

Je me rendis à Osterburg pour contempler la statue de Jésus érigée devant l'église. J'ai fait mon possible pour l'aimer. C'était la guerre. Des fils se trouvaient au front, et pourtant, il n'y avait pas de cierges dans l'église, pas de fidèles à genoux priant pour que leurs fils, leurs maris ou leurs pères reviennent sains et saufs. Les efforts que les nazis avaient déployés pour que les gens n'aient foi qu'en Hitler avaient été couronnés de succès.

Dans une lettre, je demandai à Pepi de m'indiquer la marche à suivre pour se convertir. De quels documents aurais-je besoin ? De quelle déclaration écrite sous serment ? De quels visas ? Je lus les paraboles. J'avais trouvé des images de la Sainte Famille. Je les décrivis avec lyrisme à mon amant : « Regarde comme la mère est belle ! Comme elle est paisible et douce ! Regarde comme le père est fier, comme il est ravi d'être avec son fils, ce don qu'il a reçu du ciel ! Comme j'aimerais, moi aussi, avoir une famille aussi heureuse et unie ! »

Ce qui n'était au départ qu'un éloge de la Sainte Famille s'était transformé en une célébration de la famille que Pepi et moi pourrions créer, si seulement il acceptait de m'épouser... si seulement il pouvait déclarer qu'il voulait de moi... si seulement il pouvait quitter sa mère... et si seulement j'avais à nouveau mes règles.

Car, voyez-vous, je n'avais plus mes règles. Elles avaient disparu. « Tu devrais être contente, me dis-je. Pense aux avantages. » Mais, à la vérité, j'étais désespérée. Le soir, allongée sur mon lit de paille, j'essayais de ne pas penser à mes douleurs dorsales, je m'efforçais de serrer les poings malgré mes doigts engourdis, et je priais : « Revenez ! Revenez ! » Mais mes règles ne revenaient pas.

Assise sur un abreuvoir, j'écrivais des lettres, tandis que le linge claquait au vent au-dessus de moi. Trude vint s'asseoir à côté de moi.

— Arrête d'écrire, Edith. Tu es toujours en train

d'écrire. Dis-moi, cela fait combien de temps, maintenant ?

— Depuis juin.

— Moi aussi. C'est pareil pour Liesel, Frieda et Lucy. Je l'ai dit à ma mère et elle en a parlé au docteur. Il a dit que cela venait d'une surcharge de travail. Que dit ton médecin ?

— Le Dr Kohn a dit que je devais être enceinte, répondis-je.

Nous avions ri aux larmes.

De Vienne, Pepi m'écrivit en code que cette idée de me convertir était insensée, que l'époque où une telle démarche aurait pu se révéler utile était passée depuis longtemps.

Frau Mertens nous « prêta » aux Grebe, ses voisins, qui manquaient de main-d'œuvre. À présent, nous étions exactement comme les autres prisonniers de guerre — les Serbes, les Polonais, les Français — sauf que nous n'étions pas *vraiment* comme eux, car nous n'avions pas de patrie.

J'espérais toujours que nous pourrions rentrer à la maison en octobre. D'ailleurs, qu'y avait-il à faire à la ferme durant les mois d'hiver ? N'étions-nous pas des travailleurs saisonniers ? La perspective du retour du temps froid me terrifiait — l'humidité malsaine, les matins glacials. Comment pourrions-nous survivre ici ?

Je pensais à ma mère, avec ses cheveux foncés et son allure fringante, ses merveilleux gâteaux — un véritable mets divin sous ses doigts de fée —, ses commentaires empreints d'une ironie désabusée sur les déments racistes qui étaient en train de détruire la Terre. J'avais vingt-sept ans, et je rêvais encore de ses douces étreintes, de sa voix douce. *Tu dois devenir mère, Edith, parce que, manifestement, tu es douée pour cela.* Je pensais à la maison, aux chaudes rues pavées, à la musique. Mes mains brisaient les tiges d'asperges et jetaient les pommes de terre dans leurs caisses, tandis que ma tête chantait et dansait des valses avec mon seul amour.

« Reviens sur terre, Edith, dit le contremaître, tu n'es pas à Vienne, ici. » Il avait raison. J'avais appris à vivre dans mes souvenirs et à refouler Osterburg, un prodigieux partitionnement de l'esprit qui préservait mon équilibre mental. Quand la police locale se présenta pour nous dire que nous devions porter un *Magen David* jaune[1] en toutes circonstances, je me dis qu'une mesure aussi stupide ne pourrait jamais être appliquée à Vienne, une ville que je considérais toujours comme un modèle de raffinement. Et puis un jour, Trude apprit par une lettre que tous les Juifs de Vienne étaient, eux aussi, contraints de porter l'étoile jaune.

Je n'arrivais pas à le croire. Comment était-ce possible ? Vienne était-elle tombée aussi bas qu'un trou perdu peuplé de bouseux ignorants ? Cette perspective m'horrifiait. Vous pouvez constater à quel point il est difficile de se défaire de ses illusions.

La police nous informa que nous devions écrire à Vienne pour recevoir nos étoiles jaunes et qu'il nous faudrait les porter à tout moment. Toutefois, si nous avions suivi ce règlement à la lettre, aucun commerçant en ville n'aurait accepté de nous servir. Aussi avions-nous décidé de ne pas les porter. Nos surveillants à la ferme semblaient se désintéresser totalement de la question. Ils avaient dû réaliser qu'il fallait nous donner un minimum de satisfaction pour que nous continuions

---

1. Une étoile jaune. (*N.d.T.*)

à travailler docilement pour eux, et cela était plus important pour eux que de suivre aveuglément les consignes de la police.

Pepi m'a écrit que Otto Ondrej, le mari de Jultschi, était mort sur le front Est. La pauvre Jultschi, la plus faible d'entre nous, assaillie par les tragédies, se retrouvait encore une fois seule. Imaginer sa détresse m'était insupportable, mais je pensais quand même tout le temps à elle. « Mes vêtements de deuil sont toujours à Vienne. Dis à Jultschi d'aller les prendre », écrivis-je à Pepi.

Si j'avais encore eu quelques illusions de jeunesse, la lettre que Rudolf Gisha m'envoya des Sudètes les aurait fait disparaître à coup sûr. « J'ai été surpris d'apprendre que tu étais toujours en vie », me dit-il avec franchise. (Pourquoi ? Une nouvelle politique était-elle mise en œuvre ? En avaient-ils assez de nous voir travailler pour eux ? Le sort du Juif était-il maintenant de mourir ?) « Je suis désolé pour tous ceux qui ne sont pas allemands, continuait-il. Ma plus grande joie, c'est d'avoir le privilège de construire le grand empire du Reich pour le Peuple allemand selon les principes établis par notre Führer. *Heil Hitler !* »

Liesel Brust, l'une des filles qui avaient été autorisées à quitter la ferme, était plus courageuse que la plupart d'entre nous. Elle s'était toujours efforcée d'établir un contact avec les prisonniers étrangers. Un jour, elle m'envoya une lettre codée de Vienne avec un gros colis contenant des sous-vêtements masculins. Elle me demandait de laisser ce colis près d'un gros bloc de pierre dans un champ, à une date précise, la nuit, puis d'indiquer aux prisonniers français l'endroit où il se trouvait.

Je n'avais jamais rien fait de semblable — un acte de sabotage ! Si j'étais arrêtée, je serais à coup sûr déportée dans l'un de ces camps de concentration qui proliféraient, mais refuser impliquait un tel déshonneur que l'idée m'en était insupportable. J'attendis que mes camarades de chambre s'endorment. Doucement, très doucement, j'ouvris la fenêtre et me faufilai dehors. La nuit était chaude, nuageuse et chargée de la pluie qui tomberait le lendemain matin. Sous ma chemise, le paquet glissait et craquait. J'avais l'impression d'entendre des coups de tonnerre. Je pris une profonde respiration, puis courus à travers champs, à découvert, pour me réfugier dans les maïs. Leurs tiges tranchantes me tailladaient le corps. Mon cœur battait à tout rompre. Pas une seule fois, je n'osais regarder derrière moi, terrifiée à l'idée de découvrir quelqu'un. Le rocher s'élevait au loin, à l'extrémité d'un champ de haricots. Je me fis toute petite, je courus, déposai le paquet, puis jetai un coup d'œil autour de moi. Je ne vis personne, pas de lumière dans la ferme, pas de trouée dans le ciel nuageux qui laissât passer la lumière d'une étoile. J'entendis gronder le tonnerre dans le lointain. Mes mains étaient trempées de sueur. Je baissai la tête et me mis à courir à toute vitesse vers la baraque des travailleurs.

Trude était assise sur son lit, les yeux agrandis de terreur. Je plaquai une main sur sa bouche, et l'autre sur la mienne.

Le lendemain, tandis que je m'éreintais derrière son cheval et sa charrue, Franz me dit :

— Où sont les sous-vêtements ?

— Je les ai déposés.

— Ils n'y étaient pas.

— Mais je les ai laissés exactement là où Liesel m'avait dit de les mettre.

— *Merde*[1] ! Quelqu'un d'autre les a pris.

Je sursautai de terreur. Quelqu'un m'avait peut-être vue ! Les autorités avaient peut-être intercepté la lettre de Liesel ! Nous allions être arrêtés ! J'imaginai les baraquements à Dachau. Durant plusieurs jours, je m'attendais à tout moment à voir surgir la Gestapo.

Mais elle ne vint jamais, et nous n'avons jamais pu découvrir celui ou celle qui avait pris les sous-vêtements.

On me transféra dans une autre chambre. Je dormais sous une fenêtre. Une nuit, je me réveillai pour découvrir que mon visage était trempé. Il ne s'agissait pas de larmes. C'étaient des gouttes de pluie. Je roulai sur moi-même pour m'éloigner de la fenêtre cassée et me replongeai dans mon sommeil. C'était cela, le lit s'était imbibé d'eau, et alors ?

Le moment de rentrer à Vienne approchait et je voulais confier à Pepi ce que j'avais sur le cœur. Je lui dis dans ma lettre combien je regrettais que nous n'ayons pas fui pendant qu'il en était encore temps, quelle terrible erreur ce fut de notre part. « Nous avons concocté cette soupe, et maintenant, il nous faut la manger, toi et moi. Je te promets que je serai toujours une bonne camarade pour toi, quoi qu'il arrive. Compte les jours qui nous séparent. Encore quatorze jours, et je serai avec toi. »

---

1. En français dans le texte. (*N.d.T.*)

Mina se tourna vers moi dans son lit et prit appui sur un bras. La lune éclairait son visage.

— Dis-moi, dit-elle, dis-moi comment cela va se passer ?

— J'arriverai à la gare de l'Ouest. Je descendrai du train, je ne l'apercevrai pas immédiatement. Mais lui, il me verra et il se dirigera vers moi sans crier mon nom, pour surgir soudainement à mes côtés, comme par magie — c'est toujours ainsi qu'il apparaît. Il m'aura apporté des fleurs, et il arborera son sourire espiègle. Nous irons ensemble à la maison en passant par le Belvédère et la *Schwartzenbergerplatz*. Nous monterons dans sa chambre, nous ferons l'amour pendant trois jours et il m'offrira des tonnes d'oranges.

Elle retomba sur son matelas en gémissant. Elle n'avait jamais eu d'amant.

Elles firent leurs valises. Neuf prisonnières avaient reçu leurs billets de retour, parmi lesquelles Frau Grünewald et Frau Hachek. Elles étaient ravies de retrouver leurs vêtements civils et envisageaient l'avenir avec enthousiasme. Nous attendions notre tour avec une impatience folle.

Au retour des champs de betteraves, Frau Fleschner rassembla toutes celles qui n'étaient pas parties. Nous attendions avec impatience son annonce, persuadées qu'elle allait nous indiquer le jour et l'heure de notre départ.

— Vous n'irez pas à Vienne, dit-elle. Vous irez à Aschersleben pour travailler dans une usine de papier. Dites-vous que vous avez de la chance. N'oubliez pas que tant que vous travaillez pour le Reich, vos familles sont en sécurité.

Mina se mit à pleurer. Je passai mon bras autour de ses épaules.

Le 12 octobre 1941, j'écrivis à Pepi : « S'il te plaît, dis la vérité à maman, je ne peux pas lui écrire. Quand pourrons-nous nous voir à nouveau ? La vie est si dure, maintenant. Je ne sais rien de ce qui se passe à Vienne ! Je ne puis rien écrire d'autre pour l'instant. Je t'embrasse. Ton Edith désespérée. »

6

LES FILLES ESCLAVES
D'ASCHERSLEBEN

N ous nous trouvions au centre de l'*Arbeitslager* — le camp de travail — à Aschersleben, vêtues de nos vêtements de travail les plus propres, avec nos chaussures les moins crottées. On nous avait obligées à porter l'étoile jaune marquée d'un *Jude* durant le trajet en train et il nous serait maintenant impossible de l'enlever. Nous étions aussi brunes que des feuilles d'automne.

Les filles nous regardaient, étonnées, tout comme nous les regardions. Parce que, voyez-vous, elles étaient belles. Leurs mains étaient soignées, leurs cheveux joliment coiffés. Elles portaient des bas ! Le lieu de travail lui-même nous parut magnifique. C'était un bâtiment de trois étages, étincelant, doté d'une cuisine, d'une salle de douches, de plusieurs salles communes, de fenêtres et de rideaux, et de tableaux sur les murs. Je me dis : « Cet endroit va être merveilleux comparé à Osterburg ! »

Lily Kramer, une grande et forte fille, nous apporta du café de glands. Elle avait un diplôme universitaire. Ses lunettes étaient en équilibre au bout d'un nez qu'elle avait long.

— Ils vous laissaient vous habiller comme ça à Osterburg ?

— C'était une ferme.

— Bon, ici, il faut s'habiller comme une employée modèle.

Elle se pencha en avant et s'exprima à voix basse :

— Ils veulent que nous ayons l'air de véritables travailleurs avec un vrai salaire, comme ça, ils n'auront pas à s'interroger sur ce que nous sommes vraiment et nous ne dérangerons pas les visiteurs extérieurs.

— Y a-t-il beaucoup de visiteurs ? demanda Mina avec empressement. Elle voyait toujours le bon côté des choses, cette fille.

— Non, répondit Lily. Il n'y a pas de visiteurs. Aimez-vous par hasard la musique de chambre ?

Nous la dévisageâmes, incrédules.

— Et le théâtre ? Schiller ?

Était-elle folle ?

— Dommage.

Elle poussa un soupir et s'en alla lentement, lassée des idiots qui l'entouraient, comme Yelena dans *Oncle Vania*.

Nous nous installâmes. Les filles allaient et venaient dans leurs jolies robes, toutes estampillées de l'étoile jaune obligatoire. À 6 heures du matin, les fers à friser étaient tout chauds, prêt à l'usage. Au début, je pensais que les filles voulaient juste soigner leur apparence. Mais je me rendis vite compte qu'elles avaient un autre objectif : s'attirer les grâces d'un protecteur. Pas nécessairement un amant, car à cette époque — octobre 1941 — le fait de fréquenter un Juif pouvait conduire un aryen en prison. Non, les filles esclaves d'Aschersleben essayaient seulement de trouver quelqu'un qui les apprécie et les garde au travail, afin que leur famille soit autorisée à demeurer dans le Reich.

Il y a plusieurs années, j'ai revu des photos de l'usine de papier de H.C. Bestehorn à Aschersleben. Elle avait une magnifique entrée principale, une cour et des fenêtres ornées de jardinières. Je n'avais jamais vu ce côté de Bestehorn. Nous nous y rendions chaque jour en sortant de nos baraques sous la garde de Frau Drebenstadt, la jeune femme jolie, mais mesquine, qui commandait notre camp, et nous entrions directement dans l'usine par la porte arrière. D'après mes calculs approximatifs, nous étions plus ou moins quatre-vingts.

Trude, Mina et moi fûmes assignées aux découpeuses, de vieux monstres victoriens de couleur verte qui découpaient des boîtes en carton destinées à toutes sortes de produits — macaronis, tapioca, céréales et café — que nous n'aurions jamais la chance de pouvoir goûter.

Je travaillais sur une machine. De ma main gauche, je poussais quatre cartons sous les lames. Les lames s'abattaient. Je retournais les cartons. Les lames retombaient. Je tirais les cartons avec ma main droite et en plaçais quatre nouveaux sous les lames avec ma main gauche. Les lames s'abattaient à nouveau. De 6 h 30 jusqu'à 11 h 45 le matin, puis de 13 h 15 jusqu'à 17 h 45 l'après-midi, je restais au même endroit à pousser les cartons sous les lames, puis à les tirer, puis à en placer d'autres, etc. Les lames tombaient comme des couperets. Pang ! Pang ! Pang ! Les rugissements des moteurs, le bruit fracassant des lames et le crissement des cartons étaient incessants.

Le premier jour, notre chef de service, Herr Felgentreu, un nazi invétéré, imbu de lui-même, attendit que l'ingénieur, Herr Lehmann, réglât la minuterie de la machine pour synchroniser son chronomètre. « Vous ! aboya-t-il. Commencez immédiatement ! » Je me mis à travailler comme une folle. Pousser les cartons, les retourner, les pousser à nouveau, les retirer... pousser, tirer, pousser, tirer. Pang ! Pang ! Aussi vite que je le pouvais, retirant précipitamment mes doigts avant que les lames ne retombent. Dix minutes passèrent à toute vitesse. Soudain, il hurla : « Vous ! Arrêtez ! »

J'étais en nage. Mon cœur battait à tout rompre. Le bout de mes doigts me brûlait. Felgentreu compta le nombre de boîtes que j'avais découpées, puis le multiplia par six et détermina la quantité de cartons à découper pour une heure. Ensuite, il multiplia le chiffre obtenu par huit et détermina mon quota pour la journée : vingt mille cartons. « Mais, c'est impossible, monsieur, protestai-je. On ne peut pas travailler au même rythme pendant huit heures que pendant dix minutes. »

Sans même m'écouter, il s'éloigna. Je courus derrière lui. Herr Gebhardt, notre surveillant, tendit le bras pour m'arrêter. La contremaîtresse qui travaillait sous ses ordres me fit signe de me taire en mettant l'index sur sa bouche. Je m'aperçus que c'était le seul doigt qui lui restait dans sa main droite, en dehors de son pouce.

Ce premier jour, je produisis douze mille cinq cents boîtes en carton. Ce n'était pas un travail aussi éreintant que celui des champs, mais quand le coup de sifflet retentit, j'étais tellement fatiguée que je pouvais à peine marcher. En guise de repas du soir, nous reçûmes deux morceaux de pain et une tasse de café.

Le second jour, on me dit que, cette fois-ci, si je n'atteignais pas mon quota, il me faudrait faire des heures supplémentaires pour rattraper mon retard. Au coup de sifflet final, j'avais produit dix-sept mille boîtes. Ils m'obligèrent à continuer le travail. À ce moment-là, j'étais si lasse et si affamée qu'il me fallut encore plusieurs heures pour atteindre mon quota. Quand, enfin, je pus quitter les ateliers, un ouvrier aryen me colla brusquement un balai dans les mains et m'ordonna de balayer. « Non, Edith, dit Herr Gebhardt. Sors, et va dîner. »

Le déjeuner constituait notre repas principal. On nous le servait dans un bol en céramique marron. C'était une sorte de mixture improvisée, à base de pommes de terre, de choux et de céleris, « arithmétiquement équidistant entre l'élément végétal et l'élément liquide », disait Lily, notre intellectuelle maison. C'était une bonne description.

En plus du travail à l'usine, j'étais de service à la cuisine une semaine par mois. Je nettoyais les tables, épluchais les pommes de terre, lavais les casseroles. Un jour, devant la marmite où bouillaient les pommes de terre (mon travail consistait à en déposer une dans chaque bol avec une louche), une idée me vint à l'esprit : « Je pourrais en glisser une dans ma poche. Ça me brûlerait, mais quelle importance ? » La cuisinière nazie me surveillait. Elle savait exactement à quoi je pensais. Quelle fille, dans cette cuisine, n'avait pas caressé l'idée de voler des pommes de terre ? Effrayée, j'ai déposé la pomme de terre dans un autre bol en *rêvant* qu'il s'agissait de ma poche.

Au dîner, un soir, alors que nous nous contentions comme toujours de pain et de café, Mina murmura :

— Ont-ils l'intention de nous affamer, Edith ?

— Je pense qu'on devrait s'empiffrer au maximum au déjeuner, répondis-je. Entre-temps, nous devrions écrire à nos proches pour leur demander de nous envoyer de la nourriture.

— Les Juifs n'ont pas assez à manger pour eux-mêmes, chuchota Trude. Ma sœur recevait de grandes quantités de nourriture parce qu'elle était mariée à un aryen. Mais elle était obligée d'en donner une partie à

mes parents qui ne pouvaient pas acheter grand-chose
avec les tickets de rationnement juifs.

— Où vit ta sœur ?

— Je ne sais même pas si elle est encore vivante !
Son mari l'a mise à la porte. Il a dit à la Gestapo qu'elle
était morte et il a gardé les enfants.

— Mais comment a-t-elle pu supporter de lui laisser les enfants ? s'écria Mina.

Notre Trude habituellement calme et bien élevée
saisit Mina avec colère.

— Mais tu ne comprends pas qu'elle a eu de la
chance ? Il aurait pu la livrer à la Gestapo ! Quand donc
cesseras-tu d'être aussi bête, Mina ?

À première vue, le règlement en vigueur à
Aschersleben était tout à fait semblable à celui d'Osterburg. Mais on s'aperçut ensuite qu'il y avait des diffé-
rences. Une insensibilité implacable sévissait en ce lieu.

Le règlement stipulait que l'on devait utiliser
exclusivement les toilettes de son étage sous peine
d'une amende de 50 pfennigs. La lessive n'était autorisée que certains jours. Il était interdit de prendre une
douche après 8 heures. Les lits devaient être faits selon
la manière prescrite, les bords au carré, les couvertures
sans un pli. On ne devait rien laisser sur les armoires.
Il était interdit de quitter le camp, sauf le samedi de
14 heures à 18 heures et le dimanche de 9 heures à
11 heures et de 14 heures à 18 heures, et de sortir sans
l'étoile jaune. Les Juifs n'étaient pas autorisés à entrer
dans les magasins, ni à acheter quoi que ce soit.

Mina me montra les tickets de rationnement que
son ancienne patronne, Maria Niederall, lui avait
envoyés.

— Qu'est-ce qu'on va en faire ? demanda-t-elle. Frau Niederall pense que nous pourrions acheter du pain avec.

— Je vais les envoyer à Pepi, répondis-je, il achètera du pain et il nous l'expédiera.

Mais, me direz-vous, le pain ne serait-il pas rassis après tout ce temps ? Rassis, dur et même moisi ? La réponse est oui, bien sûr. Maintenant, essayez d'imaginer à quel point ce genre de considérations avaient peu d'importance pour nous. Nous mangions avec reconnaissance du pain vieux de deux semaines. Nous l'enveloppions dans des chiffons mouillés pour lui redonner un peu d'humidité et le rongions comme des souris.

Le samedi, je reçus mon « salaire », 12 Reichsmarks et 72 pfennigs. Plus de 6 Reichsmarks furent déduits de ma paye pour la nourriture et le logement. On me déduisit aussi plusieurs autres Reichsmarks pour indemniser Bestehorn de l'électricité supplémentaire que j'avais utilisée pour atteindre mon quota de cartons. Il ne me restait plus que 4 Reichsmarks et 19 pfennigs. Comme je ne pouvais rien acheter avec, j'ai voulu aller au bureau de poste pour envoyer à maman cette minuscule somme d'argent, mais le garde a refusé de me laisser sortir.

— Il vous faut une autorisation de Frau Drebenstadt.

— Mais elle n'est pas là, aujourd'hui.

— Vous n'aviez qu'à demander cette autorisation la semaine dernière.

— Mais si maman n'a pas de nouvelles de moi, elle va penser qu'il m'est arrivé quelque chose de terrible !

— Et si je vous donne cette autorisation, le directeur de l'usine va penser que je vous ai laissée sortir avec des objets volés.

— Que pourrais-je bien voler ? Il n'y a que des cartons dans cette usine !

— Rentrez à l'intérieur, dit-il.

C'était un vieil homme, mais il avait un bâton et il avait bien trop peur pour ne pas se montrer cruel.

— Vous voilà prévenue !

Un soir, Trude eut des troubles digestifs. Comme toutes les toilettes étaient occupées, elle alla à celles de l'étage supérieur. Lorsqu'elle redescendit, Frau Drebenstadt l'attendait et, sans un mot, la gifla à plusieurs reprises. Trude fut trop choquée pour pleurer. « Votre paye sera amputée de 50 pfennigs, dit Frau Drebenstadt. Et votre courrier sera suspendu pendant une semaine. »

Alors Trude se mit à pleurer. Le courrier revêtait une importance vitale pour nous. Lorsqu'on nous le supprimait — une punition appelée *Postperre*, infligée pour de nombreuses infractions —, nous nous sentions complètement perdues.

Notre contremaîtresse avait travaillé à Bestehorn toute sa vie. C'était une femme sans attrait, au dos voûté, aux coudes rouges et gonflés, mais on pouvait percevoir dans son regard un sentiment de compassion pour nous. Un jour, elle attendit que Herr Felgentreu ait disparu derrière une machine pour s'adresser à moi : « Écoute, Edith. Si tu empiles les cartons soigneusement, tu peux placer cinq cartons au lieu de quatre. » Elle me montra comment procéder. « Si les lames cassent, dis-le-moi et j'irai chercher l'ingénieur pour qu'il les remplace. Fais attention à ce que personne d'autre ne te voie. » Elle partit précipitamment.

J'essayais son truc. La production augmenta de vingt pour cent en quelques secondes ! Un miracle ! Immédiatement, les huit filles qui travaillaient sur ces machines se sont mises à empiler cinq feuilles de carton. Quinze minutes plus tard, la contremaîtresse est revenue pour nous prévenir d'un regard de l'arrivée de Felgentreu. Nous recommençâmes à faire des piles de quatre.

Vers 16 heures, à l'heure où nos chefs prenaient le thé, la contremaîtresse me heurta de sa hanche anguleuse. C'était un signe convenu. Elle prendrait ma place pour que je puisse faire une pause de quinze minutes. Chaque jour, elle permettait ainsi à l'une d'entre nous de se reposer.

Il n'y avait pas plus de « raisons » à sa gentillesse qu'il n'y en avait à la cruauté dont avait fait preuve la commandante du camp en giflant Trude. Dans ce genre de situation, chaque individu établit ses propres règles de conduite. Personne ne forçait quiconque à se comporter méchamment. Chacun pouvait nous traiter de manière décente, mais seule une toute petite minorité se comportait ainsi.

En novembre, malgré un rythme de travail extrêmement tendu, on m'imposa un nouveau quota quotidien : trente-cinq mille boîtes de cartons. Je perdis courage. Je ne voyais pas comment atteindre cet objectif. En outre, en cas d'échec, maman serait déportée en Pologne. Mina prenait les choses du bon côté : « En honneur de ton nouveau quota, me dit-elle gaiement en me tendant un ruban rouge. Tu es manifestement une des meilleures de Bestehorn ! *Mazel tov !* »

Notre vieille amie Liesel Brust nous écrivit pour nous dire qu'elle travaillait au Centre de rationnement juif à Vienne, qu'elle avait vu nos familles et que tout le monde allait bien. Cette lettre me redonna courage. Je mis le ruban rouge sur mes cheveux et affrontai la machine avec un regain d'énergie.

Par la suite, ils augmentèrent le quota à trois mille huit cents boîtes par heure. J'y parvins parce que je prenais toujours cinq cartons au lieu de quatre et que je travaillais à la vitesse de l'éclair. Naturellement, je cassais des lames. Felgentreu m'injuriait et décidait d'amputer ma paye du prix de la casse. Je baissais la tête en signe de contrition — j'excellais à présent dans cette attitude. Quoi qu'il en soit, en l'espace de quelques jours, j'empilais à nouveau cinq cartons. Gebhardt m'avait vue, mais il n'avait rien dit.

La peau du bout de mes doigts était écorchée, réduite à une bouillie sanglante à cause des cartons. J'aurais grandement apprécié de pouvoir utiliser des gants, mais c'était impossible, car cela aurait ralenti la cadence et augmenté le risque de se couper les doigts. Aussi, je souffrais sans rien dire.

— Nous devons continuer à travailler ! dis-je à mes amies. Tant que nous travaillons, nos familles ne risquent rien.

À la fin novembre, nous vîmes deux des filles du troisième étage qui attendaient à l'entrée des baraquements, avec leurs vêtements civils et leurs valises. Elles rentraient chez elles.

— Oh, comme vous avez de la chance ! s'écria Mina. Vous allez vous marier ? Ou divorcer ? Nous avons entendu dire qu'une fille du camp de travail de Nordhausen était rentrée chez elle parce qu'elle était enceinte. Êtes-vous enceintes ?

Les filles éclatèrent de rire. Les grossesses étaient alors devenues un sujet de plaisanterie morbide, parce que la plupart d'entre nous n'avaient plus leurs règles.

— Nos parents doivent se rendre à l'école, expliqua une des filles. Nous rentrons pour rester avec eux.

Bientôt, trois autres filles furent désignées pour rentrer à Vienne afin d'accompagner leurs parents en Pologne. Toutefois — semble-t-il en raison d'un manque de main-d'œuvre — l'usine Bestehorn refusa de les laisser partir, aussi leurs parents durent-ils entreprendre seuls ce voyage. D'un côté, le fait que cette entreprise fasse tout son possible pour conserver ses travailleurs était pour nous une source de réconfort. De l'autre, je vivais dans la terreur qu'une telle situation ne me sépare un jour de maman, qui pourrait être envoyée là-bas sans moi. « Tu dois m'avertir aussitôt que tu entends parler de quelque chose », lui écrivis-je. « J'aurais besoin de quelques jours pour obtenir de la Gestapo l'autorisation de voyager, dis-je à Pepi dans une lettre. Aussi, je t'en supplie, dis à maman de m'avertir immédiatement si elle est convoquée à l'école ! »

Lorsque je me rendais au travail, il faisait sombre, et il en était de même lorsque j'en revenais. Dans ces conditions, il m'était impossible de distinguer le jour de la nuit, et je perdis rapidement la notion du temps. Je me trompais de date dans mes lettres. Il m'est arrivé d'envoyer deux lettres à maman le même jour, parfois plus. Je me posais une multitude de questions sans réponses :

« Qui est en guerre contre qui ? écrivis-je à Pepi durant l'une des nombreuses suspensions du courrier. Je n'y comprends rien. Nous ne voyons jamais de journal, ici. Il y a bien une petite radio à la cantine, mais nous n'avons ni le temps ni la force de l'écouter. À part des rumeurs, nous ne savons rien de ce qui se passe. Quand cette guerre finira-t-elle ? Quand nos libérateurs arriveront-ils ? Que se passe-t-il à Vienne ? As-tu assez de nourriture ? Dis à maman de cesser de m'en envoyer, parce que je suis sûre qu'elle n'en a pas suffisamment pour elle-même. Peux-tu sortir dans les rues ? As-tu la possibilité de faire un travail quelconque ? Ta mère est-elle en mesure de subvenir à tes besoins ? Brûle mes lettres ! Lis-les, puis brûle-les ! »

Entre les lignes, il put lire : « Penses-tu à moi ? M'aimes-tu encore ? »

Des rumeurs nous plongèrent dans une folle inquiétude. D'après ces rumeurs, les nazis, dans leur obsession de la pureté de la race allemande, étaient en train d'assassiner les arriérés, les fous et les personnes séniles avec des gaz toxiques. Lily et moi avons eu la même réaction : « Il doit s'agir de propagande, c'est trop énorme. » On entendait également dire que les prisonniers mouraient dans les camps de concentration à cause de la surcharge de travail. Des gardes sadiques infligeaient des tortures inhumaines à ceux qui ne tenaient pas le coup, en les obligeant à porter de lourdes pierres, à rester debout toute la nuit sous la pluie, ou en les affamant.

Enfin, les nouvelles sur les conditions de vie dans les ghettos de Pologne étaient terrifiantes. Une fille reçut une lettre de son petit ami incorporé dans la Wehrmacht. « Reste à Aschersleben ! » lui conseilla-t-il vivement. Dans la ville polonaise où il était stationné, les ghettos étaient surpeuplés. Il n'y avait pas de nourriture, pas de travail, pas d'espace. Les gens tombaient malades et mouraient par manque de soins. En outre, tous les jours, des Juifs toujours plus nombreux venaient de tous les pays conquis par l'Allemagne grossir les rangs des malheureux piégés dans les ghettos.

Les hommes de la Gestapo eurent vent de cette lettre. Ils entrèrent en trombe dans les baraquements, traînèrent dehors la fille qui hurla, mirent à sac son armoire, déchirèrent son matelas à la recherche d'autres lettres. Face à cette réaction, nous avons toutes compris que le témoignage de ce soldat devait être vrai. En Pologne, la situation était manifestement pire qu'à Aschersleben. « Dis à Z de ne pas m'écrire ! écrivis-je à Pepi, en proie à l'hystérie. Il ne faut pas qu'ils découvrent que nous correspondons avec des soldats ! C'est interdit ! »

Le Noël de cette année 1941 fut le plus sinistre de ma vie. Malgré leur pénible situation, toutes les prisonnières tenaient absolument à faire des cadeaux. Je demandai à Pepi d'offrir un parapluie à maman — « le plus élégant et le plus moderne », avais-je insisté — ou peut-être des boucles d'oreilles ou une jolie boîte pour sa poudre. Pour moi, elle était toujours ma jolie maman, avec ses boucles d'oreilles et son visage poudré, qui n'avait nul besoin d'ombrelle pour être élégante. Nous avions toutes nos rêves.

Une fille, dont le père avait été déporté à Buchenwald, avait demandé à son petit ami d'acheter un nécessaire de rasage enveloppé dans un magnifique papier cadeau et d'y joindre une carte rédigée comme suit : « À mon père bien-aimé pour Noël, de la part de sa fille qui l'aime. » Elle laissa ce nécessaire dans une armoire, imaginant qu'elle l'offrirait à son père lorsqu'il sortirait du camp de concentration.

Une des filles les plus malchanceuses parmi nous avait quitté la Pologne en 1933 pour venir faire des études de médecine à Vienne. Pouvait-on imaginer une date plus mal choisie ? Elle avait depuis longtemps perdu tout contact avec sa famille, ne recevait jamais de colis, et c'est pourquoi je lui donnai un pain fait par maman. Il était dur comme une pierre.

— Merveilleux, dit-elle en pleurant. Il est exactement comme le pain que faisait ma mère. Un jour, je demanderai à maman d'en faire un pour toi aussi, Edith !

Nous avions toutes confiance dans l'avenir, voyez-vous.

Mon amie Mina voulut jouer les Père Noël :

— Edith, j'ai pu mettre de côté huit Reichsmarks. Si nous envoyons cet argent à Pepi, il pourrait acheter une petite boîte de tisane pour ma maman, un joli stylo pour mon papa et une boîte de bonbons pour mes frères et sœurs. Ils adorent les friandises ! Ils ont toujours leurs dents parce que les nazis leur interdisent d'acheter des bonbons. On peut dire que, sous cet angle, ce régime a rendu un fier service à la famille Katz.

Elle avait réussi à me faire rire.

— Frau Niederall nous enverra certainement quelque chose de merveilleux pour Hanoukka. Mon papa avait l'habitude de donner à chacun de ses enfants une boîte remplie de pièces de monnaie sans valeur pour Hanoukka — nous pensions qu'il s'agissait du plus grand des trésors — et nous jouions au *dreidel*[1], faisions des paris et mangions des *latkes*[2]. Oh, c'était si

---

1. Dans la volonté d'imprégner les enfants des valeurs et des miracles de la fête de Hanoukka, on a coutume de leur offrir pour jouer des toupies (*Dreidel*), sur lesquelles quatre lettres apparaissent, formant les initiales de la phrase : « Ness Gadol Haya Cham — Un grand miracle eut lieu là-bas. » (*N.d.T.*)

2. *Latkes* : crêpes de pommes de terre que l'on mange à Hanoukka. (*N.d.T.*)

amusant, Edith, c'était un tel plaisir d'être juif. Un jour, quand vous serez mariés, Pepi et toi, et que je serai la marraine de vos enfants, je leur apprendrai à jouer au *dreidel* et nous chanterons toutes les merveilleuses chansons *yiddish* que connaissait mon père.

— Je n'arrive pas à croire à un tel bonheur, Mina.

— Ne sois pas idiote. L'espoir est le don de Dieu au monde. Regarde la chance merveilleuse que j'ai eue jusqu'ici, uniquement parce que je garde espoir. Frau Niederall a acheté la Compagnie de livraisons Achter. Elle m'a gardée ainsi que Frau Grünewald, alors qu'elle aurait pu nous mettre à la porte. Elle m'a appris à m'habiller avec élégance, à mettre de petites touches de parfum là où il faut, à rédiger des lettres commerciales et à accueillir les clients. Je l'appelle Tatie, pour te dire à quel point je l'aime ! Quand tu la rencontreras, tu devras absolument l'appeler Frau Doktor !

Elle étendit le bras pour prendre quelque chose sous son lit, le visage illuminé.

— Regarde, j'ai un cadeau de Hanoukka pour toi. C'est pour te redonner espoir.

Elle me tendit un morceau de bois sur lequel elle avait gravé le dicton français que notre ami Franz nous récitait à Osterburg, pour nous saluer : « La vie est belle, elle commence demain. »

Il restait quelques Juifs à Aschersleben à la fin de l'automne 1941, parmi lesquelles Frau Crohn et sa fille Käthe, une jeune femme intelligente et douce qui avait à peu près mon âge. Quand nous, les filles de l'*Arbeitslager*, sortions le samedi ou le dimanche, les Crohn nous invitaient à prendre le « café ». Je ne puis vous dire à quel point ces visites étaient importantes pour moi.

Elles ranimaient en moi la sensation d'être à la maison, de retrouver une vie civilisée, la communauté juive, l'amitié dans un monde de haine.

Un dimanche, en revenant de la maison des Crohn, mes amies Ditha, Irma, Claire et moi avons emprunté la *Breite Strasse*, une rue interdite aux Juifs. Des gars du coin nous ont apostrophées gentiment : « Hé, voilà les étoiles filantes ! » Ils ne comprenaient pas vraiment à quel point ces insignes haineux symbolisaient l'humiliation et les persécutions. Nous considérâmes leur attitude amicale comme un signe de bon augure.

Mina et moi fîmes tout notre possible pour trouver quelque chose à offrir aux Crohn alors que les fêtes approchaient et, finalement, grâce à de petits trafics, nous avons pu dégotter une petite bouteille de cognac. Frau Crohn le servit aussitôt dans de petits verres qu'elle avait réussi à soustraire à l'attention des pillards du voisinage, qui lui avaient pris tout le reste. Nous avons porté un toast en l'honneur des Américains qui venaient juste d'entrer en guerre après l'attaque japonaise sur Pearl Harbor.

Quand tous les Juifs de cette région Nord de l'Allemagne reçurent l'ordre de se préparer pour leur déportation en Pologne, je me suis rendue chez Käthe pour l'aider à faire ses valises. Je me souviens qu'elle n'avait pas le droit d'emporter un couteau ou des ciseaux. Käthe m'offrit un de ses livres, *Le Premier Né* de Frischaner, dédicacé ainsi : « En souvenir de nombreuses heures ensoleillées. »

Elle fut conduite, en compagnie de milliers d'autres personnes, de Magdeburg jusqu'au ghetto de Varsovie. À mon grand étonnement alors, cette grande amie ne devait pas répondre à la lettre que je lui avais envoyée là-bas.

À la fin du mois de novembre, dans l'obscurité glaciale qui précédait l'aube, Herr Wittmann, l'un des directeurs de l'entreprise, entra dans la baraque d'un pas décidé. Frau Drebenstadt, effrayée, nous fit mettre au garde-à-vous.

— Vous n'irez pas travailler aujourd'hui, dit-il. Vous resterez ici. Baissez les stores. Éteignez les lumières. Richard Bestehorn, patron émérite et citoyen d'honneur de la ville d'Aschersleben, est mort. Il y aura une procession funèbre dans la cour. Vous ne devez en aucune circonstance regarder la cérémonie. Si vous apparaissez dans la cour, vous serez arrêtées.

Puis il partit. Nous étions toutes agglutinées à la fenêtre pour observer le déroulement des événements. Deux prisonniers français balayaient la cour devant nos baraquements. Ils avaient décoré le bâtiment avec des branches de sapin et du crêpe noir.

— Mais pourquoi ils ne veulent pas de nous, en bas ? demanda Mina. Nous pourrions certainement aider ces Français, qui ne font pas un si bon travail que ça.

— On nous méprise trop pour nous laisser assister aux côtés de la race des Seigneurs à cette cérémonie solennelle, dit Lily avec son esprit habituel plein d'amertume. D'un autre côté, s'ils ne nous voient pas, ils pourront prétendre qu'ils ignoraient que nous étions là.

Je pensais à l'époque que Lily était simplement cynique, mais, bien sûr, ses propos devaient se révéler prophétiques. Je me rends compte aujourd'hui que l'on faisait tout pour que les visiteurs allemands ne nous voient jamais ; ou bien, s'ils nous voyaient, pour qu'ils n'en disent rien ou affirment que nous avions l'air d'aller bien. Ainsi, ils ne seraient jamais tourmentés par un sentiment de culpabilité, ni enclins à la compassion.

Hermann Göring s'en était d'ailleurs entretenu avec Hitler : « Ces moments de compassion peuvent représenter un grave problème. Chaque Allemand connaît probablement un "bon Juif", un ami qu'il distingue du lot, un vieux médecin, une jolie fille, un ancien camarade d'école. Comment l'Allemagne pourrait-elle jamais devenir *Judenrein* si on acceptait toutes ces exceptions ? » Aussi la politique officielle visait-elle à ce que personne ne soit tenté de se comporter avec humanité, et à ce que nous soyons maintenus dans l'ombre en permanence.

Dans un tel contexte, tout acte de gentillesse prenait une ampleur démesurée. Herr Gebhardt ne m'a jamais adressé la parole, mais je savais qu'il m'aidait à travers de petits gestes pour lesquels j'éprouve encore de la gratitude. Wittmann lui-même, retors et aussi insaisissable qu'une anguille, avait un faible pour une fille. Elle s'appelait Elisa. Elle était belle, majestueuse, instruite, une dame, quoi. Avant qu'elle ne retourne à Vienne, il la convoqua dans son bureau et lui dit : « Si vous avez besoin de quoi que ce soit, n'hésitez pas à me le demander. Je vous aiderai. »

J'étais en poste devant ma machine. Les cartons glissaient, mes doigts saignaient, et j'essayais d'enseigner à Mina les théories susceptibles de donner un sens à notre travail. Le taylorisme aux États-Unis ; Keynes en Grande-Bretagne ; Marx, Lénine et Trotski. Certains jours, j'étais incapable de me souvenir de quoi que ce soit. « Ou bien on est déjà idiot quand on arrive ici, écrivis-je à Pepi, ou bien le travail vous rend idiot. »

Je racontais à Mina tous les livres que je lisais. Une biographie de Marie-Antoinette, belle et trop fière — le récit le plus instructif pour moi. Une biographie d'Isadora Duncan, si sauvage et si libre, une source d'inspi-

ration. Je lui racontais le *Retour de Chaim Lederer* de
Schalom Asch, le *Gardeur d'oies* de Jacob Wasserman, et
les *Légendes du Christ* de Selma Lägerlof. « Imagine que
notre contremaîtresse soit Véronique, murmurai-je.
Véronique a essuyé la face du Christ marchant vers le
Calvaire, et le linge en retint les traits. Nos visages res-
teront imprimés dans le cœur de ceux qui ont fait
preuve de gentillesse à notre égard, comme une bénédiction. »

Étant donné que l'Amérique était entrée en guerre
— et nous considérâmes ce fait comme le signe d'une
prochaine libération — nous décidâmes de célébrer
Hanoukka, la fête de la liberté, au mois de décembre
1941. Une des nouvelles, une *coloratur*, chanta pour
nous. Elle connaissait des *arias*, des *lieder*, et également
quelques chansons *yiddish* que seules quelques rares
filles comme Mina comprenaient. Les sons de cette
vieille langue, uniquement ses sons, remplirent notre
cœur de bonheur.
Nous avions trouvé quelques bougies et fabriqué
une sorte de *ménorah*, de chandelier. Mais, à notre
grande horreur, nous nous sommes aperçues qu'aucune d'entre nous ne connaissait la prière — aucune.
Pouvez-vous imaginer une chose pareille ? Être aussi
ignorant de sa propre culture, de sa propre liturgie !
C'était là l'héritage de notre mode de vie assimilé à
Vienne. Nous nous tournâmes vers Mina. Elle cacha
son visage dans ses mains. « Je n'arrive pas à m'en souvenir, gémit-elle. Papa disait toujours cette prière.
Papa... »
Nous regardions fixement les flammes tremblo-
tantes, en nous demandant comment nous pourrions

leur donner plus de pouvoir. Lily suggéra que nous nous tenions par les mains, que nous fermions les yeux et que nous disions ensemble : « Seigneur, aide-nous. » Et c'est ce que nous fîmes.

Seigneur, aide-nous. Seigneur, aide-nous. Seigneur, aide-nous. Seigneur, aide-nous. *Lieber Gott hilf uns*[1].

Après Hanoukka, Frau Reineke, la nouvelle commandante du camp, s'empressa d'élever le quota à quarante-quatre mille boîtes par jour.

Une fille nous annonça, folle de joie, qu'elle rentrait chez elle pour se marier. Aussi, une fois encore, j'ai proposé à Pepi que nous nous mariions.

« Bien sûr que je vais t'épouser, répondit-il. Mais, pour le moment, ce n'est pas possible. »

« Pourquoi ce qui est possible pour elle ne l'est pas pour moi ? Si nous ne pouvons pas nous sauver mutuellement, nous pourrions au moins nous réchauffer l'un l'autre ! Je rêve de ce temps où nous vivrons ensemble, n'importe où : dans une petite villa ou dans un petit château, dans un appartement du centre-ville ou dans une petite maison à la campagne comme celle de mes grands-parents à Stockerau. Je ferai la cuisine et le ménage, je baignerai les enfants et j'irai exercer ma profession au tribunal. »

« Écoute-moi, Edith, tout cela n'est que chimère. Nous n'aurons jamais la possibilité de nous marier. Je suis sûr que tu es consciente de tout ce qui s'oppose à un tel projet. (Pensait-il à Hitler ? À l'Histoire ? À sa mère dévouée ?) Je t'aimerai toujours. Maintenant, il faut que tu m'oublies. »

Une des filles de l'usine, Berta, avait un petit ami

---

1. « Seigneur miséricordieux, aide-nous. » (*N.d.T.*)

dans un camp de travail à Wendenfur, près de Blanken-
burg. Il avait reçu l'autorisation de lui rendre visite,
mais, étant Juif, il ne pouvait plus prendre le train.
Aussi, par un froid glacial, dans la neige, il se traîna
péniblement jusqu'à Aschersleben. Le bonheur de Berta
quand elle le vit me brisa le cœur, car je savais que Pepi
n'aurait jamais accompli un tel geste pour moi.

Un dimanche, j'étais partie me promener en
compagnie de Trude et de Mina. La neige était aveu-
glante. L'Allemagne avait revêtu son manteau de Noël
d'une blancheur immaculée. On ne pouvait voir ce qui
se trouvait dessous. Je fus envahie par le sentiment de
ma propre insignifiance ; j'avais l'impression d'être un
point noir dans ce vaste paysage. « Je n'ai plus la force
de continuer », dis-je à mes amies avant de rebrousser
chemin, désespérée.

Plus tard, devant ma machine à l'usine, tous mes
personnages favoris s'évanouirent : Isadora Duncan,
Marie-Antoinette, Marx, Keynes, Asch, Wasserman,
Lägerlof. Je ne pouvais penser à rien d'autre qu'à la
réalité de notre situation. J'étais une esclave, et Pepi ne
voulait plus de moi. Pang ! Pang ! Pang !

Je cessai de travailler. Les lames tombèrent et se
brisèrent avec fracas. Mes jambes se dérobèrent, je m'effondrai sur le sol. Les autres filles n'osaient pas me
regarder. Herr Gebhardt me releva et me soutint jusqu'à un fauteuil. Puis, notre contremaîtresse arriva, me
prit dans ses bras et me parla avec une telle tendresse
et une telle compassion que, surmontant ma détresse,
je pus recommencer à travailler.

Voyez-vous, il suffit d'une marque de gentillesse,
d'une personne douce et compréhensive, qui semble
être là comme un ange sur votre chemin pour vous
aider à traverser un cauchemar. Véronique.

Affalée sur son matelas de paille, ce soir-là, Mina

parvint à la conclusion que Pepi était seulement victime d'une attaque de panique : « Ne fais surtout pas attention à cette lettre. Continue à lui écrire, à lui dire à quel point tu as hâte de l'embrasser et de l'aimer et toutes ces choses romantiques que tu lui as toujours dites, et tout s'arrangera merveilleusement. »

Aussi ai-je écrit à Pepi que mes lettres devaient lui redonner espoir, que la paix viendrait certainement l'année suivante. « Passe de merveilleuses vacances. Imagine comment je t'embrasserais si j'étais là avec toi sous les lumières du sapin de Noël. »

Dans une autre lettre, je racontai à mes proches que le travail ne représentait plus un problème pour moi. Ce n'était pas totalement un mensonge. On peut s'habituer à tout, à ce qu'on vous impose le second prénom de « Sara », au port de l'étoile jaune, au travail durant des heures et des heures, au manque de nourriture et de sommeil.

Nous avons fabriqué un million de boîtes pour de la compote de fruits rouges, et des millions d'autres pour du succédané de café, du succédané de miel, des macaronis, des spaghettis et pour du tabac à chiquer. Chaque fois qu'un Allemand ouvrait l'une de ces boîtes, c'était notre travail qu'il avait entre les mains.

Nous étions à la fin du mois de janvier 1942. Les nazis allaient bientôt décider à Wansee d'assassiner tous les Juifs qui restaient en Europe, mais nous ignorions tout de ces projets. Nous savions seulement que nous n'avions plus du tout le droit de descendre en ville, que les rations alimentaires avaient encore été diminuées, et qu'une fois encore, le courrier avait été suspendu.

La fille dont le père avait été déporté à Buchenwald reçut une lettre d'un ami de son père. « Voici la chanson que nous chantons ensemble sur le chemin du travail le matin », écrivait cet ami. Notre *coloratur* nous apprit cette chanson, et nous la fredonnions chaque fois que nous en avions la force.

> « Ô Buchenwald, je ne puis t'oublier,
> Parce que tu es mon destin.
> Ceux qui t'ont quitté sont les seuls
> Qui peuvent réaliser à quel point la liberté est merveilleuse.
> Ô Buchenwald, nous ne nous plaignons pas ni ne gémissons,
> Quel que soit notre sort.
> Nous voulons dire "oui" à la vie
> Parce que le jour viendra où nous serons libres. »

Cette chanson me donnait du courage. J'allai voir Frau Reineke, notre nouvelle commandante du camp, une femme d'un certain âge, une mère, dont nous espérions qu'elle nous traiterait avec plus d'égards que son prédécesseur.

— Je vous en prie, madame, je sais que le courrier a été suspendu, mais pourrions-nous quand même recevoir les colis que nos familles nous ont déjà expédiés ? Nos mères se privent de nourriture pour améliorer notre quotidien et ces aliments vont bientôt pourrir.

Elle me jeta un regard glacial et m'envoya promener. Depuis lors, il n'y eut plus de colis alimentaires.

Mais il existait, Dieu merci, d'autres sortes de nourritures. Pepi avait dû faire une razzia dans les poubelles d'une école, car il nous a adressé des exemplaires en mauvais état de *Don Carlos* de Friedrich von Schiller. Lily était aux anges.

Chaque soir, avec le peu de lumière et de force dont nous disposions, nous nous asseyions et lisions cette pièce du XVIIIe siècle, comme si nous participions à un cours d'art dramatique. Une fille vint se plaindre du bruit que nous faisions. Elle finit par représenter à elle seule le public.

Je jouais le rôle du roi Philippe, le tyran qui préféra assassiner son propre fils, Don Carlos, plutôt que de libéraliser sa politique et laisser ses sujets vivre en liberté. Comme vous pouvez l'imaginer, chacune d'entre nous s'identifiait au fils et, quand Don Carlos prononçait ces mots, pensait à la conférence d'Évian sur les réfugiés.

> « Je n'ai personne, personne [Mina, dans le rôle de Don Carlos]
> Dans toute cette vaste terre, je n'ai personne...
> Il n'y a nul endroit, nulle personne
> Sur lesquels je puisse me délivrer de mes rêves. »

Il était évident pour nous tous que le roi Philippe était l'archétype de Hitler.

> « Le bien-être des citoyens s'épanouit ici dans une paix sans nuage ! » [Je jouais le rôle du monarque en colère et sur la défensive.]
> « La paix des cimetières ! » [lançait Lily en ricanant, dans le rôle du marquis de Posa, aux idées avancées.]
> « Ils sont des milliers à avoir déjà quitté vos terres, pauvres mais heureux.
> Et ceux que vous avez perdus pour des raisons religieuses étaient vos sujets les plus nobles. »

Nous pensions à Thomas Mann, à Freud, à Einstein. Je pensais à oncle Richard et à tante Roszi, à Mimi, à Milo et à notre petite Hansi. N'étaient-ils pas tous les sujets les plus nobles de l'Autriche et de l'Allemagne ? Ne s'étaient-ils pas enfuis, pauvres, mais heureux ?

Cela peut sembler incroyable, mais, avec le recul,

je crois que Schiller lui-même nous adressait un message tout au long de sa pièce, une mise en garde concernant la Solution finale.

Le roi au Grand Inquisiteur :

> « Allez-vous créer une nouvelle religion qui
> Incitera au meurtre sanguinaire d'un fils ?...
> Allez-vous répandre ce concept
> Dans toute l'Europe ?

La réponse était oui.

Nous étions les enfants de l'Allemagne. Une nouvelle religion exigeant notre « meurtre sanguinaire »
avait été imposée dans toute l'Europe, avec la coopéra-
tion de l'Église. N'avions-nous pas été témoins de l'attitude du cardinal Theodore Innitzer, archevêque de
Vienne qui, au lendemain de l'*Anschluss*, accueillit Hitler avec un salut nazi. Comment pourrais-je oublier
toute cette haine ?

Par le biais de l'art, nous comprenions finalement
la réalité.

Le 18 janvier 1942, j'eus à nouveau mes règles pour
la première fois depuis presque un an.

En février, j'attrapai la scarlatine. Anneliese, une
jeune fille trapue qui avait eu autrefois une existence
privilégiée, fut victime de la même maladie. Pendant
deux semaines, je restais allongée à l'infirmerie de Bestehorn, fiévreuse et trempée de sueur. J'étais morte
d'angoisse. Je ne pouvais me permettre d'être malade !
Si je n'étais plus utile à Besterhorn, ils pouvaient
envoyer maman en Pologne ! Je disais que j'allais bien

alors qu'il n'en était rien. Je m'efforçais de sortir du lit. L'infirmière nous enferma à clé. Elle nous apportait notre nourriture, puis disparaissait. Si notre état s'améliorait, tant mieux. Sinon, tant pis.

En réalité, la scarlatine était la meilleure chose qui pouvait m'arriver. Comme j'étais épuisée et terriblement faible, j'avais besoin de nourriture et d'un repos prolongé. Et ce fut exactement ce que j'obtins pour six semaines. Je suis sûre que cette maladie m'a sauvé la vie.

Je pus reprendre le travail à la mi-mars. Je m'aperçus qu'il y avait moins de monde dans les baraques. Maman m'avait adressé des lettres très optimistes. Elle était tombée amoureuse d'un homme nommé Max Hausner, ce qui m'avait remplie de joie. J'aurais bien voulu qu'elle se remariât. Mais, bientôt, ses lettres prirent un aspect haché, incohérent, comme si elle ne pouvait plus organiser ses pensées.

Pepi m'apprit que sa tante Susie, la femme de son oncle paternel, avait été déportée, et que les parents de Wolfgang, Herr et Frau Roemer, allaient bientôt l'être, eux aussi.

À Aschersleben, l'érosion des effectifs se poursuivait. Berta était sortie sans son étoile jaune. Elle avait été immédiatement arrêtée par la Gestapo de Magdeburg et envoyée dans un camp de concentration.

Nous apprîmes que les filles qui avaient quitté le camp pour se marier avaient été déportées avec leurs époux. Une fille qui avait une histoire d'amour avec un prisonnier français fut envoyée dans un camp de concentration et le Français exécuté.

Notre vieil ami Zich fut tué sur le front Ouest.

Après avoir vainement tenté d'envoyer un colis à sa famille, Mina apprit que sa mère, son père et ses frères et sœurs étaient sur le point d'être déportés et qu'elle devait les rejoindre. Nous lui tricotâmes un chandail avec des petits bouts de laine de diverses couleurs. Je tricotai une manche et Trude, l'autre.

Avec le départ de Mina, la dernière lumière qui me restait à Bestehorn disparut. J'écrivis à ma mère pour lui demander de prendre soin d'elle. Je suppliai Pepi de faire son possible pour qu'elle puisse rester à Vienne. Mais que pouvait-il faire, en vérité ? Quelques jours avant de partir avec sa famille, Mina m'écrivit qu'elle avait rendu visite à ma mère et au père d'Anneliese, et qu'ils lui avaient donné quelque chose pour le voyage. « Reste en contact avec Tatie, m'écrivait-elle en faisant référence à Maria Niederall, son ancienne patronne. Ne sois pas triste, ma chère petite ; il y a encore la possibilité que tout s'arrange, aussi ne perds pas espoir. Ne prends pas Aschersleben trop au sérieux. Bien entendu, je t'écrirai dès que je pourrai, mais ne t'inquiète pas si tu n'as pas de nouvelles de moi. Rappelle-toi que je pense toujours à toi avec amour. Ta Mina. »

J'ignorais qu'Hitler avait ordonné de déporter les Juifs dans des camps de concentration et de les remplacer par des travailleurs slaves. Mais j'avais le sentiment que l'obscurité devenait de plus en plus épaisse. Je n'avais pas idée de ce qui se passait et l'avenir me terrifiait. Je brûlais toutes les lettres de Pepi, sauf une. Elle était datée du 26 mai 1942, et si je l'ai conservée, c'est sans doute parce que son infinie tendresse me permettait de tenir le coup : « Ma petite souris adorée ! Sois courageuse et crois en l'avenir aussi fort que tu l'as fait jusqu'ici. Mon pauvre enfant, si seulement je pouvais apaiser ta faim ! Je t'en prie, accepte les milliers de baisers que t'envoie ton Pepi. »

Puis Maman m'envoya un télégramme : JE VAIS BIEN-
TÔT DEVOIR PARTIR. VIENS VITE. VIENS TOUT DE SUITE.
Je me rendis au poste de police d'Aschersleben.
« Ma mère est sur le point de partir ! Je dois partir avec
elle ! »

Pas de réponse.

Je suppliai la surveillante de me laisser rentrer
chez moi. J'allai voir Frau Reineke. « Ma mère ne peut
pas s'en aller sans moi, dis-je en pleurant. Elle est
vieille. Je suis son unique enfant. Je vous en supplie ! »

À Vienne, maman supplia la Gestapo de l'autoriser
à rester jusqu'à ce que j'arrive.

— Quel âge a votre fille ?

— Vingt-six ans.

— Alors elle pourra partir seule plus tard.

— Je vous en prie.

— Non.

— Je vous en prie, monsieur.

— Non.

Je retournai au poste de police. Mais ils ne voulaient pas me donner les documents dont j'avais besoin.
(Pour voyager, les Juifs devaient à présent être munis
de permis spéciaux.) J'eus le sentiment que la porte se
refermait entre ma mère et moi, et c'était moi la prisonnière.

Maman laissa ce mot à Pepi : « Dis à Edith que j'ai
fait de mon mieux. J'espère qu'elle n'est pas trop abat-
tue. Elle prendra le prochain train. Dieu nous viendra
en aide afin que nous soyons à nouveau réunies toutes
les deux. »

Puis elle écrivit : « Ici, les gens de la communauté
juive me disent qu'il vaut mieux qu'Edith reste là où

elle est. Peut-être est-ce mieux ainsi. Elle doit rester, même si c'est terrible pour moi. »

Voici sa dernière lettre, elle aussi adressée à Pepi :

« Il est minuit et demi. Nous attendons les SS. Tu peux imaginer ce que je ressens. Herr Hausner est en train de faire mes bagages, parce que je ne suis toujours pas capable de faire quoi que ce soit. Je t'en prie, je t'en prie, aide Edith à faire ses bagages. S'il te plaît, occupe-toi des quelques affaires que j'ai laissées. J'ai déposé une valise chez Herr Weiss, qui reste ici car il a soixante-quinze ans. Elle est remplie d'affaires qu'Edith devra prendre avec elle. J'espère que tout va bien pour toi. J'espère que nous nous reverrons, heureux et en bonne santé. Oh, mon cher Pepi, je suis tellement triste. Je veux vivre. Je t'en prie, ne nous oublie pas.

Je t'embrasse très fort. Klothilde Hahn »

Ma mère fut déportée le 9 juin 1942.

La Gestapo d'Aschersleben ne me laissa rentrer à Vienne que le 21 juin.

7

CHANGEMENTS À VIENNE

Nous étions six à quitter Aschersleben pour Vienne. Notre autorisation de déplacement stipulait que nous devions nous rendre à un certain endroit, à une certaine date pour notre transfert à l'Est. Mais une rumeur insistante nous déconseillait vivement de nous rendre à ce rendez-vous.

— Mais comment faire ? demanda une fille, Hermi Schwarz, alors que nous préparions nos valises. Ils verront l'étoile jaune et nous arrêteront aussitôt.

— Je ne porte pas la mienne, murmurai-je. Si je la portais, je ne pourrais jamais voir ma cousine Jultschi, ni avoir des nouvelles de maman avant son départ, ni passer un peu de temps avec mon amie Christl ou avec Pepi.

J'imaginais la chaleur de leur accueil, quelques jours d'amour.

— Mais on ne peut même pas monter dans le train sans l'étoile, dit Hermi.

— C'est vrai, répondis-je. Mais on peut descendre du train sans elle.

Nous nous retrouvâmes, dans l'obscurité de l'aube, les dernières esclaves juives d'Aschersleben. Nous nous embrassâmes en nous disant au revoir à voix basse et, pour ne pas attirer l'attention, nous décidâmes de voyager par groupes de deux, chaque groupe dans un compartiment différent. Hermi et moi voyagions ensemble. C'était un train agréable, rempli de familles en vacances. « Pour un peuple en guerre, me dis-je, les Allemands semblent terriblement insouciants. » Dans mon isolement, je ne savais pas encore qu'ils avaient remporté victoire sur victoire et que, en juin 1942, ils espéraient bien conquérir toute l'Europe.

Après une heure de voyage, environ, je me frayai un accès dans le couloir jusqu'aux toilettes. Je passai en tremblant devant des policiers qui bavardaient, en murmurant : « Veuillez m'excuser. » J'avais mis mon manteau sur mon bras et caché mon étoile avec mon sac à main. J'allai aux toilettes, j'y arrachai l'étoile et la fourrai dans mon sac. Sur le chemin du retour, je croisai Hermi dans le couloir. Elle se rendait aux toilettes pour faire exactement la même chose.

Nous pensions à Berta, cette amie qui avait été envoyée dans un camp de concentration pour avoir enlevé son étoile. Nous étions terrorisées chaque fois qu'un homme en uniforme passait dans le couloir. Mais nous nous efforcions de paraître calmes et échangions des plaisanteries avec les autres voyageurs. Une femme nous dit qu'elle allait à Vienne pour rendre visite à sa fille. Je lui souhaitai un agréable séjour. Je détournai la tête car, pensant à maman, je faisais d'énormes efforts pour retenir mes larmes.

À la gare, mes chères amies se mêlèrent aux Autrichiens, sans se faire remarquer. Y avait-il une seule personne qui se souvînt d'elles, ou qui les vît ? Je restais totalement immobile. J'avais l'impression que les contours de l'étoile juive étaient toujours visibles sur mon manteau. Je m'attendais à ce que la Gestapo me repère et m'arrête. Pepi surgit de nulle part, me prit dans ses bras et m'embrassa. L'espace d'une seconde, je retombai éperdument amoureuse et crus qu'il allait me sauver. Et puis, je vis sa mère — ses sourcils marqués au crayon, ses bajoues et son double menton. Elle se rua sur moi, m'agrippa le bras et, me tenant fermement, d'un pas rapide, me siffla dans l'oreille :

— Ah, Dieu merci, tu ne portes pas l'étoile, Edith. Nous n'aurions même pas pu te saluer si tu l'avais portée. Tu dois aller directement voir ta cousine, dormir un peu et prendre un bon repas. Demain, tu devras te rendre le plus tôt possible à la *Prinz Eugenstrasse*, parce qu'ils t'attendent là-bas. Ta mère aussi, j'en suis sûre. Elle est dans le *Gau* de Wartheland[1] en Pologne. Elle veut que tu la rejoignes, c'est sûr.

— Elle vous a écrit ? Maman !

— Heu... pas depuis qu'elle est partie, non, mais je suis absolument sûre qu'elle est là-bas. Tu dois immédiatement aller la rejoindre. Pas question de ne pas te présenter à l'école, parce qu'ils te pourchasseront et te retrouveront, et ta mère sera punie, comme tous ceux que tu connais. Tu ne voudrais pas exposer les personnes que tu aimes à un danger mortel, n'est-ce pas, Edith ? Regarde-toi, tu es si maigre ! Il faut absolument que ta cousine te prépare un repas copieux.

Blanc de colère, Pepi réussit finalement à l'arracher de mon bras. Elle resta en retrait, effrayée par son regard furieux. Il vint à mes côtés, portant mon sac d'une main et tenant la mienne de l'autre. Nos épaules se touchaient. La taille de Pepi Rosenfeld me convenait parfaitement. Anna se pressait derrière nous, déchirée

---

1. Les territoires ayant appartenu à l'Allemagne avant 1918 furent incorporés au Reich en octobre 1939 (*Gau* de Dantzig, *Gau* de Wartheland). (*N.d.T.*)

entre le désir d'écouter ce que nous disions et celui de ne pas marcher sur le même trottoir qu'une Juive.

Nous allâmes jusqu'à l'immeuble de Jultschi. Elle était assise sur les marches de l'entrée avec Otto, son petit garçon. C'était un enfant adorable avec des yeux foncés, tendres et immenses et de grandes oreilles, exactement comme son père. Je le soulevai en poussant un cri de joie, puis je voulus me jeter dans les bras de Jultschi.

— Ah, entrez, Fräulein Ondrej, dit Jultschi poliment en me serrant la main. Je suis ravie de vous revoir.

Un de ses voisins descendait les escaliers.

— Voici le cousin de mon mari qui vient des Sudètes, dit-elle.

Le cousin sourit chaleureusement.

— Bienvenue à Vienne. *Heil Hitler !*

J'avais déjà entendu cette formule auparavant, mais je réalisai pour la première fois que c'était devenu une façon commune de se saluer.

— Demain à 17 heures au Belvédère, me chuchota Pepi. Je t'aime. Je t'aimerai toujours.

Sa mère l'éloigna de moi. Je m'assis dans la cuisine de Jultschi. Elle préparait du thé et bavardait comme elle l'avait toujours fait, dans un flot ininterrompu de mots. Je m'endormis sur la table.

Le petit Otto trottinait. Il avait les mains sales et ses couches étaient malodorantes. Je l'avais lavé dans l'évier, puis j'avais joué avec lui en faisant semblant de lui voler son nez pour le remettre ensuite en place, ce qui le faisait hurler de rire. Pour moi, c'était le plus beau, le plus angélique de tous les enfants. Jultschi s'était installée devant sa machine à coudre, en m'expliquant que le bruit de la machine nous permettrait de parler en toute tranquillité. On n'était jamais assez prudent. Les gens écoutaient, puis dénonçaient leurs voisins, qui disparaissaient ensuite.

— Chaque semaine, les nazis m'apportent des planches de bois que je dois assembler et coller pour fabriquer un certain nombre de boîtes. Je pense que c'est pour des médailles ou des revolvers. Je vis de la pension d'Otto, ce qui n'est pas si mal. Mais, bien sûr, je suis juive et mon petit Otti est, lui aussi, considéré comme juif. Selon la loi, il devrait porter l'étoile jaune, mais il a moins de cinq ans et ils le laissent tranquille pour le moment. Pepi m'a aidée à remplir le formulaire qui permettra de le déclarer *Mischling* — c'est comme cela qu'ils désignent officiellement les métisses. Alors, il se peut qu'ils lui donnent davantage à manger, qu'ils l'autorisent à aller à l'école et qu'ils me laissent vivre ici, hors du ghetto. Ils laissent quelques Juifs ici pour que nos voisins nous voient et ne soient pas troublés par les déportations. Combien de temps penses-tu rester ? Deux jours ? Trois ?

— En fait, j'ai envie de rester jusqu'à la fin de la guerre, dis-je en chatouillant les doigts de pied d'Otto.

Jultschi poussa un petit cri. Je ris.

— Ne plaisante pas, Edith. Il y a un temps pour plaisanter, et ce n'est pas du tout le moment.

— Parle-moi de maman et de son Herr Hausner.

— C'est un homme adorable. Sa première femme est morte. Ils l'ont envoyé dans un *Arbeitslager* au début, puis ils l'ont libéré pour qu'il puisse se rendre en Pologne. Tu sais, en février, nous avons entendu dire que douze mille Juifs avaient été chassés des usines allemandes et expédiés à l'Est, parce qu'il y a largement assez de prisonniers originaires des pays occupés pour les remplacer. Oh, Edith, cette *Blitzkrieg* [1] m'inquiète énormément. On dirait qu'il n'y a plus aucune armée en Europe à part l'armée allemande. Que va-t-il se passer lorsqu'ils conquerront l'Angleterre ?

— Ils ne conquerront jamais l'Angleterre.

— Qu'en sais-tu ?

— Maintenant que notre petite Hansi a rejoint la Brigade juive, l'Armée britannique est invincible.

Elle éclata enfin de rire. Elle fit rugir sa machine à coudre.

— Maintenant, souviens-toi, Edith, tu ne dois jamais parler des Juifs. Plus personne ne parle d'eux aujourd'hui. Tu ne dois même pas prononcer le mot « juif ». Les gens détestent l'entendre.

Liesel m'attendait derrière le Centre de rationnement juif, toujours aussi confiante et souriante. Elle me donna des tickets de rationnement pour du pain, de la viande, des timbres, du café et de l'huile de cuisson.

— Si tu me donnes tes tickets de rationnement, comment vas-tu manger ?

— Il y a de la nourriture ici. J'en ai assez. Donne ces tickets à ta cousine et à Pepi. Ils achèteront les produits à ta place. Reviens ici chaque jour, j'aurai toujours quelque chose à te donner à manger. Mais ne viens pas deux jours de suite à la même heure. Et change ton apparence, tout le temps.

Je n'osais pas aller dans mon ancien quartier — quelqu'un aurait pu me reconnaître. Je me promenais dans le *Kohlmarkt*. Passant devant l'ancien restaurant de papa, je traversais la place où, pour la première fois, j'avais entendu une radio, un média qui était à présent utilisé pour détruire mon univers. J'étais en quête d'un

---

1. Guerre éclair. (*N.d.T.*)

sentiment de nostalgie, mais, à ce moment-là, je n'éprouvais que de la colère. Ici, dans ma propre ville, j'étais devenue une fugitive traquée. Je pouvais à tout moment être reconnue et dénoncée. D'un autre côté, si je n'allais pas à la rencontre de gens qui me connaissaient, je mourrais de faim.

Le lendemain, je rejoignis Pepi dans le parc. Il avait apporté avec lui les affaires que ma mère lui avait laissées pour moi — une valise avec six robes d'été, et une petite bourse en cuir contenant des bijoux, dont la chaîne de montre en or de mon père. Il me remit le reçu qu'on avait donné à ma mère lorsqu'elle avait placé son vieux manteau de fourrure au mont-de-piété.

— Sommes-nous obligés de nous voir ici ? lui dis-je. Je croyais que je pourrais venir chez toi.

— Non, c'est impossible, répondit-il. Maman prépare toujours le déjeuner pour moi et puis, l'après-midi, je fais une sieste, sinon je n'ai plus la force de faire quoi que ce soit. Nous nous retrouverons tous les jours en fin de journée et nous dînerons ici.

Il voulut me prendre dans ses bras. Je m'écartai.

— Comment peux-tu être aussi insensible ? m'écriai-je. Comment peux-tu ignorer que j'espérais rester avec toi ? Pourquoi crois-tu que j'ai bravé la Gestapo ? Pour que nous dînions dans le parc ?

Il s'apprêtait à dire quelque chose, mais je l'ai giflé.

— Pendant quatorze mois, j'ai été si seule, si désespérée, et la seule chose qui m'a permis de tenir le coup, c'était de penser à toi ! Pourquoi ne t'es-tu pas arrangé pour que nous soyons seuls ensemble ? Aimes-tu une autre femme ?

— Non ! murmura-t-il d'une voix rauque. Non.

Enflammé par mon désir, il m'attira vers lui. Des

Viennois comme il faut nous regardaient, choqués de nous voir nous embrasser en public.

— Je trouverai un endroit, dit-il.

J'allais voir Maria Niederall à la Compagnie de livraisons Achter sur la *Malvengasse*, dans le deuxième arrondissement. Une employée de bureau, Käthe, reconnut mon nom.

— C'est Edith, *Frau Doktor* ! cria-t-elle. L'amie de Mina !

De l'arrière-boutique émergea une femme grande aux yeux foncés. Elle me détailla des pieds à la tête, puis arbora un grand sourire.

— Entre donc, dit-elle. Käthe, apporte du café et des sandwichs.

Frau Doktor n'était pas jolie, mais elle avait une classe inouïe ! S'habillant avec chic, aussi élégante que Marlène Dietrich, elle avait des ongles longs, de longues jambes, des cheveux châtains qui encadraient son visage de vagues et de boucles. Elle portait des boucles d'oreilles en or et, sur sa poitrine, une svastika d'honneur, l'insigne de ceux qui avaient rejoint le parti nazi dès le début des années trente. Elle avait épousé un avocat détenteur du doctorat que l'on m'avait refusé. Ainsi, était-elle femme d'un *Doktor* — d'où ce titre qu'elle aimait tant, *Frau Doktor*. Elle m'observait pendant que je mangeais, notant ma fringale et le tremblement dû à la tension qui agitait mes mains meurtries.

— J'ai l'impression que tu as besoin de vacances, conclut-elle.

— Je pensais que je pourrais passer quelques jours avec mon petit ami. Mais sa mère ne me laissera jamais entrer chez elle.

— Et il lui obéit ?

— Tout le temps.

— Est-ce un homme ?

— C'est un avocat et un érudit.

— Ah, bon, cela explique sa docilité. As-tu déjà couché avec lui ?

— Oui.

— Alors il est à toi et pas à sa mère. Käthe, apporte-nous un peu de ces gâteaux.

J'en mangeai la moindre miette, puis mouillai mon petit doigt pour saucer le dernier reste de glaçage dans l'assiette en porcelaine à fleurs.

— Ma petite Käthe a un oncle à Hainburg qui possède une grande ferme — une débauche de nourriture et de grand air. Je vais m'arranger avec lui pour que tu passes là-bas une semaine afin de reprendre des forces.

— Mais, *Frau Doktor*, comment vais-je faire pour aller là-bas ? Il y constamment des descentes de police dans les trains.

— Tu voyageras de nuit. Tu auras une carte de membre du parti avec ta photo dessus, juste en cas de contrôle. Mais il n'y aura pas de contrôle, j'en suis sûre. Prends donc encore un peu de café.

— J'espérais que vous auriez des nouvelles de Mina.

— Rien, dit *Frau Doktor*.

Soudain, ses yeux brillèrent de larmes. Elle les balaya.

— J'aurais pu l'aider, tu sais. Elle aurait pu rester en Autriche.

— Elle voulait rester avec sa famille, lui dis-je. Si j'avais pu rester avec ma mère, je serais partie là-bas, moi aussi.

Elle me prit les mains.

— Tu dois soigner tes mains pour les rendre plus douces.

Puis, elle frotta les paumes crevassées et calleuses de mes mains avec une lotion parfumée. La sensation de ses doigts puissants sur mes poignets, le parfum de la crème... C'était un plaisir si raffiné.

— Prends cette crème avec toi. Applique-la sur tes mains, deux fois par jour. Bientôt, tu te sentiras femme à nouveau.

Le lendemain soir, au grand soulagement de Jultschi, je pris place à bord du train pour Hainburg, une magnifique région près de la frontière tchécoslovaque, célèbre pour ses oiseaux spectaculaires, ses forêts vertes et ses jolies fermes. J'avais, dans mon sac à main, tous les papiers que *Frau Doktor* m'avait donnés. Mais ils ne m'inspiraient pas confiance. Je me tenais raide sur mon siège. Je récapitulais mentalement ce que je dirais si la Gestapo m'interrogeait.

« J'ai réuni l'argent du billet en économisant sur ma paye depuis Osterburg. J'ai volé la carte de membre du parti nazi à un inconnu dans le train d'Aschersleben. Ensuite, j'ai collé ma photo dessus. Je n'ai plus ni famille ni amis à Vienne. Ils sont tous partis. Personne ne m'a aidée. Personne ne m'a aidée. Personne. »

Quand le train est arrivé, j'étais encore perdue dans cette rêverie angoissante. L'endroit, illuminé par une douce lune d'été, ressemblait à un conte de fées des frères Grimm. L'oncle exubérant de Käthe m'attendait avec son buggy et son cheval. C'était un homme gros, poilu et amical, tout comme son cheval, d'ailleurs. On lui avait dit que je souffrais de troubles intestinaux et que j'avais besoin de grand air et d'une bonne nourriture pour me rétablir. Tandis que nous traversions la charmante ville au rythme des sabots du cheval, il évoqua toutes les merveilleuses choses que sa femme allait me préparer : des côtelettes de porc et des poulets à la broche, des boulettes de pâte et du *sauerbraten*[1], des concombres au vinaigre et de la salade de pommes de terre.

— Ça a l'air délicieux, murmurai-je, en proie à la nausée.

Je dormis dans un grand lit sous une pile de couvertures. Sur la coiffeuse, il y avait un petit « autel » — des fleurs fraîches et de minuscules drapeaux nazis entourant un portrait encadré d'Adolf Hitler. Le Führer me regardait dormir.

Au petit déjeuner, la vision des œufs, du pain, du bacon et l'odeur du porridge me donnèrent des nausées. Je courus dehors, haletante. Plus tard, le solide paysan m'emmena, en compagnie de ses autres invités, faire une promenade dans la campagne en fleurs à bord d'une charrette de foin. Les autres hôtes de la ferme — un homme, sa femme et leurs deux petits-enfants aux yeux pâles — venaient de Linz, dans le cadre du programme de Hitler, « la Santé par la joie », destiné à inciter les gens à visiter les sites prestigieux et les lieux saints du Reich. Notre hôte déballa pour nous un somptueux pique-nique.

Je grignotais en respirant profondément, tout en me disant : « Reprends des forces. Soigne ton corps. Profite de cette occasion inespérée. »

Le paysan se mit à évoquer la grandeur du Führer. Quel homme exceptionnel ! Un amoureux des petits enfants, un protecteur des arts ! Quel avenir extraordinaire s'ouvrait devant nous grâce à sa conduite exaltante ! Le *Lebensraum* — l'espace vital, la conquête de territoires à l'Est, les champs verdoyants de l'Union

---

1. Rôti de bœuf mariné dans du vinaigre. *(N.d.T.)*

soviétique, les plaines inhabitées de Pologne ! Avions-nous vu les actualités où Hitler traverse triomphalement Paris ? Quels jours glorieux pour l'Autriche et les Autrichiens, enfin réunis à leurs frères allemands. Le Grand Reich pouvait jouir à présent de la domination mondiale dont les Juifs démoniaques s'étaient emparés grâce à leur duplicité et à leurs ruses.

Il leva son verre de bière. « À la santé de notre Führer ! *Heil Hitler !* » Et, d'une seule voix, ils s'écrièrent tous *Heil Hitler !* au milieu de cette forêt belle à couper le souffle, des murmures des ruisseaux et du gazouillis des oiseaux. Rassasiés après ce délicieux repas, ils étaient aussi heureux que des chats au soleil.

Je me précipitais vers les buissons qui bordaient un ruisseau, en proie à d'incontrôlables nausées. Je pouvais entendre les chuchotements du paysan nazi derrière moi : « Pauvre fille. C'est une amie de ma nièce Käthe. Elle est malade comme un chien. Des troubles intestinaux. »

En moins d'une semaine, j'étais de retour à Vienne. La femme du paysan m'avait préparé un paquet rempli de pain, de jambon, de fromage et de *Stollen* du pays. Je déballai tous ces produits sur la table de Jultschi. Nous regardâmes le petit Otti grignoter le gâteau avec ses nouvelles petites dents. Cela, au moins, me procura un réel plaisir.

J'avais retrouvé Christl dans un café. Elle était plus jolie et plus solide que jamais, mais une ride due à la tension contractait sa bouche. Un certain nombre de garçons qui les avaient courtisées, elle et sa sœur, étaient morts à la guerre.

— Tu te souviens d'Anton Rieder, celui qui voulait devenir diplomate ?

— Non, ne me dis pas. Non.

— Il est mort en France.

Je pleurai pour Anton. Peut-être aurions-nous pu nous en sortir ensemble. Christl craignait pour la vie de son père, qui travaillait pour la Wehrmacht sur le front russe.

— La radio tourne en ridicule les Soviétiques, dit-elle. Elle nous rebat les oreilles tous les jours avec leur prétendue infériorité, avec les crimes du bolchevisme qui a laissé mourir de faim les Russes et en a fait un peuple d'idiots. Mais ma mère, qui était russe, a surmonté avec un grand courage sa maladie et ses souffrances. Et je pense que les Soviétiques nous causeront bien plus de problèmes que ne le croit notre Führer.

Elle passa son bras sur mes épaules.

— Que vas-tu faire ?

— Je ne sais pas. Je suppose que je devrai aller en Pologne.

— Reste en contact avec cette madame Niederall, dit Christl. Elle a beaucoup de relations. Pour la récompenser de son soutien précoce au parti, on lui a donné le magasin qui appartenait à cette charmante famille Achter — qui eux, au moins, ont eu la sagesse de partir d'ici à temps. Pas comme toi, ma brillante amie.

Elle me flanqua une joyeuse bourrade. Mais cela ne me fit pas rire. Comme le disait Jultschi, il y a un temps pour la plaisanterie, et ce n'était vraiment pas le moment.

Frau Niederall était assise à la table parfaitement cirée de sa salle à manger, servant du vrai café dans une cafetière en porcelaine fine.

— En te regardant manger, l'autre jour, j'étais persuadée que tu te régalerais chez l'oncle de Käthe. Mais on m'a dit que tu as eu constamment des nausées, que tu n'as presque rien avalé.

— Je suis désolée. Je ne voulais pas me montrer ingrate.

— Il est évident que tu es malade. Dans des circonstances normales, je t'enverrais directement à l'hôpital. Dis-moi, n'as-tu pas un oncle médecin à Floritzdorf ?

— Oui, Ignatz Hoffman. Il s'est suicidé.

— Je le connaissais, dit-elle. Quand j'étais petite, je vivais dans ce quartier. Un jour, je suis tombée très malade et ton oncle m'a sauvé la vie. Après sa mort, sa femme a eu besoin d'aide pour faire sortir leurs affaires d'Autriche.

— Ah ! C'était donc vous qui...

Je me penchais vers elle, avide de comprendre qui elle était, pourquoi elle était devenue nazie.

— Jeune fille, j'étais la secrétaire du docteur Niederall. Ma sténo n'était pas terrible, mais j'étais très douée pour autre chose. Il m'a trouvé un joli appartement et m'y a gardée. C'est tout ce que la plupart des hommes désirent, sais-tu, Edith : ils veulent une femme qui les attende, dans un nid douillet, avec un bon repas et un lit bien chaud. Durant des années, j'ai été son secret de polichinelle. Mais il ne pouvait pas quitter sa femme, qu'il haïssait et qui le lui rendait bien, parce que les lois catholiques de notre pieuse nation interdisaient le divorce. Par la suite, les nazis promirent de changer la loi sur le divorce. C'est pourquoi je les ai soutenus et ils m'ont bien récompensée. Je suis enfin *Frau Doktor* ! Trop tard pour avoir des enfants, c'est triste à dire, mais pas trop tard pour jouir du respect attaché à ce statut.

N'était-il pas ahurissant qu'une femme aussi admirable se fût acoquinée avec des monstres uniquement pour pouvoir porter une alliance ?

Christl me donna à manger. Je dormis dans son arrière-boutique. Le soir, le gardien vint avec sa lampe torche. Je me tins cachée derrière un mur de boîtes en carton, n'osant pas respirer, me disant : « S'ils me découvrent, Christl sera envoyée dans un camp de concentration. Il faut que je trouve un autre endroit pour me cacher ! »

Dans la rue, j'avais croisé mon oncle Felix. Il avait poursuivi son chemin, j'avais feint de poursuivre le mien, puis j'avais fait demi-tour et l'avais suivi dans une ruelle. La Gestapo avait débarqué chez lui pour vérifier ses papiers, mais il leur avait dit qu'il ne les avait plus parce qu'il les avait envoyés en Afrique du Sud, où il comptait émigrer. Et ils l'avaient cru. Tous les SS n'étaient pas aussi intelligents que le colonel Eichmann, voyez-vous. Je n'étais restée qu'une nuit chez oncle Felix. Rester plus longtemps aurait été trop dangereux. Si les voisins avaient remarqué que ce vieil homme hébergeait une jeune fille, ils auraient pu se montrer trop curieux. Ce soir-là, étendue sur mon lit, j'avais entendu la respiration rauque du vieil homme pendant son sommeil et je m'étais dit : « Si nous sommes pris, ils vont l'envoyer dans un camp de concentration. Il n'y survivra jamais. Il faut que je trouve un autre endroit ! »

Je savais, par ma mère, que ma cousine Selma, la fille d'Isidore, le frère aîné de mon père, devait bientôt partir en Pologne. Quand son petit ami avait eu vent de la chose, il s'était échappé du camp de travail de Steyr et était revenu à Vienne pour partir avec elle.

Cette histoire m'inspira : « Viens avec moi en Pologne », dis-je à Pepi.

Il ne voulait pas, mais il utilisa cette idée avec succès pour faire pression sur sa mère : « Edith doit trouver un endroit où elle puisse rester quelque temps ! Si tu ne nous aides pas, j'irai en Pologne avec elle. »

Affolée, elle lui donna la clé de l'appartement d'un voisin parti en vacances. Je pus dormir là plusieurs nuits. Mais je ne pouvais ni me laver, ni utiliser les toilettes, ni allumer la lumière, car les gens auraient pu appeler la police en pensant que des cambrioleurs avaient pénétré dans l'appartement. Je crois ne m'être même pas dévêtue une seule fois. Anna arrivait le matin. Depuis la porte, elle me faisait signe de venir, après s'être assurée qu'il n'y avait personne, puis me poussait dehors : « Vas-y, vas-y, vite ! »

J'étais devenue une épave. J'errais comme un bateau abandonné, folle d'inquiétude. « Où vais-je dormir ce soir ? Où se trouve maman ? Si je décide finalement d'aller en Pologne, vais-je la retrouver là-bas ? Où vais-je dormir ce soir ? » Affolée, je marchais sans m'en rendre compte sur la trajectoire d'un jeune homme à bicyclette qui fit un écart pour ne pas me percuter.

— Regardez où vous allez !

— Je suis désolée.

Il sourit. Je me souviens de lui comme d'un petit gars vigoureux qui portait un short.

— Bon, il n'y a pas de mal, dit-il. Mais je vous ai sauvé la vie et cela me donne certainement le droit de faire un petit bout de chemin avec vous.

Il me terrifiait, mais il ne s'en rendait pas compte. Il poursuivit son bavardage :

— Ces maudits nazis nous ont pourri la vie à Vienne avec tous leurs postes de contrôle, leurs barrages routiers et tout le reste. Vous voulez que je vous dise, on serait mieux avec von Schuschnigg, mais si vous répétez cela, je nierai l'avoir dit. Bon, allons prendre une boisson fraîche, qu'est-ce que vous en dites ?

— Je vous remercie, mais je dois y aller, mais c'est très gentil à vous...

— Allez, juste une demi-heure...

— Non, vraiment...

Il eut l'air blessé et peut-être même un peu fâché. J'avais si peur que je finis par accepter de prendre un verre avec lui. Il ne cessait de parler. Au bout d'un moment, il me laissa enfin partir.

— Tenez, avec ça, vous vous souviendrez de moi, dit-il en me tendant une petite médaille de saint Antoine.

Mes yeux se remplirent de larmes.

— Ça par exemple ! Ne vous mettez pas dans un état pareil ! Ce n'est pas une demande en mariage après tout, juste un porte-bonheur...

J'ai gardé cette médaille jusqu'à aujourd'hui.

Pour pouvoir enfin me laver correctement, je me rendis, le « jour des dames », aux bains publics *Amalien-bad* qui se trouvent tout près de la *Favoritenstrasse*, dans le dixième arrondissement. C'était un quartier ouvrier où personne n'était susceptible de me connaître. Loin du centre-ville, les bains publics étaient fréquentés par les nombreux Viennois qui ne disposaient pas d'une baignoire. Il n'y avait pas de gardes à l'entrée, pas d'écriteau « Interdit aux Juifs ». Personne ne me posa de questions ni ne demanda mes papiers.

M'étant lavée dans la piscine, savonné et rincé les cheveux sous le jet, puis me reposant dans le brouillard dense du bain de vapeur, je me sentis suffisamment en sécurité pour faire un petit somme.

Soudain, je sentis une main sur mon épaule. J'allais sursauter, hurler.

— Chut ! C'est moi. Tu te souviens de moi ?

Une fille grande et lourde portant de fines lunettes embuées arborait un grand sourire. C'était Lily Kramer, l'autorité culturelle du camp de travail d'Aschersleben. J'étais si heureuse de la voir que je n'arrivais pas à me détacher de ses bras. Lily m'apprit que son père avait réussi à gagner la Nouvelle-Zélande et qu'elle-même se cachait chez la gouvernante qui l'avait élevée et qui vivait dans ce quartier.

— Comment supportes-tu cette tension ? lui ai-je demandé.

Je m'attendais à ce qu'elle me réponde avec son cynisme habituel, mais j'eus droit à la place à une citation de Schiller :

— « L'homme est plus grand qu'on ne l'imagine », dit-elle en citant les vers du marquis de Posa, le rôle qu'elle avait interprété dans *Don Carlos*. « Et il perpétuera d'interminables massacres, tout en exigeant ses droits consacrés. » Je crois à cela, Edith. Je crois que le monde se lèvera contre ce tyran d'Hitler pour l'envoyer en enfer.

À ce jour, j'ignore complètement si mon amie Lily a survécu à la guerre. Mais je dois vous dire qu'à ce moment-là je ne voyais aucune raison de partager son optimisme.

— Trouve-moi une chambre, dis-je ce soir-là à Pepi dans le parc.

— Il n'y en a pas, protesta-t-il.

— Le jeune homme qui a les meilleures relations à Vienne, l'avocat capable de résoudre les dossiers les plus épineux, ce jeune homme-là ne peut trouver une chambre pour sa petite amie ?

— Pourquoi n'es-tu pas restée à Hainburg ? Ils étaient disposés à te garder en pension, mais tu...

— Parce que je ne pouvais plus supporter d'entendre tous ces discours nazis, alors que ma mère est peut-être en train de mourir de faim dans un ghetto en Pologne ! Alors que mes amies sont je ne sais où et, Dieu nous préserve, peut-être mortes ! Mina, Trude, Berta, Lucy, Anneliese, Frau Crohn, et Käthe et...

— Chut, ma chérie, ma petite souris, chut, ne crie pas.

— Dis à ta mère d'aller habiter avec son mari à Ybbs, et vivons ensemble dans ton appartement !

— Elle ne veut pas s'en aller. Elle a peur qu'ils me trouvent ! Tu n'as pas idée de ce qu'est la situation ici. Ils ne me laissent pas travailler parce que je suis juif. Je ne peux pas sortir car les gens, s'ils me voyaient désœuvré, croiraient que je suis un déserteur. J'ai essayé de gagner ma vie comme ramoneur en me disant que les cheminées constitueraient une bonne cachette et qu'on ne me reconnaîtrait pas, le visage couvert de suie, mais quelqu'un m'a quand même reconnu et j'ai dû disparaître à nouveau. J'ai essayé d'apprendre la reliure, mais je n'ai aucun don pour les choses artistiques. J'ai peur de me montrer dans la rue car on pourrait me reconnaître et me dénoncer. Tout le monde a peur, Edith. Tu ne comprends pas à quel point c'est dangereux de fréquenter une personne comme toi recherchée par la Gestapo.

La lumière de la lune faisait ressortir sa pâleur, sa fragilité et sa calvitie. Il me faisait penser plus à un enfant qu'à un homme. Il me faisait pitié. Je me sentais si fatiguée, si désespérée. J'étais revenue à Vienne pour lui. Malgré le contenu de ses lettres, j'avais la certitude qu'il me désirerait à nouveau dès qu'il me reverrait, et que nous pourrions vivre cachés dans cette ville jusqu'à la fin de la guerre. Mais c'était un espoir vain et stupide. Le centre d'intérêt de ma vie avait été mon histoire d'amour avec Pepi Rosenfeld, mais les nazis l'avaient détruite. À cause d'eux, il avait maintenant peur de moi.

Je parcourus les rues de Vienne durant tout le mois de juillet. J'allais au cinéma uniquement pour rester assise dans l'obscurité, pour me reposer. Un jour, je vis un reportage sur des Juifs que l'on avait entassés dans un camp. « Ces gens sont des assassins, disait le commentateur. Des assassins qui reçoivent enfin une punition méritée. » Je sortis en courant du cinéma. Les rues étaient écrasées de soleil. Je marchais, marchais, jusqu'à la station de tramway. Quelqu'un m'interpella d'une voix surprise et chaleureuse :

— Fräulein Hahn !

— Non, dis-je. Non !

Je ne voulais même pas savoir de qui il s'agissait. Je courus pour sauter dans le tramway, m'y asseoir aller quelque part, n'importe où. Lorsque je pus enfin frapper à la porte de Jultschi, elle me fit entrer mais elle fondit en larmes.

— J'ai un enfant ici, Edith. J'ai fait une demande pour que mon gosse ait des papiers en règle. Ils vont venir ici pour vérifier si quelqu'un vit avec nous. Je t'en supplie, trouve-toi un autre endroit.

Je me rendis de nouveau au magasin de Christl. Je restais plusieurs nuits chez Herr Weiss, l'ami de ma

mère. Je cherchais à contacter le père de Jultschi, autrefois mondain, bon vivant, toujours à l'affût d'une
bonne affaire. Maintenant, il en était réduit à payer une
fortune pour avoir le droit de se cacher dans une
chambre minuscule. Il ne pouvait pas m'aider. J'allai
frapper à la porte de ma vieille amie Elfi Westermeyer.
Sa mère vint m'ouvrir. Elle avait souvent eu l'occasion
de me rencontrer à l'époque où Elfi et moi étions
membres des Jeunesses socialistes.

— Bonjour, Frau We...
— Va-t'en.
— Je voulais juste dire quelques mots à Elfi...
— Va-t'en.
— Je n'en aurai pas pour longtemps...
— Si tu essaies encore une fois de revoir Elfi, j'ap-
pelle la police.

Elle referma la porte. Je partis précipitamment.

À l'arrière du Centre de rationnement juif où Liesel
Brust distribuait ses précieuses rations alimentaires, je
rencontrai Hermi Schwarz, la fille avec laquelle j'avais
effectué le voyage d'Aschersleben à Vienne.

— Je ne peux plus vivre comme cela, me dit-elle
en pleurant. Personne ne veut de moi. Ils ont tous peur.
Et moi, j'ai tellement peur de leur causer du tort.
Demain, je vais à « l'école ». Peut-être trouverai-je une
vie meilleure en Pologne.

Une fois montée dans le tram, et assise près de la
fenêtre, désespérée, je me mis à pleurer, sans pouvoir
m'arrêter. Tous les braves Autrichiens vinrent me
réconforter. « Pauvre fille. Elle a dû perdre son petit
ami à la guerre. » Ils avaient l'air passablement inquiets
pour moi. Cela faisait presque six semaines que je
menais une vie clandestine à Vienne. J'avais épuisé
toutes les bonnes volontés. Quand bien même j'aurais
certainement pu en trouver d'autres, le fait de mettre

en danger ceux qui avaient la gentillesse de m'aider me rendait à présent mal à l'aise. Je n'avais ni travail, ni endroit pour vivre. Comme Hermi, j'étais au bout du rouleau. Je pris la décision d'aller rendre une dernière visite à *Frau Doktor*, de boire un dernier café chez elle, de la remercier pour son aide, puis de m'inscrire pour le prochain départ en Pologne.

— Je suis venue vous dire au revoir.

Frau Doktor ne me répondit pas. Elle prit le combiné de son téléphone :

— Hansi, j'ai une fille ici. Elle a perdu tous ses papiers. Peux-tu l'aider ?

La réponse de son interlocuteur fut manifestement positive, car elle me dit de me rendre immédiatement au numéro 9 de la *Fleishmangasse*, dans le quatrième arrondissement.

— Quand tu le verras, me donna-t-elle comme instruction, dis-lui la vérité.

Je repartis aussitôt. Nous n'avions pas échangé un mot de plus.

La plaque sur la porte indiquait : Johann Plattner, Sippenforscher — Bureau des Affaires raciales.

En ce temps-là, nombreux étaient ceux qui avaient besoin d'un certificat officiel attestant de leur « aryanité » depuis au moins trois générations, du côté maternel comme du côté paternel. Pour ce faire, ils devaient recourir aux services d'un *Sippenforscher*, un spécialiste des affaires raciales. C'était à un tel homme que *Frau Doktor* m'avait adressée.

En découvrant cette plaque, je me dis : « Mon dieu, j'ai été trahie. » Mais la voix de Mina me revint à l'esprit : « Va voir Tatie. Tu peux lui faire confiance. »

Le fils de Herr Plattner me conduisit au bureau de

son père. Quand je le vis, mon cœur se serra. Il portait l'uniforme et le brassard nazis.

— Vous avez de la chance de me trouver à la maison, dit-il. Demain je retourne en Afrique du Nord. Bon, décrivez-moi exactement votre situation.

J'étais le dos au mur. Je lui racontai toute la vérité.

— Avez-vous des amis aryens ?

— Oui.

— Bon. Choisissez une amie qui vous ressemble, qui ait le même teint que vous, quelqu'un dont les vêtements vous iraient parfaitement. Demandez-lui d'aller prévenir le bureau du rationnement qu'elle a l'intention de prendre des vacances. On lui établira un certificat lui donnant droit à des rations alimentaires pendant ses vacances, où qu'elle se trouve. Il faudra alors qu'elle attende quelques jours. Ensuite, elle devra se rendre à la police pour déclarer que son sac à main — avec tous ses papiers, y compris sa carte de rationnement — est tombé au fond du Danube alors qu'elle faisait une promenade en canot pendant ses vacances. Elle ne doit pas fournir d'autres explications. Elle ne doit pas parler d'incendie, ni dire que son chien a mâché ses papiers, parce qu'alors, ils demanderont à les voir, quel que soit leur état. Le fleuve seul gardera le secret. La police lui donnera alors un duplicata. Vous vous souviendrez de tous ces détails, *Fräulein* ?

— Oui.

— Votre amie devra ensuite vous remettre l'original de la carte de rationnement, de même que ses certificats de naissance et de baptême. Vous prendrez son nom, ses papiers et quitterez immédiatement Vienne pour aller vivre dans un autre endroit du Reich. En aucune circonstance — j'ai bien dit en aucune circonstance — vous ne devrez solliciter une *Kleiderkarte*, une carte de rationnement pour les vêtements. Elles sont consignées sur un registre national et, si vous en demandez une, les autorités sauront immédiatement qu'une autre personne, avec la même identité, en a déjà une.

« Vous devrez acheter une carte d'abonnement, une *Streckenkarte*, pour prendre le train — il y aura votre photo dessus et elle constituera une pièce d'identité acceptable. Avec cette carte et les données personnelles de votre amie, cela devrait suffire comme couverture.

— Oui, monsieur, dis-je d'une voix entrecoupée. Merci beaucoup, monsieur.

— Une dernière chose, ajouta-t-il. Nous manquons de main-d'œuvre dans le Reich, ce qui n'est sans doute pas une surprise pour vous, étant donné vos antécédents. Dans très peu de temps, toutes les femmes du pays devront s'inscrire pour effectuer un travail. Cela pourrait être une source de problèmes pour vous, parce que votre amie devra elle aussi s'inscrire. Aussi, le mieux serait de travailler pour la Croix-Rouge, car c'est la seule organisation qui ne sera pas obligée de recourir aux personnes inscrites.

Il se leva. L'entretien était terminé. Je n'avais jamais écouté quelqu'un avec autant d'attention de toute ma vie. Chaque mot est resté gravé dans ma mémoire. Il ne me souhaita pas bonne chance. Il ne me demanda pas d'argent. Il ne me dit pas au revoir. Je ne le revis jamais.

Il m'avait sauvé la vie.

Pepi avait rencontré Christl pour lui expliquer le plan de Plattner et elle n'avait pas hésité une seconde : « Bien sûr, je lui remettrai mes papiers. Je vais faire dès

Leopold Hahn, mon père.

Klothilde Hahn, ma mère.

À la station thermale de Badgastein. De gauche à droite, ma cousine Jultschi, un pensionnaire de l'hôtel, moi, une autre pensionnaire, ma sœur Mimi et ma petite sœur Hansi.

Pepi mettant ses chaussures, lors d'une visite à Stockerau, en 1939.

Cette photo, prise lors de la même visite, est la seule où Pepi et moi figurons ensemble. Il était venu me voir alors que je prenais soin de mon grand-père, qui avait été victime d'une attaque cérébrale.

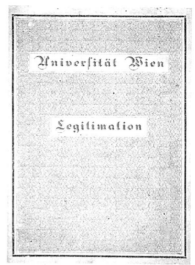

Ma carte d'étudiante de l'université de Vienne, en 1933.

Cette photo a été prise
lorsque j'avais dix-neuf ans.

Pepi en 1937,
à l'âge de vingt-quatre ans.

Après l'Anschluss, en 1938, tous les Juifs reçurent une nouvelle carte d'identité. Ils se virent attribuer un second prénom : Israël pour les hommes et Sara pour les femmes.

Ce passeport prorogé me fit une étrange impression car, sous ma photo, il y avait ce nouveau prénom que l'on m'avait imposé.

L'avis d'expulsion qui nous chassa de notre maison, maman et moi. Nous dûmes alors nous installer dans le ghetto de Vienne.

Les champs d'asperges
à Osterburg.
Sur cette photo,
on peut voir certaines
de mes camarades
de captivité travaillant
dans les champs,
le dos courbé.

La fille de notre contremaître,
Ulrike Fleschner, brandissant
un drapeau nazi.
Elle avait alors quatre ans.

À gauche, Herr Fleschner, le contremaître, porte une chemise
blanche. Devant lui se trouvent Frau Telscher, l'une de mes
camarades de chambre à Osterburg, et Pierre, un prisonnier
de guerre français que les Allemands appelaient Franz.
Les paniers sont destinés au ramassage des asperges.

Voici les lettres que Pepi et moi échangions pour perfectionner notre anglais quand j'étais au camps de travail. S'il corrigeait mes fautes, moi je ne l'ai jamais corrigé. Par goût j'étais l'élève, et lui le maître.

Les nazis exigeaient que toute les photos d'identité montrent l'oreille gauche. J'avais choisi celle, prise par Pepi en 1939, où l'on me reconnaissait le moins. La Gestapo en avait un double dans ses fichiers.

Les dernières lettres que maman écrivit à Pepi avant d'être déportée. «*Je suis obligée de partir... s'il te plaît, dis à Edith que... Dieu veillera sur elle et sur moi*», écrivait elle.

Dans cette lettre, je racontais à Pepi que mon amie Mina Katz et moi avions beaucoup apprécié les friandises qu'il m'avait envoyées. Je lui disais aussi qu'à l'usine on m'avait imposé un nouveau quota de 35 000 boîtes de carton par jour.

28.II-

Liebe Edith!

Ich komme eben aus der Prinz-Eugenstrasse, habe keinen Aufschub mehr bekommen und muss noch heute in die Schule. Es ist blödsinnig, jetzt habe ich Herzweh, weil ich doch damit gerechnet habe, dass ich noch ein paar Tage draussen bleiben kann. Nun, kann man nichts machen. Die Schule und Schnee schaufeln ist ja nicht das Ärgste, wenn nur der Transport nicht ginge. Ich glaube aber schon, dass er gehen wird, schon weil ich Unglücksrabe dabei bin, ist ja nichts anderes möglich. Schreibe weiter an Tante, ich werde sicher mit ihr irgendwie in Verbindung bleiben. Sei aber vorsichtig, nachdem Du ja jetzt im Heim bist und die Briefe nicht desinfisziert werden. Jemand anderer soll das Kuvert schreiben und sie wird die Briefe vorsichtig öffnen.

Bei Deiner 1. Mama war ich zweimal umsonst, gestern traf ich sie zufällig in der Stadtbahn und sie sagte mir, ich soll bevor ich einrücke zu ihr kommen, weil sie mir was mitgeben will. Ich nehme dankend an und gehe jetzt gleich zu ihr, denn in der Schule kann man alles brauchen. Sie ist sehr brav. Auch Lieserls Vater besuche ich über seinen Wunsch noch heute, mit einem Wort, ich lebe von schnorren.

Sei nicht traurig, mein liebes Mädel, es besteht ja noch immer die Möglichkeit, dass noch alles gut wird, also wollen wir die Hoffnung nicht aufgeben. Du musst recht rasch ganz gesund werden, Aschersleben nicht zu schwer nehmen und vor allem, mich recht lieb behalten. Ja, willst Du. Natürlich schreibe ich wenn ich kann, wenn Du aber keine Post von mir hast, sei versichert, ich denke an Dich.

Ich küsse Dich recht herzlich,

Deine

Mina

La dernière lettre que m'envoya Mina avant d'être déportée. Elle utilisait un code pour évoquer le quartier général de la Gestapo à Vienne *(Prinz Eugenstrasse)*, et Frau Doktor Maria Niederall *(Tatie)*.

Ma carte de rationnement. Normalement, j'aurais dù l'utiliser lors de mon retour à Vienne après mon départ d'Aschersleben, mais je ne l'ai jamais fait.

J'ai emprunté le chemisier lilas de Christl pour cette photo que j'offris ensuite à Pepi en 1940, juste avant mon départ pour l'Arbeitslager. À sa mort, en 1977, elle se trouvait toujours sur son bureau.

Ma chère amie Christl Denner Beran, morte en 1992, m'avait donné ses papiers d'identité, me sauvant ainsi la vie. Christl porte ici une robe que maman avait confectionnée pour elle.

Maria Niederall
me donna cette photo
d'elle, que j'ai gardée
avec moi à Brandenburg

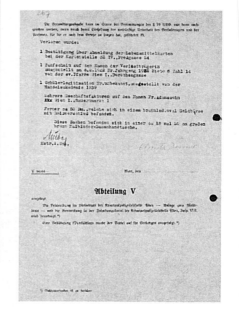

Christl fit cette demande de renouvellement de ses papier pour remplacer ceux
qu'elle prétendait avoir accidentellement perdus dans le Danube.

Beglaubigte Abschrift.

Nr. 507/ 1943

1947 Dec. 11

Erster Teil

Brandenburg(Havel), den 21. Juli 1945.

Brandenburg(Havel), den 16. Oktober 19 43

Der Mann ist durch Geburtsurkunde anerkannt

Die Frau ist durch Geburtsurkunde anerkannt

Auf Anordnung des Amtsgerichts in Brandenburg v. 14.7.1945 wird berichtigend vermerkt, daß es nebenstehend an Stelle der Deutschen Roten Kreuz Schwester Christine Marie Margarethe Denner heißen muß: Die Studentin Edith Hahn, geboren am 24. November 1914 in Wien und an Stelle der Eltern Georg Denner, Architekt und Christine geborene Becker heißen muß: Gastwirt Leopold Hahn und Klothilde geborene Hahn. Der Standesbeamte Kulke.

1. Der Maler Werner Vetter, evangelisch geboren am 24. September 1912 Barmen (Standesamt) Wuppertal-Barmen Nr. 2687/1912, wohnhaft in Brandenburg(Havel), Immelmannstraße 14

und

2. die deutsche Rote Kreuz Helferin Christine Marie Margarethe Denner, evangelisch geboren am 19. Januar 1922 Wien (Standesamt) Wien Nr. 14/1922, wohnhaft in Brandenburg(Havel), Immelmannstraße 14

Vorgelesen, genehmigt und unterschrieben
Werner Vetter
Christine Marie Margarete Vetter geborene Denner, Hildegard Schlegl, geborene Feller
Heinz Schlegl.
Der Standesbeamte
Heineburg.

Brandenburg(Havel) den 22. November 1947
Durch das am 22.10.1947 rechtskräftig gewordene Urteil des Amtsgerichts in Brandenburg(Havel) ist die Ehe geschieden worden. Der Standesbeamte Beier.
den 11. Dezember 1947
Auf Anordnung des Amtsgerichts in Brandenburg(Havel) wird berichtigend vermerkt: das Geburtsdatum der Studentin Edith Hahn lautet 24. Januar 1914, nicht 24. November 1914; die Religionszugehörigkeit lautet mosaisch und nicht evangelisch. Der Standesbeamte B o w e

erschienen heute zum Zwecke der Eheschließung vor dem unterzeichneten Standesbeamten. Die Standesbeamte sprach im Namen des Reiches aus, daß sie nunmehr rechtmäßig verbundene Eheleute seien. Als Zeugen waren anwesend:
1. die Ehefrau Hildegard Schlegl geborene Feller, 31 Jahre alt, wohnhaft in Brandenburg(Havel), Wilhelmsdorfer Landstraße 25, ausgewiesen durch Kennkarte,
2. der Malermeister z. Zt. Unteroffizier Heinz Schlegl, 31 Jahre alt, wohnhaft in Brandenburg(Havel), Wilhelmsdorfer Landstraße 25, anerkannt durch Soldbuch.

Zweiter Teil

I. Eltern der Ehegatten

	des Mannes	Vetter	Robert
		Barmen	evangelisch
		21. Juni 1876	
		Steinhaus	Elise
		Elberfeld	evangelisch
		9. Januar 1887	
		Elberfeld	26.Oktober 1909 Elberfeld in Wuppertal 124/1X
der Frau	Denner	Georg
	Wien	evangelisch, fr.Katholisch
	17. Januar 1897	Wien, Alservorstadt 70/97
	Becker	Christine
	Wien	evangelisch
	18. März 1896	

Le certificat de mariage de Werner Vetter et de «Margarethe Denner». Ci-dessus, le premier document concerne la naissance de notre fille, le second est la décision judiciaire qui, en juillet 1945, rétablit ma véritable identité. Ci-dessous, on peut voir le tampon «prouvant» que nous étions tous deux «de sang allemand» (*«deutschblütig»*).

II. Angaben über die Ehegatten

1. Mann
Staatsangehörigkeit — Reichsbürgerrecht — **deutschblütig** rassische Einordnung

2. Frau
Staatsangehörigkeit — Reichsbürgerrecht — **deutschblütig** rassische Einordnung

Vermerke über frühere oder spätere Ehen: 1. Ehe des Mannes 40/36 Kirchmöser

III. Gemeinsame Kinder

1. Maria-Angelika — Brandenburg(Havel)
9.April 1944 — Brandenburg(Havel), 659/4

Werner Vetter
avant la guerre...

... et après son incorporation
dans la Wehrmacht
en septembre 1944.

Werner dessina et peignit à la main ce faire-part après la naissance de notre fille
Angela («Angelika») en avril 1944. Il fut envoyé à Pepi avec un mot
au verso : *«Une étoile est tombée du ciel...»*

Sur cette photo, prise par Werner
durant l'été 1944, je suis en train
de pousser le landau d'Angela
tandis que Bärbl, la fille née
du premier mariage de Werner,
marche à mon côté.

Werner me fit parvenir
clandestinement cette lettre
depuis un camp
de prisonniers en Sibérie.
Elle était dissimulée
dans la paroi d'une boîte
contenant des monocles.
L'homme qui vint
me l'apporter me la jeta
dans les mains
et disparut aussitôt.

Angela avait trois ans
lorsque Werner prit
cette photo après son retour,
en 1947.

Ma carte d'identité lorsque
j'étais juge à Brandenburg.
«OPFER DES FASCHISMUS»
signifie «Victime du fascisme».

Je me suis procuré
cette carte d'identité
en 1948. Elle indique
la fausse adresse dont
'avais besoin pour me
rendre en Angleterre.
J'ai payé un loyer
pendant des mois,
mais je n'y suis
resté que quelques
semaines.

Cette photo de Christl et moi fut prise en 1985 à l'ambassade d'Israël, à Vienne, où Christl reçut une médaille pour sa conduite héroïque. Un arbre fut planté en son nom dans l'allée des Justes, à l'institut Yad-Vashem de Jérusalem.

Moi, Edith Hahn Beer, et ma fille, Angela Schlüter, en 1998.

demain une demande de carte de rationnement pour les vacances. » Et le tour fut joué.

Réalisez-vous le risque qu'avait pris Christl Denner en m'aidant ainsi ? Si on avait découvert ce qu'elle avait fait, elle aurait été envoyée dans un camp de concentration et peut-être exécutée. N'oubliez jamais ça. N'oubliez jamais la rapidité avec laquelle elle donna son assentiment, sans éprouver le moindre doute ni la moindre peur.

Frau Niederall m'invita à dîner en compagnie de quelques enseignants, des membres de la bureaucratie nazie qui, pour la plupart, étaient impliqués dans la distribution des cartes de rationnement. Elle orienta délibérément la conversation sur ce sujet, pour que je puisse comprendre tous les détails tortueux de ce système.

Christl s'exposa au soleil sur sa terrasse pour bronzer un peu, comme si elle avait fait une sortie en bateau. Quelques taches de rousseur parsemaient délicatement son nez. Le 30 juillet 1942, elle déclara à la police qu'elle avait perdu ses papiers dans le Danube. Ils lui fournirent immédiatement un duplicata. Bien entendu, l'officier l'invita à prendre un café. Elle accepta et, évidemment, il voulut la revoir, mais elle lui ressortit l'histoire du courageux marin de haute mer, ou bien celle du courageux docteur de l'Afrika Korps, ou encore une troisième histoire.

Elle me remit les papiers originaux — son certificat de baptême, sa carte de rationnement pour les vacances. Ensuite, elle et Elsa se rendirent à Osnabrück auprès de leur père. J'aurais dû quitter Vienne aussitôt, mais je ne savais pas où aller. À part des petites villes comme Aschersleben et Osterburg, je ne connaissais pas l'Allemagne. J'avais tellement peur qu'aucune idée ne me venait à l'esprit.

J'allai au cinéma pour réfléchir.

Les actualités montraient quelques images de Goebbels en train d'inaugurer « L'Exposition d'art de la Grande Allemagne » à Munich, dans un nouveau bâtiment — baptisé « le palais de l'Art allemand » — surbaissé et hideux qu'Hitler trouvait magnifique. Au son d'une musique militaire tonitruante, le reportage dévoilait des œuvres d'art brillamment éclairées. On voyait notamment un tableau terrifiant illustrant la guerre sur le front russe, où des soldats allemands progressaient à travers les steppes, dans les flammes et le chaos de la bataille. Il y avait aussi un buste de Hitler par Pagels — le genre de sculpture dont les nazis raffolaient, où une expression de férocité et de cruelle détermination effaçait toute humanité. Enfin, le film montrait un portrait de groupe, par Ernst Krause, des membres de la SS *Leibstandarte* — un bataillon affecté à la garde de Hitler —, tous décorés de la Croix de chevalier et de la Croix de fer. Les hommes les plus haïs d'Europe étaient représentés comme de beaux acteurs de cinéma, comme les héros glorieux et invincibles d'une cause juste. Je vis ainsi *Le Juge*, une des plus épouvantables sculptures en relief d'Arno Breker. Celle-là représentait un vengeur germanique au visage sévère s'apprêtant à tirer son épée.

Mais surtout... surtout, voyez-vous, il y avait deux statues de marbre blanc : *Mutter mit Kind* de Joseph Thorak, une mère allaitant son enfant, et *Die Woge (La vague)*, de Fritz Klimsh, représentant une femme allongée sur le côté, appuyée sur un bras, une main sur son genou replié.

Je regardais cette statue, et quelque chose se passa en moi. Comment pourrais-je vous l'expliquer ? Ce fut une sorte de révélation. *La vague* m'a balayée. J'ai

entendu la statue me parler. *Komm, Edith, komm zu mir*[1].
J'avais l'impression d'entendre ma mère, une voix
bénie qui irradiait l'amour, la quiétude, la gentillesse.
C'était un songe, bien sûr, mais il était tout à fait réel,
je vous le jure. Cela m'arriva au moment où j'étais en
proie à la plus grande confusion et à la plus grande
peur de ma vie, où j'étais sur le point de perdre mon
identité. Cette statue de marbre blanc me parlait de
paix, de liberté et de promesse de vie. J'avais l'impression qu'elle allait quitter l'écran, que sa peau de marbre
allait se réchauffer et se transformer en chair, qu'elle
allait m'embrasser et me dire que je m'en sortirais.

« J'ai décidé d'aller à Munich », dis-je à *Frau
Doktor*.

De ma vie, je n'avais jamais pris de décision avec
une telle confiance.

J'avais acheté le *Münchener Nachrichten*, un journal
de Munich. Dans la rubrique « Chambres à louer », une
femme de la petite ville périphérique de Deisenhofen
proposait une chambre en échange de travaux de couture et de raccommodage. Je me suis dit que cela me
conviendrait parfaitement... le signe que Munich était
le bon choix.

Frau Doktor avait vendu le manteau d'astrakan de
ma mère et m'avait remis l'argent. Je lui avais laissé
les bijoux, non pas en guise de paiement — c'eût été
inimaginable pour elle comme pour moi — mais pour
lui en confier la garde. Je l'avais serrée très fort contre
moi en la bénissant de tout mon cœur.

Puis je me rendis chez Jultschi pour reprendre ma

---

1. « Viens, Edith, viens vers moi. » *(N.d.T.)*

valise, les six robes que maman avait confectionnées pour moi, les chaussures et les sous-vêtements, ainsi que les chemises de nuit qu'elle m'avait laissées. J'embrassai ma pauvre cousine — avec la même compassion que celle qu'elle éprouvait pour moi — et notre petit garçon adoré.

Il me fallait rencontrer Pepi. Il n'était pas encore rentré. Anna était là, ravie de me voir en tenue de voyage. Elle me raconta comment l'une de ses nièces — qu'elle avait surchargée de gâteaux et de saucisses — avait profité du programme « la Santé par la joie » pour partir en vacances. Quant à moi, elle ne m'offrit même pas un sandwich pour le voyage.

Finalement, Pepi arriva, avec un cadeau pour moi, un livre de poèmes de Goethe qu'il avait lui-même relié — plutôt maladroitement — avec du carton bleu et poussiéreux. Mes véritables papiers d'identité — ceux d'Edith Hahn, Juive résidant à Vienne — étaient bien cachés à l'intérieur de la reliure. Parmi ces documents, il y avait également le certificat d'obtention de mon dernier diplôme et le relevé de mes notes.

— Un jour, tu auras peut-être besoin de ces documents pour prouver quelle brillante étudiante en droit tu étais dans une vie antérieure, me dit-il au creux de l'oreille.

Il m'accompagna à la gare et me mit dans le train de nuit pour Munich. Il ne m'embrassa pas. Le temps des embrassades était bel et bien fini.

Dans le train, il n'y eut pas de descente de police, pas de « Vos papiers ! ». Quelle chance, tout de même : pas de descente de police dans le train lorsque j'avais quitté l'*Arbeitslager*, alors que j'aurais pu être arrêtée pour ne pas avoir porté l'étoile jaune ; pas de descente dans le train de Hainburg, alors que j'aurais pu être arrêtée uniquement parce que je me trouvais dans ce train ; et pas de descente non plus dans le train de Munich, alors que, pour la première fois, j'avais sur moi les papiers indiquant que j'étais une certaine Christina Maria Margarethe Denner, vingt ans, chrétienne et aryenne. Je passais toute la nuit dans un coin du compartiment, enfouie sous mon manteau pour que personne ne me remarque.

Durant le long et pénible trajet jusqu'à Munich, je devais finalement digérer la pilule amère du rejet de Pepi, comme s'il s'agissait d'un poison. J'eus ainsi à tuer ma personnalité originelle et, de papillon, me transformer à nouveau en chenille. Cette nuit-là, j'appris à rechercher l'obscurité, à préférer le silence.

Le lendemain matin, à la gare, j'observais les Allemands autour de moi. Ils avaient l'air en pleine forme — en bonne santé, le teint rose, bien nourris. Il y avait partout des brassards ornés de svastikas et des photos d'Hitler. On entendait une musique militaire assourdissante et des drapeaux rouges, noir et blanc flottaient sur les murs et les toits. D'innombrables jolies femmes riaient, d'innombrables soldats médaillés arboraient un air de triomphe. On pouvait s'acheter toutes sortes de fleurs et de vins, et de succulents produits alimentaires. Un lieu de vacances, ce Munich, où vivaient des gens heureux et plein d'entrain. « Maintenant, je suis comme Dante : je traverse l'enfer, mais sans me brûler », me dis-je.

8

LE CHEVALIER BLANC DE MUNICH

En fait, je m'étais retrouvée non pas en enfer, mais dans un coin de paradis, dans la petite ville de Deisenhofen, aux alentours de Munich, et dans la maison pleine de gaieté de Herr et de Frau Gerl. Lorsqu'elle ouvrit la porte d'entrée, elle sursauta en découvrant une fille épuisée, petite, frêle, les yeux hagards. Anxieuse, je bafouillai d'une voix timide :

— Margaret... D... D... Denner. Mais tout le monde m'app... m'app... elle Grete.

— Tu sais ce que je pense ? dit-elle. Je pense que tu devrais aller directement te coucher. Je t'apporterai du café et des gâteaux. Maintenant, allez hop, au lit !

Chaque soir, avant de m'endormir dans mon appartement à Netanya, je me souviens de ce matin où je suis arrivée chez Frau Gerl et me suis couchée après mon long voyage jusqu'à Munich : « Se sentir enfin en sécurité, suffisamment en sécurité pour fermer les yeux et s'endormir. »

Frau Gerl était une femme pleine d'imagination et de drôlerie, infirmière de profession. Son mari était magistrat. Elle l'avait rencontré comme elle m'avait rencontrée — par le biais d'une petite annonce. Ils avaient un petit garçon âgé d'environ quatre ans.

Protestants dans une ville catholique, ils vivaient dans un certain isolement par rapport à leurs voisins. Cela me convenait parfaitement.

En guise de loyer, j'effectuais des travaux de couture pour Frau Gerl trois jours par semaine. Je confectionnais des jupes avec les vieilles robes de magistrat de son mari, retouchais ses chemises pour qu'elles lui aillent bien. Je faisais des ensembles pour son fils et raccommodais les draps. Je lui avais dit que ma mère était morte et que mon père avait épousé une jeune femme à peine plus âgée que moi, qui me haïssait et me rendait la vie impossible à Vienne, et que c'était la raison pour laquelle je m'étais enfuie et avais sollicité un emploi à la Croix-Rouge. Elle m'avait crue. Elle m'appelait sa *Dennerlein*[1]. Elle ne m'imposa qu'une seule règle : ne jamais inviter de garçons à la maison. Je n'avais rien à redire à cela.

— Avant la guerre, me dit-elle, j'ai travaillé pour un avocat juif. Je prenais soin de sa mère. Mais ensuite le gouvernement a décrété que je ne pouvais plus travailler à leur service. Quand je suis partie, la vieille dame s'est mise à pleurer. Et puis, l'avocat fut arrêté, et moi aussi.

Nous étions assises dans sa cuisine ensoleillée. J'étais en train de coudre, tandis qu'elle faisait de la purée de pommes de terre.

— Ils m'ont accusée d'avoir entretenu une relation avec mon employeur. « Où cache-t-il son or ? m'ont-ils demandé. — Comment pourrais-je le savoir, ai-je l'air d'un mineur de fond ? — Vous étiez à son service ! Vous devez le savoir ! — Je suis infirmière, je n'ai vu que des bassins de lit. »

Elle riait.

---

1. « Ma petite Denner. » (*N.d.T.*)

— À la prison, ils m'ont confrontée à mon employeur, poursuivit Frau Gerl. Ah, le pauvre homme, ils l'ont bien maltraité. Et vous savez ce qu'il a fait, Grete ? Il s'est agenouillé devant moi pour implorer mon pardon. Il disait que c'était parce que j'avais travaillé au service de sa famille que je me retrouvais dans cette sinistre prison.

— Que lui est-il arrivé ? ai-je osé lui demander.

— Disparu. Lui et toute sa famille.

Les premières semaines à Deisenhofen, assise dans la cuisine de Frau Gerl, je devais entendre nombre d'histoires à peine croyables.

— Les SS sont souvent des hommes très séduisants — d'un point de vue racial, ils sont tout simplement parfaits, tu sais —, mais tout le monde a peur d'eux et personne ne veut se lier d'amitié avec eux. C'est pourquoi ils sont très seuls.

Je poussai un soupir de regret — Ah, ces pauvres SS !

— Mais le gouvernement a eu pitié d'eux et a convaincu les filles des jeunesses hitlériennes de coucher avec eux pour faire des bébés racialement parfaits que l'on élève ensuite dans des pouponnières comme des pins dans une pépinière.

J'éclatai de rire.

— Mais c'est impossible ! Il s'agit certainement de propagande...

— On appelle cela le *Lebensborn*, dit-elle en étalant sa farine au rouleau avec dextérité. Quand tu iras à Munich, tu verras les bureaux.

La bonne humeur régnait à Munich en ce mois d'août 1942. La ville dansait et palpitait d'activité parce que les Allemands étaient en train de gagner la guerre. Des gens en vacances affluaient vers les sites célèbres comme la brasserie où Hitler avait préparé son *putsch* contre les autorités bavaroises en novembre 1923, ou le palais de l'Art allemand, où était exposée ma « statue magique ».

Je me promenais à travers les rues animées, sans me faire remarquer, mais en proie à une intense curiosité. Il y avait des expositions, des opéras, des fanfares. Je vis des SS originaires des pays baltes. Ils ne parlaient pas un mot d'allemand, mais ils portaient bel et bien l'uniforme SS. Qu'allait-il advenir des Juifs de Vilna, la ville que mon père appelait la Jérusalem de l'Occident, avec de tels individus pour la diriger ? Je vis des prisonniers de guerre russes, les vêtements marqués d'un cercle rouge, astreints à de pénibles travaux de construction et gardés par des Allemands armés de fusils. Je vis aussi un Juif d'un certain âge, portant une étoile jaune sur son manteau, qui lavait le trottoir avec un balai-brosse. J'en eus le cœur brisé. Si seulement j'avais pu le toucher, lui parler. Je passai à côté de lui sans même oser tourner la tête. Plus loin, je tombais sur les bureaux du projet *Lebensborn*. Frau Gerl avait raison.

En plus de mes dons avérés pour passer inaperçue — que j'avais découverts à Vienne après l'assassinat de Dollfuss — je pouvais maintenant me dissimuler sous une nouvelle identité, celle d'une certaine Grete. Cette fille-là était réservée, timide, très jeune, inexpérimentée, sans ambitions, ni opinions, ni projets. Elle ne recherchait pas la compagnie des autres, mais se montrait toujours serviable et polie.

Il arrivait parfois que cette fille attirât l'attention de jeunes soldats allemands en permission à Munich qui, esseulés et sans personne à qui parler, entamaient la conversation et lui proposaient d'aller prendre un verre dans un café.

Je décidai d'accepter leurs invitations, comme Christl l'avait fait avec les officiers de la Gestapo. Pour être tout à fait honnête, c'était surtout pour que l'on m'offre un repas. Je subsistais avec l'argent que *Frau Doktor* avait tiré de la vente du manteau de fourrure de maman, et il m'en restait très peu. Chaque sandwich, chaque morceau de gâteau m'était d'un grand secours.

En réalité, ces garçons souhaitaient surtout raconter leur vie. Ils m'aimaient bien parce que je savais les écouter. Bien entendu, je ne leur disais rien sur moi-même. Cela se révélait étonnamment facile. Les gens n'aimaient pas trop poser des questions à cette époque. Chacun avait ses propres problèmes et ses petits secrets. C'était la guerre, après tout. Si un jeune soldat voulait me revoir, j'acceptais, fixais le rendez-vous, mais ne m'y rendais pas. Il ne pouvait pas me rechercher, car il ignorait où il pourrait me trouver.

Ce fut à cette époque que la Croix-Rouge me convoqua pour un entretien. Il se déroula dans la grande et luxueuse demeure d'une femme de la haute société. Elle portait une robe de velours bordeaux. La terrasse de sa maison dominait l'Isar. Un portrait d'Hitler était accroché au mur de son salon et elle portait autour du cou une chaîne en or avec un pendentif en diamant en forme de svastika. Elle m'interrogea sur mes antécédents.

Avec précision, je débitais chaque détail appris par cœur en lisant les papiers que Pepi s'était procurés sur les grands-parents de Christl. Mon grand-père paternel était né dans telle ville, avait étudié dans telle école, exercé tel métier. Mon grand-père maternel était mort de telle maladie, fréquentait telle église, avait fondé telle entreprise. La seule lacune dans mes connaissances

concernait les parents de « ma » mère. Si l'on avait
découvert des papiers « aryens » concernant le grand-
père maternel, on n'avait cependant rien pu trouver sur
la grand-mère maternelle. Heureusement, étant donné
que « ma » mère était morte et que son père avait été
officier dans l'armée allemande, la dame de la Croix-
Rouge se désintéressa de la question.

— Vous connaissez admirablement vos ancêtres,
Grete. Impressionnant, vraiment. La plupart de nos
candidats ne sont pas aussi bien informés.

Mon estomac se serra. « Idiote ! Tu en as trop dit !
Tu vas te démasquer avec tous ces détails ! Fais gaffe à
ça ! »

Elle me dit que je recevrais mon affectation dans
quelques semaines. Peu à peu, j'appris à me sentir plus
à l'aise sous ma fausse identité. J'étais comme un grain
de poussière sur une bulle de savon — invisible, mais
risquant à tout moment l'anéantissement.

J'allai à l'opéra voir une représentation de *La
Bohème*. Je crois que Trude Eipperle tenait le rôle de
Mimi. Un soldat me demanda de faire semblant d'être
sa fiancée, parce que les militaires accompagnés
n'étaient pas obligés de faire la queue pour prendre les
billets. Bien entendu, j'acceptai. On nous donna immédiatement nos billets. Puis il m'emmena dîner dans un
restaurant bondé. Je suppose qu'il devait être un officier de haut rang car, une serveuse passant à côté de
lui avec deux assiettes pleines destinées à d'autres
clients, il s'en empara sans autre forme de procès pour
les poser sur notre table, sans que personne proteste.

Frau Gerl avait décidé de m'offrir une robe. Il lui
restait quelques points sur sa *Kleiderkarte* — la carte de
rationnement pour les tissus et les vêtements — et,
comme je lui avais dit que j'avais épuisé tous mes
points (en réalité, je n'osais pas acheter de vêtements,

parce que Johann Plattner m'avait formellement déconseillé de le faire), elle me donna les siens. Elle m'emmena dans une boutique qui vendait le traditionnel *dirndl*[1], très à la mode à l'époque, parce qu'il rappelait les traditions nordiques célébrées par les nazis. Je me souviens parfaitement de cette robe. Elle était rouge et faisait partie d'un ensemble comprenant également un chemisier blanc et une veste assortie. Frau Gerl se tenait derrière moi. Je pouvais la voir dans le miroir. La coupe, l'ajustement, et le style la mettaient aux anges ! Ma mère souriait de la même façon, et je me souvins soudain du mètre de couturière autour de son cou, de son dé à coudre en argent et de ses yeux brillants.

— Grete ? Tu vas bien ?

Je fis oui d'un signe de tête retrouvant mes esprits. La propriétaire du magasin, contaminée par l'enthousiasme de Frau Gerl, nous demanda moins de tickets pour cette robe qu'elle n'était en droit de l'exiger.

Je revêtis cette robe le jour où les Gerl m'invitèrent dans une brasserie en plein air où se produisait le comique Weiss Ferdl. De nombreux Allemands, ivres de leur *Blitzkrieg*, étaient venus là pour passer une soirée avec leurs proches. Ils se sentaient prospères, heureux de leurs nouveaux appartements, de leurs nouveaux commerces, achetés à un prix si dérisoire — par quel miracle ? Ils ne finissaient pas de s'en étonner.

« Les nazis ont si bon cœur, ce sont des gens si généreux ! s'exclama le comique. J'ai entendu dire qu'ils ne se lavent plus et qu'ils ont laissé l'usage de leurs baignoires à leurs oies, afin qu'elles soient belles, propres et bien grasses lorsqu'on les tuera pour le dîner de Noël ! » Ce comique devait rapidement disparaître[2].

---

1. Robe traditionnelle de la Bavière et du Tyrol. (*N.d.T.*)
2. Weiss Ferdl est mort à Dachau. (*N.d.T.*)

Le 28 août 1942 était un vendredi et il faisait une chaleur d'étuve. Je me souviens de cette date parce que c'est celle de l'anniversaire de Goethe. Au *Maximilianeum*, une célèbre galerie d'art de Munich, j'étais assise devant un tableau représentant un paysage luxuriant, aux tons dorés, probablement une des œuvres de Schmid-Fichteberg ou d'Herman Urban que les nazis adoraient parce qu'elles faisaient ressembler l'Allemagne aux Champs-Élysées. Je m'efforçais de voir les choses comme eux, d'imaginer leur pays dans ces tons jaunes et orange éclatants, et d'effacer de ma mémoire les filles épuisées qui marchaient à quatre pattes dans la boue derrière la charrue du Français émacié.

Un homme de grande taille s'assit à mes côtés. Il avait des cheveux blonds et soyeux, des yeux bleus et brillants et une bouche mince et dure — un aryen jusqu'au bout des ongles. Il portait des vêtements civils et, sur le revers de sa veste, une barrette en forme de svastika, l'insigne des membres du parti nazi. Ses mains étaient puissantes et nettes, les mains d'un artisan. Il me regarda et il sourit.

— Ce paysage que nous contemplons est un exemple parfait du style bavarois *Heimat*, dit-il. Mais je suis sûr que je ne vous apprends rien.

— Non, je l'ignorais.

— Eh bien, le peintre utilise ce style pour célébrer la mère patrie. Les paysans sont toujours solides et en bonne santé, les champs toujours riches et admirablement cultivés, les vaches resplendissantes et grasses, et le temps est invariablement magnifique.

Il jeta un regard sur mes mains pour voir si je portais une alliance.

— Exactement comme vous, *Fräulein*... ?

Je ne répondis pas et petit à petit m'écartai pour

lui faire comprendre qu'il ne m'intéressait pas. Cela ne le découragea pas le moins du monde.

— Je travaille à Brandenburg, dit-il. On a toutes sortes de paysans par là-bas, mais aucun qui soit aussi beau et robuste que ceux de ce tableau. Croyez-vous que l'artiste ait voulu faire une œuvre onirique ?

Je crois que cette dernière remarque lui valut un petit sourire de ma part.

— Vous savez, notre Führer adore les arts. Il achète entre deux cents et trois cents tableaux chaque année. Si un de vos tableaux est sélectionné pour être exposé au palais de l'Art allemand, votre réputation est faite. Il n'est cependant pas inutile que votre oncle fasse partie du conseil d'administration de Krupp ou que votre mère prenne le thé avec Frau Goebbels.

— Êtes-vous peintre ?

— Oui.

— Vraiment ? C'est votre métier ?

— Mon métier consiste à diriger le service de peinture à l'usine d'avions Arado. Ma vocation était d'être un peintre, et d'ailleurs, j'ai suivi cette formation. Saviez-vous que le Führer a payé de ses propres deniers l'atelier de Sepp Hilz ? Et Gerhardinger est devenu professeur parce que le Führer l'a ordonné. Du jour au lendemain, ce peintre tout à fait quelconque est devenu professeur d'université.

— Non, je n'en savais rien.

— Voulez-vous que nous visitions le musée ?

— D'accord.

Il était tellement plus grand que moi que j'eus du mal à le suivre. Il parlait sans arrêt.

— Personnellement, j'aime les classiques. Le Führer préfère les peintres austro-bavarois du XIXe siècle comme Spitzweg et Grützner. Quant à moi, je suis un fanatique d'Angelica Kauffmann !

— Euh... de qui ?

— C'est un génie du XVIIIe siècle et, ce qui ne gâte rien, une belle femme, si j'en juge par son autoportrait. Klopstock lui communiqua la passion de l'histoire de l'Allemagne et elle a peint des scènes illustrant les victoires d'Arminius.

Son visage était animé, ses yeux étincelaient.

— Il existe un tableau de Kauffmann représentant le retour d'Arminius dans la forêt de Teutoburg... Sa jolie femme qui l'attendait au foyer pendant qu'il combattait les Romains vient à sa rencontre tandis que les filles du coin dansent. J'adore ce tableau.

Il me tendit la main.

— Je m'appelle Werner Vetter.

— Et moi Grete Denner.

— Accepteriez-vous de déjeuner avec moi ?

— Uniquement si vous continuez à me raconter des choses passionnantes sur les peintres.

Et c'est ce qu'il fit. Ce Werner Vetter venait de Wuppertal, près de Düsseldorf, en Rhénanie. Il connaissait beaucoup de choses sur l'art, beaucoup plus que moi, et cela m'impressionnait. Il était venu à Munich pour passer deux semaines de vacances. Il lui restait sept de jours de congés.

Werner me demanda de participer au repas avec mes tickets d'alimentation (c'est le seul homme qui m'ait jamais demandé une telle chose), puis il commanda des sandwichs. Il découpa le sien avec un couteau et une fourchette et le dégusta comme s'il s'était agi d'un steak haché. Il s'aperçut de mon étonnement.

— Ma tante Paula m'a appris à ne jamais manger avec les doigts, expliqua-t-il. J'avais environ douze ans à l'époque, mais il y a des choses que l'on n'oublie pas.

Cet homme imposant, qui mangeait son sandwich avec tant de délicatesse, avait l'air si charmant et si excentrique que je tombai sous le charme. Mais c'était un membre du parti. Et pourtant, son sourire était si amical. Mais ce pouvait être un SS en civil. Et pourtant, il connaissait tant de choses sur l'art...

— Max Liebermann était, lui aussi, un très bon peintre, dit-il en arrosant son repas d'un verre de bière. Dommage qu'il ait été juif.

J'acceptai de le rencontrer le lendemain. C'était la première fois que j'acceptais de rencontrer deux fois de suite un Allemand. En fin de compte, nous allions passer ensemble tout le reste de ses vacances.

Quand je pense aux risques pris — il aurait pu être dangereux ! — j'en suis stupéfaite, aujourd'hui encore. Mais j'aimais Werner, voyez-vous. Il était amusant et facile à vivre. Il adorait parler, aussi n'avais-je pas grand-chose à dire. En outre, il ressemblait tellement aux Allemands que je côtoyais chaque jour ; fidèle au Führer, confiant en la victoire militaire totale, méprisant les Russes, toujours prêt à raconter les derniers potins sur Goebbels et ses maîtresses. Durant cette semaine avec Werner, j'appris tout ce qu'il me fallait absolument connaître pour passer pour une Allemande. Ce fut la période de formation de Grete.

Et puis, je me sentais à nouveau femme quand il me tenait la porte ouverte ou quand il m'aidait à monter dans le train chaque soir. J'avais l'impression d'avoir flâné dans un de ces tableaux de style *heimat*, d'avoir pris un teint doré et orangé comme ces champs de blé idéalisés. C'était une sensation étrange, surréaliste. Du jour au lendemain, j'étais devenue une jeune fille de Rhénanie en vacances, le roi des Vikings me faisait la cour et essayait de me convaincre de rester

avec lui, de ne pas prendre le dernier train pour Deisenhofen avant le couvre-feu.

Il m'emmena au château de Nymphenburg, la résidence d'été des Wittelsbach, la dynastie qui régnait
autrefois sur la Bavière. Se promener dans les vastes
jardins, au milieu des pavillons baroques ; admirer les
vitrines d'exposition remplies de figurines en porcelaine — des dandys du XVIIe siècle avec des perruques
en cascade et des chaussures à boucle d'or, des artistes
élégants revêtus des costumes de la *commedia dell'arte* ;
quel repos !
Werner, lui, se moquait de tout cela. Il avait ce
mépris de l'aristocratie qui caractérise le monde
ouvrier. Il caricatura un courtisan en prenant des poses
grotesques, ce qui fit rire tout le monde. Il me souleva
et me posa sur un piédestal pour que je mime un chéru-
bin étreignant le blason des Wittelsbach. Je n'osais pas
penser à maman qui était sûrement réduite à la condition d'esclave — domestique ou couturière — dans
quelque ghetto. Je m'efforçais de me concentrer sur ma
nouvelle identité, cette Grete, cette touriste aryenne, de
me sentir tout à fait en droit de profiter de mes « vacances ». Mais chaque fois qu'un policier passait, j'étais
prise de panique et me glissais promptement derrière
mon grand compagnon.

Nous avions pris quelque repos au jardin anglais,
avec ses pelouses interminables. Werner s'était allongé
sur l'herbe, sous le soleil de cette fin d'été, la tête sur
mes genoux.
— J'ai trois frères, m'avait-il dit. Robert et Gert
sont sur le front. Mon autre frère a trouvé un boulot

facile : toute la journée, il reste les fesses sur sa chaise derrière son bureau au service du parti. Gert a une délicieuse petite fille, Bärbl, ma nièce favorite.

Nous avions acheté une poupée de chiffon pour Bärbl, avec des nattes blondes et une bouche brodée. Nous nous étions arrêtés dans un café prendre une bière. Werner avait avalé la sienne d'un trait ; j'avais bu la mienne à petites gorgées. Il avait trouvé extrêmement amusante la façon dont je sirotais. Je m'étais promis de faire mon possible pour apprendre à boire goulûment, comme une fille du pays.

— Quand j'étais petit, mon père nous a quittés, avait-il continué. Et ma mère, bon... ma mère, elle aimait un peu plus la bière que toi. Alors nous, les garçons, nous étions complètement livrés à nous-mêmes, sans un sou. Ma mère restait propre — mais pas nous, et pas notre maison, qui était une véritable porcherie. Cela me faisait horreur. Tante Paula, la sœur de ma mère, venait à la maison s'occuper de nous. Un jour, elle est arrivée et a trouvé ma mère morte. Elle a regardé sous le lit et a vu toutes ces bouteilles vides, toute cette infection, et elle a aussitôt décidé de nous emmener — moi et mon petit frère Gert — chez elle, à Berlin. Son mari était un Juif nommé Simon-Colani, professeur de sanskrit, un type très intelligent — tu sais, un de ces authentiques penseurs. Je crois qu'il devait penser que j'avais quelque talent, car il m'a envoyé à l'école des beaux-arts pour que j'aie un bon métier.

« Il y a des Juifs dans sa famille, avais-je songé. Nous ne sommes pas tous des monstres à ses yeux. »

— Mais le fait d'avoir une formation et du talent ne permettait pas à lui seul de dénicher du travail durant la crise, avait poursuivi Werner. J'étais si fauché que, pendant tout un été, j'ai dû dormir dans la forêt.

Nous étions nombreux, de jeunes gars dans l'incapacité de gagner leur vie.

Puis, d'une voix basse et rauque, il avait ajouté :

— Les nazis nous ont enrôlés dans une organisation de travail bénévole. Nous étions logés et on nous a donné un uniforme. Alors, je me suis senti mieux dans ma peau, tu sais. Je voulais rentrer chez tante Paula pour leur montrer, à elle et à mon oncle, comment je m'en étais bien sorti. Mais mon oncle est mort.

J'avais poussé un petit cri, ne m'étant pas attendue à ce que l'histoire finisse ainsi.

— Alors, je suis allé à son enterrement.

J'avais imaginé un enterrement semblable à celui de mon père, les prières en hébreu, les hommes qui psalmodiaient, et ce grand neveu blond portant l'uniforme nazi faisant irruption comme un cheveu sur la soupe. Cette vision me stupéfia.

— Est-ce grâce à ce boulot que tu as échappé à la guerre ? Parce que tu as rejoint le parti ?

— Ah, non, non ! C'est parce que je ne vois pas d'un œil. J'ai eu un accident de moto. J'ai eu une fracture du crâne et le nerf optique a été sectionné. Regarde de près et tu verras.

Il s'était penché au-dessus de la table pour me montrer son œil aveugle. Je m'étais penchée à mon tour pour l'examiner. Il s'était encore rapproché. J'avais regardé encore plus attentivement et il m'avait embrassée.

Le plaisir que m'avait procuré cette expérience fut un véritable choc. Surprise par ma réaction, je crois avoir rougi. Werner avait ri devant mon embarras.

— Mon Dieu, tu es une fille délicieuse.

La *Frauenkirche*, la *Peterskirche* et le château de Schleissheim ; Garmisch-Partenkirchen, lieu de villégiature magnifique ! Nous avions passé toute une journée à escalader les collines, à franchir des cours d'eau à gué. Je me laissais porter par lui pour traverser des terrains accidentés. Étant donné que nous étions seuls, qu'aucun soldat ni aucun policier ne se trouvait aux alentours, je me sentais un peu plus détendue, ce qui représentait un grand danger car j'aurais pu m'oublier et redevenir moi-même. Je censurai chacun de mes mots, chacun de mes regards. Apparemment, Werner aimait cela. Mon côté effacé lui plaisait. D'ailleurs, il n'en connaissait pas d'autre.

Chaque après-midi, nous nous joignions à la foule dans un café pour entendre le *Wehrmacht Bericht*, le bulletin d'informations sur la guerre, et connaître ainsi les dernières nouvelles sur la bataille qui faisait rage à Stalingrad. Hitler avait envahi l'Union soviétique en juin 1941 et la Wehrmacht avait fait tomber l'une après l'autre les villes russes. Cependant, depuis peu, les Soviétiques avaient lancé de féroces contre-attaques. Et l'hiver s'annonçait. Pour la première fois, je vis un soupçon d'inquiétude sur les visages des Allemands qui se pressaient en foule dans ce café. À la maison de Frau Gerl, une lettre de *Frau Doktor* m'attendait. Malgré son vif ressentiment contre l'Église, elle se rendait tous les jours à la messe dans l'espoir de sauver la Wehrmacht à Stalingrad.

Werner n'était pas inquiet.

— Le général Paulus est un génie militaire, dit-il. Il prendra rapidement la ville et nos hommes pourront y passer l'hiver au chaud.

J'étais montée sur la troisième marche d'un joli monument pour me grandir. Werner avançait à côté de moi sur la marche inférieure, son bras autour de mes épaules. Nous nous approchions d'une statue représentant une femme nue. Il m'attira hors de vue derrière cette statue et m'embrassa passionnément. Son baiser, cette fois, m'engloutit — un baiser long, fort, qui me donna la sensation d'être complètement à l'abri du monde. Pour moi, dans ma situation, ce fut une sensation indéniablement réconfortante. Je pouvais me cacher dans son ombre. Sa volubilité me permettait de ne pas trop m'exprimer. Je me sentais protégée avec Werner, comme s'il parachevait ma fausse identité.

En me raccompagnant au train du soir, Werner s'aperçut qu'il avait oublié son appareil photo au café. Cet appareil avait une grande valeur ; il était impossible d'en trouver de semblables à l'époque. Toutefois, si nous avions décidé de retourner là-bas pour le récupérer, j'aurais raté ma correspondance pour Deisenhofen, et il m'aurait fallu passer la nuit avec lui. Je n'étais certainement pas prête à cela.

— Tu vas chercher ton appareil photo, lui dis-je, et je retournerai seule chez moi.

— Non. Nous sommes ensemble. Je te raccompagne chez toi.

— Mais c'est plus important pour toi de...

Je vis dans son regard un éclair de colère qui m'inquiéta.

— Ne discute pas, Grete. Ne discute jamais avec moi, et ne me dis jamais ce que je dois faire.

À la fois galant et inquiétant, tel était fondamentalement Werner.

Il m'écrivit à plusieurs reprises après son retour à

Brandenburg et il m'envoya un modèle réduit d'une sculpture baptisée *L'Innocent de la Seine*. Pour son anniversaire, en septembre, j'avais pensé à lui offrir des gants.

— Non, non, non, protesta Frau Gerl. Tu dois lui envoyer un gâteau !

— Mais je ne sais pas faire de gâteaux.

Elle sourit.

— Je le ferai moi-même.

Et ce fut ainsi que Werner Vetter à Brandenburg reçut un gâteau de Grete Denner pour son anniversaire, un geste qu'il ne devait jamais oublier.

Ma formation à la Croix-Rouge commença en octobre. Durant trois semaines, je suivis les cours dans une très belle demeure — siège d'une confrérie de boulangers — dans le parc de Lochham à Gräfelfing. C'était un bâtiment à l'ancienne en bois et en stuc, avec l'emblème extravagant de la confrérie peint au plafond de la salle à manger. La forêt en automne était paradisiaque. Tant d'aspects de l'Allemagne étaient comme cela : des décors magnifiques, des comportements incompréhensibles.

Je ne cherchais pas à me rapprocher des autres filles qui travaillaient à la Croix-Rouge. Je gardais mes distances et me contentais du strict nécessaire. Je disais « Bonjour » et « Bonsoir ». Le matin, les véritables infirmières nous enseignaient des rudiments d'anatomie et nous apprenaient à faire des pansements et des bandages. Mais ensuite, l'après-midi, des membres de la *Frauenschaft*, les auxiliaires féminines du parti nazi, venaient nous inculquer notre véritable mission : rele-

ver le moral des blessés et répandre le mythe de l'invin-
cibilité allemande :

— Vous devez vous assurer que chaque soldat
sache que la cathédrale de Cologne est toujours debout
malgré l'attaque aérienne lâche des Britanniques en mai
dernier, dit la robuste instructrice en uniforme. Vous
devez également affirmer à chaque soldat qu'il n'y a
pas eu de bombardement en Rhénanie. Suis-je bien
claire ?

— Oui, madame, avons-nous répondu en chœur.

En réalité, la Rhénanie était écrasée sous les bombardements alliés.

— Vous êtes dès à présent invitées à participer à
la germanisation du *Gau* de Wartheland en Pologne
occupée, à vous installer là-bas et y fonder des familles
nombreuses. Les conditions de vie sont excellentes.
Vous recevrez une propriété et une main-d'œuvre bon
marché et abondante. Aujourd'hui, les Polonais ont
accepté leur condition d'*Untermenschen*. Ils ont compris
que leur destin est de travailler au service des Allemands, de la race supérieure.

Je ne crois pas que beaucoup de filles aient véritablement cru à ces affirmations, mais il n'en demeure
pas moins que des milliers d'Allemands partirent jouir
du statut de conquérant dans le *Gau* de Wartheland.
Après la défaite allemande, quand ils rentrèrent en
masse, sans ressources, leurs compatriotes furent très
peu nombreux à leur venir en aide.

Vous vous demandez sans doute comment je pouvais supporter ce genre de discours triomphaliste,
celui-là même qui m'avait fait fuir à toutes jambes de
Hainburg. La réponse est toute simple : je n'avais plus
d'endroit où fuir. Cernée par une population qui s'était
complètement soumise à des idées monstrueuses, je
n'avais plus qu'une solution : continuer à me replier

sur moi-même, m'efforcer de vivre comme l'écrivain allemand Erich Kästner — que j'ai toujours admiré —, qui résista à l'ère nazie grâce à ce qu'il appelait l'« émigration intérieure ». Mon âme se réfugia dans un silence lucide. Mon corps resta présent dans toute cette folie ambiante.

— Sachez, dit notre instructrice nazie, que les infirmières de la Croix-Rouge ont la première place dans le cœur d'Hitler. Il vous aime et vous devez lui rendre son amour sans la moindre réserve.

Elle nous demanda de prêter un serment particulier au Führer. Nous avons levé les bras et crié : *Heil Hitler !* Dans mon for intérieur, je priais : « Puisse Hitler, ce monstre, être anéanti. Puissent les Américains et la RAF bombarder les nazis et les réduire en poussière. Puisse l'armée allemande mourir gelée à Stalingrad. Fasse le Seigneur que je ne sois pas oubliée ici. Fasse le Seigneur que quelqu'un se souvienne de ma véritable identité. »

L'hiver approchait, et j'attendais mon affectation à l'hôpital. Je me suis dit que je pourrais aller à Vienne une dernière fois, avant qu'il ne fasse trop froid. J'avais désespérément besoin de parler à quelqu'un. J'avais besoin de briser ce silence qui m'engloutissait peu à peu, de parler quelques heures, sans retenue, avec des personnes de confiance.

Je dis à Frau Gerl qu'il fallait que j'aille à Vienne pour récupérer des vêtements d'hiver — elle n'a jamais mis en doute cette explication. Cette fois-ci, je me sentis plus en sécurité dans le train parce que j'avais maintenant une pièce d'identité de la Croix-Rouge avec ma photo dessus.

La façon dont on me reçut à Vienne me brisa le cœur. Pepi parut gêné par ma soudaine apparition. Il ne savait plus quelle attitude adopter avec moi. La situation de Jultschi s'était détériorée. Elle avait très peu de travail. Les rations dévolues aux Juifs avaient été supprimées. Le petit Otti n'avait pas été reconnu comme *Mischling* ; aussi, comme tous les autres enfants juifs, il ne recevait plus du tout de lait. Il n'était pas autorisé à aller à l'école. J'ai essayé de parler de la Croix-Rouge, de Frau Gerl et de Munich, mais Jultschi ne voulait rien entendre.

— Retourne là-bas, dit-elle. Je ne veux plus que tu restes ici.

J'avais l'intention de demeurer trois jours avec elle. Après seulement deux jours, je suis retournée à Deisenhofen, malheureuse, me sentant rejetée. Chez Frau Gerl, m'attendait un télégramme de Werner. Il arrivait à Munich le lendemain matin et il voulait absolument me voir. Les méandres du destin sont stupéfiants. Si j'étais restée trois jours à Vienne, je ne serais pas rentrée à temps pour recevoir ce télégramme. Mais, par hasard, je le reçus. Par hasard.

Le lendemain matin, j'allais à Munich à la rencontre de Werner. À la gare, j'avais ôté mon chapeau, de peur qu'il ne me reconnaisse pas avec mes vêtements d'hiver. Mais il me reconnut tout de suite. Il m'interpella à grands cris, me saisit dans ses bras, m'a couverte de baisers et m'emmena prendre le petit déjeuner au café du palais de l'Art allemand

— En me rendant à mon travail hier, j'ai décidé que tu serais à moi, dit-il en pétrissant ma main.

— Quoi ?

— Tu m'as bien compris. C'est comme ça. Tu dois devenir ma femme.

— *Quoi ?*

— Alors j'ai pris un congé au travail en disant au patron que la maison de ma mère en Rhénanie avait été bombardée et qu'il fallait que j'aille là-bas pour m'assurer que tout allait bien.

— Werner ! Tu pourrais aller en prison pour ça ! Faux prétexte ! Absentéisme !

— Mais ils m'ont cru. Regarde ce visage, dit-il en souriant. Voilà un visage qu'on ne peut que croire. Bon, quand est-ce qu'on se marie ?

— Nous sommes en pleine guerre ! On ne se marie pas en temps de guerre.

— Je suis fou amoureux de toi ! Je pense tout le temps à toi. Même dans ma baignoire, je pense à toi, et l'eau devient brûlante.

— Oh, Werner, arrête de...

— Je veux rencontrer ton père. J'irai à Vienne pour le rencontrer. Il pensera que je suis merveilleux, tu verras.

Le cours de mes pensées s'accéléra. Je croyais passer une journée avec un homme charmant, panser les blessures de mon *ego*. Je n'avais jamais envisagé cela, pas même en rêve ! Qu'allais-je donc faire ? Werner était prêt à sauter dans le premier train pour Vienne pour aller demander ma main à mon père. Où donc allais-je trouver un père ?

— Bon, maintenant, je t'en prie, calme-toi. Tout cela n'est pas raisonnable. Nous ne nous connaissons que depuis quelques jours.

— Pour moi, c'est suffisant. Je suis un homme d'action.

— Mais pourquoi ne m'as-tu pas écrit ? Pourquoi as-tu pris de tels risques en mentant à ton entreprise ?

Il se renversa dans son fauteuil, soupira, puis baissa la tête.

— Parce que je me suis senti coupable. Parce que je t'ai menti : je ne suis pas célibataire. Je suis marié et en instance de divorce. Voilà la vérité, et la petite Bärbl est en réalité ma fille. Alors, j'ai pensé que, comme je n'avais pas été honnête avec toi au début, il fallait que je te dise la vérité, les yeux dans les yeux. Je t'aime, Grete. Tu es ma source d'inspiration. Viens vivre avec moi à Brandenburg et, dès que le divorce sera prononcé, nous pourrons nous marier.

Mon café se répandit sur la table, car ma main tremblante ne pouvait tenir la tasse. J'étais terrifiée. Il voulait que je rencontre son frère Robert et sa belle-sœur Gertrude, ainsi que la fameuse tante Paula. Il voulait me présenter ses amis. C'était sans fin.

Après notre entrée dans le musée, il ne cessa de me courtiser pendant que nous passions devant ces énormes frises et tableaux nazis de Helmut Schaarschmidt, Hermann Eisenmenger et Conrad Hommel. Pêle-mêle, il y avait là des portraits d'Hitler et de Göring, des ciels de flammes et d'aigles, des soldats au visage sinistre portant des casques d'acier, et aussi les hommes-dieux en pierre d'Arno Breker brandissant leurs imposantes épées dans leur posture parthénonienne. Werner ne les regardait pas. Il tenait ma main et me disait à l'oreille qu'il avait un magnifique appartement, un très bon travail et que nous avions tout pour être heureux ensemble.

— Pense à la baignoire ! Pense au sofa ! Pense à la Volkswagen que je suis en train d'acheter pour nous deux !

Il continua comme ça pendant des heures.

— Le monde est trop instable, protestai-je. Imagine que tu sois envoyé au front et que tu meures au combat...

Werner rit de bon cœur.

— Ils ne m'enverront jamais au front ! Je suis à moitié aveugle !

— Imagine que l'hôpital de la Croix-Rouge soit bombardé et que je meure sous les bombes...

— Et s'ils t'envoyaient dans un autre hôpital, qu'un autre soldat tombe amoureux de toi comme cela m'est arrivé, que se produirait-il ? Je te perdrais et cela me serait insupportable ! Je ne pourrais pas continuer à vivre !

— Oh, Werner, cesse de dire des...

— Parle-moi de ton père.

Mon père était un Juif dévoué, et s'il savait seulement que je marchais à côté d'un type comme toi, il me tuerait, puis il aurait une autre crise cardiaque et mourrait une deuxième fois, pensai-je.

— Parle-moi de ta mère.

Elle est en Pologne, là où ton ignoble Führer l'a envoyée.

— Parle-moi de tes sœurs.

Elles sont en Palestine. Elles se battent aux côtés des Anglais pour détruire ton armée. Que le Seigneur leur vienne en aide !

— Tes oncles, tes tantes, tes cousins, tes ex.

Disparus. Peut-être morts. Ils doivent se terrer pour échapper à ta peste nazie, à tel point qu'ils seraient mieux morts.

— Je t'aime. Il faut que tu sois à moi.

— *Non, non, laisse-moi tranquille ! Va-t'en. Trop de gens seraient en danger. Christl, Frau Doktor, Pepi. Toi,* continuai-je de penser.

— Non ! m'étais-je écriée. Je ne peux pas m'engager avec toi !

Rassenschande, le scandale du mélange des races : un crime.

— Mais pourquoi ? Mon Dieu, Grete, es-tu promise à quelqu'un d'autre ? As-tu volé mon cœur par traîtrise ? Comment est-ce possible ?

Il avait l'air blessé, anéanti par l'idée que je ne

veuille pas de lui. Je comprenais sa souffrance, car j'avais vécu la même expérience. Je nouai mes bras autour de son cou et je murmurai violemment au creux de son oreille :

— Je ne peux pas t'épouser parce que je suis juive ! Mes papiers sont faux ! Ma photo se trouve dans les fichiers de la Gestapo à Vienne !

Werner s'arrêta net. Il me repoussa. Mes jambes se dérobèrent. Son visage devint dur. Il plissa les yeux et sa bouche se serra.

— Ça alors ! Espèce de petite menteuse ! Tu m'as bien fait marcher.

Il semblait tout aussi sévère et déterminé que l'un des SS du tableau de Krause.

« Idiote, pensais-je encore. Tu as signé toi-même ton arrêt de mort. » Je m'attendais à ce que l'épée de l'homme-dieu de Breker me tombe dessus, tel un couperet. J'imaginais mon sang répandu sur le sol en marbre, les horribles coups frappés à la porte de Christl.

— Bon, maintenant, nous sommes à égalité, dit Werner. Je t'ai caché la vérité sur mon divorce et tu m'as menti sur ta véritable identité. Disons qu'on est quitte et marions-nous.

Il me prit alors dans ses bras, me berça et m'embrassa.

Je crois que j'ai eus alors une petite crise d'hystérie.

— Tu es un fou ! On ne peut pas vivre ensemble. Ils nous démasqueront.

— Comment ? As-tu l'intention de dévoiler à un autre que moi ta véritable identité ?

— Arrête de plaisanter, Werner. C'est sérieux. Peut-être ne te rends-tu pas vraiment compte de la situation, mais ils pourraient te jeter en prison à cause de moi. Ils me tueront, moi et mes amis, et ils t'enverront dans un de leurs terribles camps. Comment est-il possible que tu n'aies pas peur ? Tu dois avoir peur !

Il se mit à rire. Je l'imaginai au bout d'une corde nazie, comme le Français qui avait eu une histoire avec une fille juive de l'*Arbeitslager*. Toujours en riant, il m'emporta dans une salle remplie de paysages flamboyants. Aujourd'hui encore, je n'arrive pas à comprendre où Werner a pu puiser un tel courage, alors que ses compatriotes faisaient preuve de tant de lâcheté.

— En fait, j'ai vingt-huit ans, et pas vingt et un, dis-je.

— Parfait. C'est un soulagement, parce qu'à vingt et un ans, tu aurais sans doute été trop jeune pour te marier.

Il s'arrêta dans un recoin près d'un buste d'Hitler.

— Est-ce que ta cuisine est aussi bonne que le gâteau que tu m'as envoyé pour mon anniversaire ?

Je suis sûre que l'esprit de maman, qui se manifeste comme un ange chaque fois que j'ai besoin d'un conseil domestique, me recommanda de répondre « oui ». Bien entendu, il s'agissait là d'un mensonge éhonté. Pour comprendre Werner Vetter, je dois vous dire que je pouvais tout à fait lui révéler que j'étais juive, mais que je ne pouvais en aucun cas me permettre de lui avouer que j'étais une piètre cuisinière.

Il retourna à Brandenburg, mais il ne devait pas changer d'avis. Il avait pris sa décision, voyez-vous, et quand Werner prenait une décision, rien ne pouvait l'arrêter. Vous vous demandez si la pensée qu'il puisse me dénoncer, que la Gestapo puisse venir frapper à la porte de Frau Gerl a effleuré mon esprit ? Non, je n'y ai jamais pensé. J'avais confiance en Werner. Je ne sais absolument pas pourquoi. Peut-être était-ce parce que je n'avais véritablement pas d'autre choix.

Il m'envoya plusieurs télégrammes pour me dire qu'il avait pris des dispositions pour que je puisse m'installer chez la femme de l'un de ses amis. Elle s'appelait Hilde Schlegel. Elle avait une chambre d'amis et était d'accord pour m'héberger jusqu'à ce que le divorce fût prononcé. J'avais peur de recevoir d'autres télégrammes aussi ardents, peur qu'ils n'attirent sur moi l'attention des SS. J'avais peur que mon affectation à la Croix-Rouge, lorsqu'elle serait effective, ne m'oblige à me rendre dans les territoires occupés en Pologne, où il m'aurait fallu une carte d'identité nationale, un document qu'il m'était impossible d'obtenir. Je craignais, en restant chez Frau Gerl, que la Gestapo ne finisse par se poser des questions sur moi. Après tout, Frau Gerl avait des antécédents antinazis. Je me dis qu'en rejoignant Werner je serais plus en sécurité dans le rôle d'une petite *Hausfrau* qui vit avec un membre du parti nazi. Un homme doté d'un laissez-passer valable dans tout le Reich. Un homme de confiance dont la loyauté ne serait jamais mise en doute. Manifestement, être la femme d'un tel homme constituait une meilleure couverture pour moi que de mener une vie de célibataire.

Quand j'eus à annoncer à Pepi que j'allais épouser Werner, il le prit mal. Comment pouvais-je agir ainsi ? Comment pouvais-je tout simplement envisager d'épouser un non-Juif ? « Pense à ce que dirait ton père ! s'insurgea-t-il. Pense à quel point je t'aime ! »

Son amour pour moi ! J'avais découvert à mes dépens la profondeur de ses sentiments. Pepi n'avait rien fait pour que je puisse passer ne serait-ce qu'une seule nuit en sécurité à Vienne. Et sa mère n'avait même pas voulu me préparer une tasse de thé pendant que je me cachais dans son immeuble. Pepi refusa même de parler à *Frau Doktor* quand il apprit ce qu'elle avait dit à son propos, qu'il était à moi parce qu'on avait couché ensemble. Il n'avait jamais remercié cette femme merveilleuse, dont l'aide m'avait été si précieuse, et qui aurait pu l'aider, lui aussi. Il n'avait même pas été la voir. Nous aurions pu fuir ensemble avant la guerre. Nous aurions pu rejoindre l'Angleterre bien avant le déclenchement des hostilités. Nous aurions pu participer à la construction de l'État hébreu. Nous aurions pu échapper à ce cauchemar. Mais non ! Pepi ne pouvait pas s'en aller à cause de sa maudite raciste de mère ! Tel était l'amour qu'il me portait !

Et voilà que ce chevalier blanc était venu vers moi à Munich, sans peur, pour m'offrir non seulement la sécurité, mais aussi l'amour. Bien sûr que j'avais accepté ! J'avais accepté et j'avais remercié le Seigneur pour la chance que j'avais eue.

Frau Gerl et son mari allèrent dans les bois dérober un petit sapin de Noël pour moi. Il était illégal de couper des arbres à cette époque, mais ils voulaient m'offrir un cadeau pour mon départ. Le 13 décembre 1942, j'arrivai chez Werner Vetter à Brandenburg avec mon sapin sous le bras.

9

UNE VIE TRANQUILLE
SUR LA IMMELMANNSTRASSE

J e commençais à vivre comme une *Hausfrau* ordinaire. Si fictive fût-elle, cette existence était la meilleure qu'une femme pût connaître dans l'Allemagne nazie, parce que le régime célébrait la vie de famille et se montrait extrêmement généreux envers les femmes au foyer. Je me cantonnais dans une attitude effacée. Je préférais écouter. Je me comportais de manière amicale envers tout le monde, mais je ne me liais avec personne. Je faisais mon possible pour me convaincre que j'étais bel et bien Grete Denner. Je m'efforçais d'oublier ce qui était cher à mon cœur, toutes mes expériences, mon éducation. Je m'efforçais de paraître terne, insipide et polie, de ne jamais dire ou faire quoi que ce soit qui puisse attirer l'attention. Le résultat en fut que, extérieurement, je ressemblais à une mer calme et silencieuse et qu'intérieurement, régnait la tempête ; j'étais tendue, agitée, stressée, insomniaque, constamment inquiète, parce que je devais toujours apparaître insouciante.

Werner vivait dans un logement de fonction, dans l'une des nombreuses HLM — plus de trois mille appartements en tout — construites pour les employés de l'usine d'avions Arado à l'extrême est de la ville. Notre appartement se trouvait sur la *Immelmannstrasse*, aujourd'hui la rue Gartz. Le loyer était directement prélevé sur le salaire de Werner.

L'usine Arado fabriquait des avions de guerre, parmi lesquels le premier bombardier à réaction. C'était alors la plus grande usine d'armements du district de Brandenburg, lequel comprenait non seulement la ville de Brandenburg, mais également Potsdam et Berlin. Les dirigeants de la compagnie, Felix Wagonfür et Walter Blume, étaient riches et célèbres. Blume devint le responsable de l'industrie militaire du Reich et Albert Speer en fit un professeur.

En 1940, Arado employait huit mille travailleurs. En 1944, elle en employait neuf mille cinq cents, dont presque trente-cinq pour cent d'étrangers. Vous pourriez vous demander pourquoi les nazis utilisaient une main-d'œuvre étrangère aussi nombreuse dans une entreprise aussi sensible. Je crois vraiment qu'Hitler tenait absolument à ce que la femme allemande reste une machine à enfanter.

Nous avions entendu dire que les Américains et les Anglais encourageaient les mères de famille à travailler dans l'industrie de guerre, qu'ils assuraient la garde des enfants et payaient de hauts salaires à une main-d'œuvre patriote et fortement motivée. Mais le Führer rejetait de telles idées. Les mères de famille nombreuse recevaient des rations supplémentaires, et même une médaille d'honneur. Dans ces conditions, des entreprises comme Arado recouraient surtout à des garçons trop jeunes, à des hommes trop vieux, à des filles qui auraient connu de meilleures conditions matérielles si elles avaient été enceintes, et à des travailleurs venus des pays conquis. Évidemment, ces derniers n'étaient pas particulièrement motivés pour battre des records de production.

Les travailleurs étrangers d'Arado étaient répartis

dans huit camps de travail. Les Hollandais, surtout les dessinateurs de la société Fokker, vivaient à peu près décemment. Il en était de même pour les Français, dont les Allemands admiraient le savoir-faire et la diligence. La situation des Italiens était tout aussi bonne, car ils étaient officiellement nos alliés. Mais quels alliés ! D'une manière générale, les Allemands pensaient que les Italiens étaient lâches et grossiers, tandis que les Italiens considéraient les Allemands comme des gens ampoulés et incultes. En outre, ils haïssaient la cuisine allemande. Une de mes voisines me raconta un jour, avec horreur, qu'elle avait vu dans un restaurant un travailleur italien recracher une saucisse avec un « berk ! » de dégoût — « Il l'a recrachée par terre ! » s'était-elle exclamée. Puis il avait quitté le restaurant comme un ouragan en criant que seuls des Huns auraient été capables d'ingurgiter de tels déchets d'abattage ! Tous les autres travailleurs étrangers — Polonais, Serbes, Russes et autres — vivaient dans la misère et la peur, sous bonne garde.

Dieu merci, Werner supervisait surtout des Français et des Hollandais dans son service. Il veillait à ce que la quantité de peinture soit suffisante et que les insignes sur les avions soient correctement appliqués. Pour cela, il recevait un bon salaire. Son appartement était de loin le plus beau de notre immeuble.

Les immeubles des ouvriers avaient tous quatre étages qui comportaient trois appartements. Le nôtre était au rez-de-chaussée, face à la rue. Dans le vaste terrain vague de l'autre côté de la rue, destiné à devenir un parc, il n'y avait alors qu'une rangée de poubelles. Nous avions une chambre à coucher, un grand ensemble salon-cuisine, une chambre plus petite, et une salle de bains — avec une baignoire ! En réalité, il y avait un appareil de chauffage au gaz surmonté d'une grande bouilloire. On pouvait faire chauffer l'eau dans la bouilloire, puis la verser dans un baquet pour prendre son bain. Nous étions les seuls locataires à jouir d'un tel luxe. Notre cuisinière électrique était adaptée aux temps de guerre car en cas de coupure d'électricité on pouvait l'alimenter avec du charbon.

Werner prenait grand soin d'éviter les commérages des voisins. Il ne me fit venir chez lui qu'après son divorce, en janvier 1943. Jusque-là, j'étais restée chez la femme de son ami, Hilde Schlegel, une fille chaleureuse aux boucles brunes et rebelles, qui vivait dans le même quartier. Heinz, le mari de Hilde, peintre lui aussi, avait été envoyé sur le front Est. Hilde désirait ardemment un enfant et avait récemment subi une opération pour y parvenir. Étant donné que les nazis se montraient généreux envers les femmes de soldats, elle ne manquait de rien et n'était pas obligée de travailler.

— Cet appartement, c'est mon palais, l'endroit le plus agréable où j'aie jamais vécu, me dit-elle un jour. Pendant qu'Heinz était à l'armée, ils m'ont donné suffisamment d'argent pour que je puisse aller le voir. Il avait été blessé, mais légèrement seulement, et il se trouvait dans un hôpital militaire à Metz. Ach, quels moments merveilleux nous avons vécu, Grete ! Une véritable lune de miel, mes premières vraies vacances. Parce que, comme tu dois le savoir, il n'en a pas toujours été ainsi. Laisse-moi te dire que la vie fut parfois très dure lorsque j'étais enfant. Durant douze ans, papa n'a pas eu d'emploi stable. La plupart du temps, nous vivions d'aumônes. Et puis, quand notre Führer est venu au pouvoir, les choses se sont nettement améliorées. Moi et mes frères avons rejoint les jeunesses hitlériennes. À l'âge de quinze ans, j'ai assisté à un banquet du parti nazi, et l'on nous a servi des petits pains avec du beurre. C'était la première fois que je goûtais au beurre. (*Était-ce là la raison pour laquelle ils avaient détourné les yeux, ils s'étaient rendus aveugles ? Pour du beurre ?* pensais-je.) Je crois que tout ce que nous avons, nous le devons à notre cher Führer. Puisse-t-il vivre éternellement.

Elle heurta sa tasse contre la mienne en signe de sympathie.

Hilde devint ma meilleure « amie » à Brandenburg, si l'on peut qualifier ainsi une femme qui n'avait aucune idée de ma véritable identité. Elle m'emmena le long de la *Wilhemstrasse*, en direction de la ville, pour me montrer les magasins où je pourrais faire mes courses. Ce jour-là, elle me parla d'Élisabeth, la première femme de Werner.

— Elle est immense ! Plus grande que Werner ! Superbe, mais impétueuse ! *Ach*, ces cris, ces bagarres ! Demande à Frau Ziegler, la voisine de Werner, si je mens. Ils se querellaient comme des chiffonniers. Il la battait et elle lui rendait coup pour coup ! Pas étonnant qu'il l'ait finalement laissée tomber pour une fille douce et gentille comme toi.

Élisabeth avait emporté la plupart des meubles lorsqu'elle était partie, mais il en restait suffisamment pour que nous puissions nous débrouiller. Werner avait trimballé tout son attirail — outils, tubes de peinture, pinceaux — dans la « petite pièce », qui devint ainsi son atelier. Nous y avions installé un lit à une place, pour accueillir d'éventuels invités. Il avait posé une table de travail contre le mur intérieur. Et puis, il avait suspendu à de petits crochets tous ses outils en les disposant soigneusement, selon leur taille et leur fonction. Pour que je me sente comme chez moi, il avait exécuté une peinture murale autour du salon sur la partie boisée du mur.

Chaque soir, il rentrait du travail, se changeait et prenait le repas que je lui avais préparé. Ensuite, il se

mettait au travail pour achever cette peinture murale.
Il utilisait une technique appelée *Schleiflack*. Je crois me
souvenir qu'elle consistait en plusieurs étapes : pon-
çage, vernissage, peinture et finitions — un boulot sale,
poussiéreux et fastidieux. Il volait la peinture dans les
stocks d'Arado, celle-là même dont les couleurs étincelaient sur les avions qui bombardaient l'Angleterre.
Soir après soir, Werner rognait, ponçait, esquissait un
dessin, appliquait une couche de fond, la laissait sécher,
puis, de nouveau, décapait au papier de verre et peignait. Je m'asseyais sur une chaise près de la porte et
le regardais en me souvenant des artisans de Vienne
qui escaladaient leurs échafaudages comme des acro-
bates pour peindre les façades des boutiques et des
hôtels. Werner m'impressionnait tellement, j'éprouvais
une telle admiration pour lui, que l'observer pendant
son travail comblait tous mes besoins en matière de
spectacles. Son visage, barbouillé de peinture, en nage,
brillait du plaisir intense que lui procurait son projet.
Les poils blonds de ses puissants avant-bras étaient rai-
dis par la poussière de plâtre.

Bientôt une frise de fruits et de fleurs prit forme,
encerclant la cuisine et formant un réseau de vignes
entrelacées, de feuilles enroulées, de pommes, de
carottes, de radis, d'oignons et de cerises. C'était une
guirlande qui symbolisait tous les bienfaits du temps
de paix, à l'intérieur de laquelle nous allions vivre tous
deux, comme dans un cercle magique.

Lorsqu'il eut fini son œuvre, Werner s'accroupit au
centre de la pièce et pivota lentement sur ses chaussures maculées de peinture. Ses yeux bleus brillaient
d'intensité critique tandis qu'il scrutait les endroits où
des finitions étaient nécessaires.

— Qu'est-ce que tu en penses ? demanda-t-il.
— C'est magnifique ! Tu es un grand artiste.

Me laissant tomber par terre à côté de lui, je le serrais très fort, sans m'inquiéter des taches de peinture sur mes vêtements.

En janvier, après son divorce, je pus m'installer dans cet appartement et devins ainsi une Allemande de la classe moyenne. J'avais un foyer, un endroit sûr, un protecteur. Je me souvins de la bénédiction du rabbin qui, à Badgastein, s'était assis à mon chevet, avait tapoté ma main et prié pour moi en hébreu. J'eus alors le sentiment d'avoir beaucoup de chance.

Notre relation était très tranquille, très paisible. Mais vous devez comprendre que je n'avais pas le comportement normal d'une épouse, comme celui d'Élisabeth ou de *Frau Doktor*, exigeantes et sûres d'elles. Mon seul souci était que tout se passe comme Werner le souhaitait. Je ne lui rappelais jamais délibérément que j'étais juive. Je voulais surtout qu'il oublie ce fait, qu'il le rejette au fin fond de son esprit, tout comme j'avais rejeté Edith Hahn dans un recoin poussiéreux de mon esprit. Je mettais toute mon énergie à apprendre la seule chose dont j'avais prétendu être capable, faire la cuisine. *Frau Doktor* m'avait envoyé des paquets de lentilles et un livre de recettes intitulé *Cuisiner avec amour*. Croyez-moi, c'est exactement ce que je faisais.

Chaque matin, je me levais à cinq heures, préparais le petit déjeuner et le déjeuner de Werner avant qu'il ne parte au travail sur sa bicyclette. Je me contentais d'une pomme de terre le matin afin qu'il lui reste suffisamment de pain pour son casse-croûte de midi. J'avais vite compris qu'avant mon arrivée il ne mangeait pas suffisamment, ni de manière appropriée. Il souffrait alors de terribles maux de tête, dus à la faim. J'avais bien connu cela moi-même. Je savais donc à quel point il pouvait souffrir et je faisais tout mon possible pour soigner son alimentation. Pour le cas où je serais retenue de nuit au *Städtische Krankenhaus* — l'hôpital où la Croix-Rouge m'avait placée —, je lui avais appris à faire des *Kartofell-puffer*, des crêpes à base de pommes de terre frites et de tout ce que l'on pouvait trouver d'autre. Werner avait pris deux kilos depuis que j'avais emménagé chez lui.

Tante Paula Simon-Colani, une femme toute petite, mais robuste, que j'avais immédiatement adorée, venait souvent de Berlin pour nous rendre visite et échapper, l'espace de quelques jours, aux bombes qui pleuvaient constamment sur cette ville. Elle me dit que la famille de Werner avait une obsession héréditaire de la propreté.

— Enlève la poussière, ma chère, me déclara-t-elle. Enlève-la comme si ta vie en dépendait.

Ce conseil se révéla excellent. Un jour, Werner rentra à la maison avant moi et, uniquement pour satisfaire la passion familiale, se mit sur la pointe des pieds et passa son index sur le dessus de la porte pour voir s'il y avait de la poussière. Pour le nettoyer, il m'avait fallu grimper sur une chaise. Mais, Dieu merci, je l'avais fait, car tante Paula m'avait mise en garde.

— Je suis extrêmement satisfait de la manière dont tu tiens la maison, dit-il ce soir-là. Même le dessus des portes est propre. C'est bien, c'est vraiment bien.

— Ah, merci, mais je n'ai aucun mérite — tante Paula m'avait prévenue que tu vérifierais.

Je riais assise sur ses genoux, lui chatouillant le ventre de mes doigts. Je crois qu'il en éprouva une certaine gêne, car il ne me fit plus jamais de remarques à propos du ménage. Werner supportait mal l'autorité, ce qui constituait en fait un problème très sérieux pour quelqu'un qui vivait dans la société la plus autoritaire de l'époque. Je crois aussi qu'il surmontait ce problème en mentant. C'était un menteur éhonté. Mes propres mensonges étaient modestes, compréhensibles. Les siens étaient énormes, pittoresques. Si, un matin, il n'avait pas envie de se lever, il pouvait très bien dire que la maison de son frère à Berlin avait sauté sous les bombes de la RAF, que ses enfants erraient sans toit dans les rues, et qu'il était obligé d'aller les aider. Et les responsables d'Arado le croyaient.

Il adorait mentir à ses supérieurs. Ses mensonges lui donnaient le sentiment d'être libre — en fait, supérieur à ses supérieurs — parce qu'ainsi, il savait quelque chose qu'ils ignoraient, et qu'il jouissait d'un jour de congé pendant qu'ils travaillaient. Des années plus tard, je devais me lier d'amitié avec une de ses autres femmes. Elle m'apprit que Werner lui avait dit que mon père s'était suicidé en sautant par une fenêtre avec une machine à écrire attachée autour du cou. Pourquoi Werner avait-il inventé une telle histoire ? Peut-être juste pour l'amuser, ou bien pour s'amuser lui-même, pour rendre son existence un peu plus palpitante. Je pense parfois que c'est cela qui avait déclenché son intérêt pour moi, les sensations fortes que procurent les mensonges. Après tout, une maîtresse juive, obéissante, docile, attentionnée, aimante, qui faisait la cuisine, le ménage et le raccommodage n'était pas un luxe que chaque Allemand pouvait s'offrir lors de l'hiver 1942-1943.

Werner et moi n'évoquions jamais le sort des Juifs ou celui de ma mère, à l'Est. Aborder de tels sujets aurait été dangereux pour moi, car dans les deux cas, il aurait pu se sentir coupable en tant qu'Allemand. Ou bien, il aurait pu prendre pleinement conscience des risques qu'il prenait en hébergeant une fugitive. Il savait que j'étais une femme instruite, mais ce n'était certainement pas quelque chose que je tenais à lui rappeler. Il n'aimait pas les gens qui revendiquaient la moindre supériorité sur lui. Aussi, je limitais soigneusement mes opinions aux problèmes pratiques. Ainsi, par exemple, lorsque la question de la garde de la petite Bärbl fut abordée pendant son divorce, je lui dis qu'il aurait intérêt à demander un droit de visite de six semaines :

— Si elle vient chez nous uniquement pour un bref séjour, tu ne pourras exercer aucune influence sur elle. Mais si elle vient pour six semaines, alors ce sera pour elle de véritables vacances avec son papa, et elle apprendra à te connaître et à t'aimer.

Werner sollicita cette formule de garde. Lorsque son divorce fut prononcé — en janvier 1943 — et qu'il eut obtenu son droit de visite de six semaines, il était si heureux qu'il se mit à valser dans tout l'appartement en chantant (pas trop fort, tout de même), « N'est-ce pas épatant d'avoir une avocate à la maison ? »

Chaque mois, il envoyait de l'argent pour s'acheter la voiture de rêve que les nazis avaient spécialement conçue pour l'Allemand moyen, la Volkswagen. Je n'y croyais pas du tout. Je me suis dit que c'était juste un autre moyen pour soutirer de l'argent au peuple.

— Tu n'auras jamais cette voiture, lui dis-je en repassant une de ses chemises.

— Mais j'ai déjà payé plusieurs mensualités.

— Crois-moi sur parole, mon chéri, tu n'en verras jamais la couleur.

Il me regarda un moment d'un air pensif. Quelque intuition avait dû le pousser à me croire, car il devait rapidement cesser de payer, devenant ainsi l'un des rares Allemands à ne pas s'être laissé escroquer de cette singulière manière.

Sexuellement, Werner était une force de la nature. Il tenait absolument à ce que nous allions au lit ensemble. Il me rejoignait dès que je me couchais. Après une nuit d'insomnie en raison d'un stress et de tensions, après une journée de travail d'aide-soignante à l'hôpital, après le ménage et la préparation du dîner, une autre femme aurait pu dire : « Non, non, pas ce soir. Je suis fatiguée. » Mais pas moi. Je savais que je vivais avec un tigre, et je voulais que ce tigre fût rassasié et heureux, qu'il ait le ventre bien plein, que ses chemises soient repassées, et que la moindre dispute lui soit épargnée.

Cela vous semble invraisemblable ? Une femme pouvait-elle satisfaire son homme alors qu'elle se cachait sous une fausse identité, alors que tout ce qu'elle aimait avait disparu et qu'elle vivait dans la terreur perpétuelle d'être découverte et envoyée à la mort ? Le plus honnêtement du monde, la réponse était oui, le sexe étant l'une des rares activités dans l'existence qui permette de tout oublier. En outre — et je crois que vous pouvez me comprendre — j'aimais Werner davantage chaque jour.

Sa première femme, Élisabeth, me hantait. Pourtant, elle n'habitait même plus à Brandenburg. Elle s'était installée avec Bärbl à Bitterfeld au nord-ouest de Halle, dans le centre de l'Allemagne. Mais, parfois, j'avais l'impression qu'elle était assise à notre table, qu'elle dormait dans notre lit.

— Elle est venue alors que vous étiez au travail, me dit Frau Ziegler. Elle m'a posé des questions sur vous : « Qui est cette Viennoise, quelle est son histoire ? » Je lui ai dit : « Élisabeth, Grete est une personne très gentille. Vous devriez être très heureuse, parce que Bärbl va avoir une formidable belle-mère. »

Je compris, à son regard pétillant, à quel point Frau Ziegler avait pris plaisir à accroître la gêne d'Élisabeth à mon égard. Si seulement elle avait un tant soit peu réalisé à quel point elle accroissait mon sentiment de gêne vis-à-vis d'Élisabeth !

Celle-ci demanda à un autre voisin s'il était possible que Werner l'aime toujours et souhaite encore son retour. Que pouvais-je faire dans une telle situation ? Je voulais rester avec Werner, mais je redoutais l'idée du mariage — la vérification des antécédents, les papiers et les questions. D'un autre côté, je vivais dans la peur que son ex-femme ne récupère Werner si je ne me mariais pas rapidement avec lui.

Si je vous donne l'impression d'avoir été hantée par Élisabeth, alors, que dire de Werner ? Un soir, nous nous trouvions dans la cuisine et composions l'image même d'un foyer paisible. Je reprisais ses chaussettes. Il lisait un roman qu'il avait emprunté à la bibliothèque d'Arado. Soudain, son livre tomba par terre. Il se leva d'un bond et se mit en colère :

— C'est toi qui es responsable de tous nos problèmes d'argent. Tu dépenses sans compter et tu es incapable de mettre de l'argent de côté. Tu achètes des vêtements que tu ne portes qu'une seule fois, et puis tu les jettes. C'est parce que tu es paresseuse, trop paresseuse pour faire la lessive, pour repasser, pour te comporter comme une véritable femme.

Je ne savais pas quoi penser. S'adressait-il à moi ? J'étais la seule autre personne présente dans cette pièce, mais la personne à qui il s'adressait ne me ressemblait en rien.

— Werner, que se passe-t-il ? demandai-je d'une petite voix.

Il ne m'avait même pas entendue. Il se mit à arpenter la cuisine en se frottant la poitrine comme s'il craignait d'avoir une crise cardiaque et en se triturant nerveusement les cheveux.

— Je travaille comme un cheval. Je mens, j'invente des histoires à Arado pour que tu puisses avoir tout ce que tu désires. Je t'offre des cadeaux, j'en achète à la petite Bärbl et, malgré tout cela, tu n'es jamais contente, tu continues à dire que telle amie a ceci, telle autre cela ! Tu en veux toujours plus, toujours plus !

Je réalisai qu'il s'adressait à Élisabeth, et que, d'une manière ou d'une autre, son esprit l'avait replongé dans une conversation qu'il avait eue autrefois avec elle, probablement ici même, dans cette pièce.

— Werner, je t'en prie, tu as divorcé avec Élisabeth. Tu prends merveilleusement soin de nous. Regarde-moi : je suis Grete. Nous vivons ensemble ici dans la paix et le bonheur. Je répare tes chaussettes. Je t'en prie, arrête de hurler.

Il écrasa son poing sur la table de la cuisine. Les fourchettes et les couteaux volèrent. Les assiettes s'entrechoquèrent.

— Je ne supporterai pas cela plus longtemps, hurla-t-il. Je suis le maître chez moi, et je veux que l'on m'obéisse ! Nous n'achèterons plus rien jusqu'à la victoire finale ! Tu devras te contenter des vêtements que tu as ! Et je m'occuperai moi-même des achats pour Bärbl !

Il retomba dans son fauteuil, haletant et épuisé. J'attendis qu'il retrouve ses esprits. Cela prit un certain temps. Je pensais : « Edith, tu vis avec un fou. Mais, à bien y réfléchir, qui d'autre qu'un fou accepterait de vivre avec toi ? »

Le bien auquel Werner tenait le plus était sa radio, un excellent appareil. Il avait inséré un petit bout de papier marron sous le cadran. Tant que ce bout de papier restait en place, on ne pouvait entendre que les nouvelles allemandes. La radio était notre principal divertissement, notre terreur et notre consolation. N'importe qui pouvait écouter une émission appelée *Wehrmacht Berich* — « Les reportages de l'Armée ». C'était l'émission que Werner et moi écoutions lorsque nous sortions à Munich. Notre programme favori était une émission de disques à la demande — entre autres, des chansons romantiques interprétées par Zarah Leander. Nous écoutions également de brefs concerts joués par l'Orchestre philharmonique de Berlin les dimanches soir, et les éditoriaux hebdomadaires de Goebbels, publiés dans *Das Reich*, le « magazine d'informations » nazi (*sic !*), qu'il lisait lui-même au micro. Ceux qui osaient écouter les radios étrangères et qui étaient découverts risquaient la déportation, ce qui fut d'ailleurs le sort tragique de milliers de personnes.

Au tout début du mois de février 1943, la radio nous apprit la défaite de l'armée allemande à Stalingrad. Même cette terrible nouvelle fut présentée d'une manière théâtrale, presque magnifique, sur l'ordre du brillant Goebbels, avec en fond sonore les tambours voilés du second mouvement de la *Cinquième Symphonie* de Beethoven : « La bataille de Stalingrad s'est achevée, dit le *speaker*. Fidèle à son serment de combattre jusqu'à la mort, la Sixième Armée, sous le commandement exemplaire du général Paulus, a été vaincue par la supériorité en hommes et en matériel de l'ennemi et par les circonstances défavorables auxquelles nos forces ont été confrontées. »

Hitler déclara qu'il y aurait quatre jours de deuil national, au cours desquels tous les lieux de divertissement seraient fermés. Les nouvelles étaient tellement contrôlées et manipulées que même ce désastre pouvait être exploité pour raviver l'esprit combatif des Allemands. Le 19 février, la radio nous retransmit le fameux discours de Goebbels sur la « guerre totale », prononcé au Palais des sports, dans lequel il demandait à la population allemande de consentir à de nouveaux sacrifices, de croire, avec une ferveur sans cesse accrue, à la victoire finale, de se donner corps et âme au Führer. Et il finit sur ce slogan : « Maintenant, peuple, lève-toi, brise tes chaînes et donne l'assaut ! » Pendant ce temps, les milliers de personnes présentes dans le stade hurlaient : *Führer befiehl, wir folgen !* — « Führer, ordonne, et nous te suivrons ! » Dans un tel climat d'hystérie, avec un contrôle si total de l'information, il était tout à fait possible de ne pas se rendre compte de la gravité de la défaite de Stalingrad, de ne pas faire le lien entre celle-ci et les nouvelles de la défaite de Rommel à El Alamein et de celles du débarquement allié en Afrique du Nord. Pour tout dire, il était tout à fait possible de croire qu'Hitler pouvait encore conquérir l'Angleterre et le reste du monde, de ne pas comprendre que le sort des armes s'était retourné contre l'Allemagne et que c'était bien le début de la fin. Pour vivre dans l'ignorance, il suffisait d'écouter exclusivement les nouvelles nazies.

C'était le soir. Werner travaillait tard et j'étais seule. Je contemplais ce bout de papier marron qui maintenait fermement le cadran de la radio sur la station politiquement correcte.

— Aimerais-tu que je m'en aille ? suggéra le petit bout de papier.

— Tu ne dois pas bouger, répondis-je.

— Je pourrais glisser légèrement sur le côté.

— Pas sans l'aide de quelqu'un.

— Tu pourrais peut-être m'aider...

— Non ! Impossible ! Tous ceux qui font cela sont envoyés à Dachau, à Buchenwald, ou à Oranienburg, ou Dieu sait où. Une infirmière de la Croix-Rouge qui oserait te retirer du cadran finirait sans doute à Ravensbrück.

— Bon, si tu as peur, dit le petit bout de papier marron, laisse-moi où je suis et continue à vivre dans les ténèbres.

Je tournai le dos à la radio en me disant que j'étais en train de devenir folle, comme mon mari, à discuter ainsi avec des chimères. Je me mis à quatre pattes pour laver le sol de la cuisine à la brosse. Mais le petit bout de papier me relança :

— Hé, là-bas, *Hausfrau* ! Sais-tu ce qu'il y a de l'autre côté de ce cadran ? La BBC.

— Chut !

— Et Radio Moscou.

— Tais-toi !

— Et la Voix de l'Amérique.

— Ferme-la !

— Et en allemand, bien sûr.

Le voisin du dessus avait commencé à donner des coups de marteau sur la bibliothèque qu'il était en train de monter, ainsi qu'il le faisait presque chaque soir après son travail. Sa femme — je crois qu'elle s'appelait Karla — chantait pendant qu'elle faisait son repassage.

— Connais-tu ces vers de Goethe ? dit le petit bout de papier.

« Les pensées lâches, l'hésitation inquiète,
Une timidité de jeune fille, les plaintes timorées
N'éloigneront pas le malheur de toi
Et ne feront pas de toi un homme libre. »

Ainsi mise au défi par ma propre devise, je finis par enlever le bout de papier marron du cadran, puis je le jetai. À l'abri des curieux grâce au vacarme de l'étage au-dessus, je me branchai pour la première fois sur la BBC.

Werner rentra du travail, fatigué et affamé. Je lui servis son dîner. Je le serrai très fort dans mes bras et, juste avant d'aller nous coucher, je lui dis : « Écoute... ! » Tout doucement, en étouffant les sons sous des oreillers et des édredons, je mis les nouvelles de la BBC. Nous apprîmes ainsi que sur les deux cent quatre-vingt-cinq mille soldats allemands présents à la bataille de Stalingrad, seuls quarante-neuf mille avaient pu être évacués. Plus de cent quarante mille avaient péri, et quatre-vingt-onze mille avaient été faits prisonniers. Les prisonniers, affamés, étaient emmenés à marche forcée par un froid polaire. Nous ne pouvions le savoir à l'époque, mais seuls six mille d'entre eux environ reverraient un jour l'Allemagne.

Des larmes coulèrent sur les joues de Werner.

Dès lors, j'écoutais les radios étrangères trois à quatre fois par jour. Werner les écoutait lui aussi. Nous n'avions aucune confiance en Radio Moscou (ses émissions commençaient toujours par *Tod des Deutschen Okkupanten* ! — « Mort aux envahisseurs allemands ! ») Nous trouvions que la BBC exagérait parfois. Nous recevions mal la Voix de l'Amérique. La station *Beromünster* de Suisse nous semblait la plus objective. Nous fîmes part de notre découverte à tante Paula lors de l'une de ses visites. Elle nous envoya ensuite une lettre de remerciement pour les « magnifiques photos ».

Un jour, alors que je traversais le couloir pour apporter un peu de farine à Frau Ziegler, j'entendis un son familier venant de l'appartement de Karla. Ce n'était qu'un son, mais je le reconnus tout de suite :

c'était l'une des notes de l'indicatif de la BBC. Immédiatement, je compris que nos bruyants voisins du dessus nous avaient tous dupés avec leurs coups de marteau et leurs chansons. Ils écoutaient les radios interdites, tout comme nous.

Aux yeux de tous, Werner était considéré comme un fidèle du parti, dont la foi en Hitler était inébranlable. Je le savais parce que j'avais rencontré des gens qui travaillaient avec lui à Arado et qui s'adressaient à moi comme s'il était évident que je partageais les opinions supposées de Werner :

— Je suis d'accord avec Werner, Fräulein Denner, dit l'un de nos voisins. Churchill est un ivrogne, un snobinard de la haute société anglaise, et il est complètement coupé de son peuple, qui ne l'aime pas comme nous aimons notre Führer. Les Anglais l'abandonneront tôt ou tard et l'Angleterre sera à notre merci.

— Comme le dit Werner, le Führer est le meilleur juge, ajouta un autre.

Et dire qu'il rapportait les propos d'un Allemand qui vivait avec une Juive en fuite et qui écoutait chaque soir les radios étrangères !

Le fait de travailler au *Städtische Krankenhaus* me permit de résoudre un problème ; désormais, je n'étais plus obligée d'aller faire tamponner chaque mois ma carte de rationnement. Les citoyens ordinaires du Reich comme Werner recevaient cette carte par l'intermédiaire d'un coursier. Pas moi. Je devais me rendre en personne au bureau du rationnement alimentaire — une démarche terrifiante, parce que je n'avais aucune carte d'immatriculation, aucun document établissant mon identité et mon lieu de résidence. Ce document,

qui permettait d'obtenir toutes les autres cartes nécessaires pour l'alimentation et l'habillement, se trouvait
dans un fichier à Vienne et concernait Christl Denner.
 Lorsque vous déménagiez, ce document était tout
d'abord transféré dans une sorte de fichier de transit,
puis transmis dans votre nouveau lieu de résidence. Ma
dernière immatriculation avait eu lieu à Aschersleben.
Quand j'étais revenue à Vienne, j'aurais dû me faire
immatriculer là-bas, mais, bien entendu, je n'en avais
rien fait. C'était pourquoi j'avais peur de me retrouver
engagée dans telle ou telle procédure qui conduirait les
Allemands à rechercher ma fiche et à me soumettre à
un interrogatoire : « Dites donc, Fräulein, mais où se
trouve votre fiche ? Et qui est cette autre Fräulein Christina Maria Margarethe Denner à Vienne ? »
 Il me fallait à tout prix éviter une telle situation —
cela aurait été un désastre pour moi et pour Christl.
Aussi avais-je continué à m'alimenter grâce aux cartes
délivrées au nom de Christl pour une période de
vacances de six mois. Sa carte de rationnement était
presque entièrement tamponnée, et j'avais très peur
qu'on me dise qu'elle n'était plus valable. J'avais terriblement peur de cela. Pendant plusieurs jours, avant
d'aller au service de l'alimentation, je vivais dans l'angoisse, incapable de trouver le sommeil. Je répétais mes
mensonges à de multiples reprises. Au guichet du service, dans l'attente du tampon du bureaucrate, je trem-
blais et priais : « Juste encore une fois, mon Dieu. S'il
te plaît, fais en sorte que, une fois encore, les trop nombreux tampons de ma carte de rationnement n'attirent
pas leur attention. » Je ne fis jamais part de mes craintes
à Werner. Je ne voulais pas qu'il réalise à quel point
j'étais inquiète, de peur de lui communiquer mon
inquiétude.
 Dans ces conditions, imaginez quel soulagement ce

fut pour moi, en février 1943, d'être recrutée dans le *Gemeinshafts-verpflegung* de la Croix-Rouge, le service de restauration de l'hôpital. Je n'étais plus obligée d'effectuer le terrible trajet jusqu'au bureau du rationnement alimentaire, parce qu'il n'était plus nécessaire que cette carte soit tamponnée.

Je travaillais par poste de douze heures et recevais 30 Reichsmarks par mois. C'était davantage de l'argent de poche qu'un véritable salaire, mais c'était une somme énorme comparée au salaire de misère que l'on nous donnait au camp de travail. Toutes les infirmières se retrouvaient autour d'une grande table pour le repas de midi. L'infirmière en chef s'asseyait à la place d'honneur, tandis que je m'installais à l'autre bout. Les autres, selon une stricte hiérarchie, prenaient place sur les côtés. Au début, l'infirmière en chef avait l'habitude de dire une prière avant le repas, mais, à partir du printemps 1943, les prières furent interdites.

Il y avait une broche de la Croix-Rouge sur mon uniforme et, au centre de la croix, une svastika. J'étais supposée la porter sur le cœur, mais cela m'était insupportable. De temps à autre, une des infirmières en chef remarquait ce manquement à la discipline et me rappelait à l'ordre. J'adoptais alors une expression humble et stupide. Je disais en marmonnant que j'avais oublié, en essayant de me faire passer pour une simple d'esprit qui avait tout simplement perdu sa broche. C'était là ma réaction habituelle chaque fois qu'un problème de cet ordre se posait : feindre d'être légèrement idiote pour qu'ils me laissent en paix.

Ainsi, un jour, alors que je m'efforçais de parler dans leur langue à mes malades français, une de mes collègues me dit en riant :

— Dis-leur que tous les Français sont des porcs.

— Oh, je suis vraiment désolée, lui ai-je répondu, mais je ne sais pas comment on dit « porc » en français.

Et puis, il y avait le problème de l'adhésion au parti.

— Fräulein Denner, on vous a dit je ne sais combien de fois que nous souhaitons que toutes nos assistantes adhèrent à la *Frauenschaft*, l'organisation des auxiliaires féminines du parti. Est-ce clair ?

— Oui, madame.

— Vous irez vous inscrire demain.

— Oui, madame.

— Ce sera tout.

Je la saluai. Nous devions constamment saluer les supérieurs qui passaient, comme si la Croix-Rouge était l'armée allemande.

— Euh, où dois-je aller, madame ?

Ma supérieure poussait alors un profond soupir et m'indiquait pour la énième fois, avec une infinie patience, où je devais m'inscrire. Et puis, à nouveau, « j'oubliai » d'y aller.

Un jour, alors que je me tenais devant la fenêtre du service, face aux jardins, deux hommes aux cheveux grisonnants, en haillons, sortirent précipitamment des buissons et se ruèrent vers la porte de service. Ils disparurent durant un moment, puis réapparurent, s'efforçant de dissimuler de gros morceaux de pain et de fromage sous leurs chemises. Ma supérieure — l'infirmière de Hambourg qui avait mis de côté un oignon pour le prisonnier russe agonisant — entra alors dans le service pour refaire un pansement. Je ne dis rien. Elle ne dit rien. Je savais qu'elle donnait à manger à ces hommes. Elle savait que je savais. Nous n'avions jamais échangé un mot à ce propos. Elle partit à Hambourg un jour de juillet 1943 après que la maison de ses parents eut été bombardée lors d'une attaque aérienne. J'étais triste de la voir partir, et ce, à juste titre car l'infirmière qui la remplaça demanda presque aussitôt ma mutation vers un autre service parce que je me montrais trop gentille avec les étrangers.

Je me retrouvais à la maternité — un poste idéal pour moi, aussi éloigné que possible de la guerre et de ses drames. À cette époque, les femmes restaient habituellement neuf jours à l'hôpital après leur accouchement. On installait les bébés dans une salle particulière et on les ramenait à leurs mères pour qu'elles les allaitent. La plupart des patientes de cette maternité étaient des paysannes dotées d'une nombreuse famille. Leurs autres enfants venaient leur rendre visite, les bras chargés de poupées et de petits chevaux en bois, comme si le nouveau-né faisait déjà ses premiers pas et pouvait jouer avec eux. Comme c'était étrange de voir ces gens simples, robustes, envelopper leur nouveau-né dans les vêtements en pure soie que des soldats allemands leur avaient envoyés de Paris occupé !

Nous n'avions pas de couveuse, aussi, nous nourrissions les prématurés avec un compte-gouttes oculaire. Je berçais les bébés, les changeais, et les posais sur le sein de leur mère. Si la mère n'avait pas de lait, je préparais de minuscules biberons. Il arriva que des gens me demandent de venir à l'église pour jouer les marraines. Je disais toujours oui, mais ensuite, je trouvai une excuse de dernière minute pour ne pas y aller. Si j'y étais allée, tout le monde aurait vite compris que je n'avais jamais assisté à un office religieux chrétien de ma vie.

J'adorais ce travail à la maternité. J'avais le sentiment que ma mère était tout le temps à mes côtés pour guider ma main. Je parlais tendrement aux enfants avec sa voix, si douce. Alors que chaque pas dans le couloir, chaque coup frappé à la porte, me plongeait dans un état de panique, cette présence me procurait une certaine paix de l'esprit. Il y avait bien sûr des moments critiques. Une femme avait dû être amputée d'une jambe à cause d'une thrombose, après son accouchement. Une autre femme arriva à l'hôpital, battue, la peau lacérée. Son enfant ne survécut pas dix minutes. Elle avait déjà trois jeunes enfants, qui l'attendaient dehors, abandonnés là par leur père. Quand elle reprit ses esprits, elle me parla de la brutalité de son mari, de ses crises de colère. Lorsqu'il vint la chercher, elle ne voulut pas le suivre. Ses yeux contusionnés étaient livides de terreur. Mais il nous était impossible de la garder.

Ce qui m'impressionnait le plus, c'était quand on anesthésiait les patientes avant l'accouchement. Elles se mettaient alors à dire toutes sortes de choses qui auraient pu leur causer de sérieux problèmes. Ainsi, une fille reconnut-elle involontairement que son bébé n'était pas l'enfant de son mari, mais celui d'un forçat polonais. Elle n'arrêtait pas d'appeler son amant : « Jan, Jan, mon chéri ! » Je plaçais ma main sur sa bouche, et lui murmurais à l'oreille : « Chut ! » Une paysanne, qui venait de donner naissance à des jumeaux, révéla qu'elle et son mari stockaient du fromage et abattaient illégalement des cochons. Une autre femme laissa échapper dans son délire qu'elle avait entendu la voix de son fils aîné à Radio Moscou (les Russes avaient commencé à diffuser des messages de soldats allemands faits prisonniers). C'était là un délit politique particulièrement grave et cette femme eut beaucoup de chance que j'aie été la seule à entendre ses propos. Je

pus imaginer sa joie lorsqu'elle apprit que son fils avait
survécu à l'hécatombe sur le front russe.

En mai 1943, l'un des médecins de l'hôpital, qui
avait remarqué mon état d'amaigrissement et de
fatigue généralisée, me convoqua pour un examen. Il
diagnostiqua une malnutrition et me prescrivit un
repos de quelques jours au lit et la consommation d'aliments concentrés. Werner et moi profitâmes de ces
congés imprévus pour faire un voyage à Vienne, car je
lui avais parlé de *Frau Doktor*, de Jultschi, de Christl et
de Pepi, et il avait très envie de les connaître. Je le présentais avec un mélange de fierté — *Regarde, j'ai trouvé
un ami, un protecteur, il dit qu'il m'aime*, pensais-je en
mon for intérieur — et d'agitation nerveuse — *mais il
est un peu excentrique, peut-être même dangereux. D'un
autre côté, il peut m'être utile.*
    Werner logeait à l'hôtel Wandl sur la Peterplatz.
Comme je n'osais pas signer le registre d'un hôtel, quel
qu'il soit, je suis restée chez ma cousine. J'ai emmené
Werner sur les collines boisées du *Wienerwald*[1] pour
jouir du panorama du Danube et de l'océan de maisons. Je l'ai ensuite conduit sur les autres collines qui
surplombent la ville.
    « C'est là où je venais, jeune fille, m'étais-je retenue
de lui dire. Sur ces sentiers, j'ai chanté *Bandiera Rossa* à
l'époque où un citoyen pouvait librement entonner un
tel chant socialiste à haute voix. »
    Soudain, un orage éclata dans le ciel, ponctué
d'éclairs et de coups de tonnerre. J'avais peur, mais pas
Werner. Il aimait les orages. À l'abri sous un appentis

_____

1. La forêt viennoise. (*N.d.T.*)

au bord du sentier, il me serra dans ses bras et me réconforta tandis que le vent rugissait à l'extérieur. Quand nous rentrâmes à Vienne, le lendemain, Christl s'apprêtait à quitter la ville, Jultschi était hors d'elle et *Frau Doktor* faisait les cent pas dans son bureau comme un lion en cage, en proie à une vive inquiétude. Car, voyez-vous, elles étaient toutes persuadées que nous avions été arrêtés, que nous étions entre les mains de la Gestapo.

Avant notre départ, Christl nous montra la grande coupe de soie qu'elle avait achetée. Il lui était difficile de constituer un stock pour son magasin, et elle avait pensé qu'il valait mieux découper la soie pour en faire des foulards-souvenirs. Mais comment devait-elle les orner ? Werner sourit. Il avait une idée.

— Je vais imprimer sur chaque foulard un monument de Vienne, la cathédrale Saint-Stéphane et l'opéra. Celui-là aura une couleur bleue et celui-ci un ton doré.

— Mais où vas-tu trouver les teintures ? demanda Christl.

— Je m'en occupe, répondit-il.

Je compris que quelques pots de peinture supplémentaires disparaîtraient bientôt des rayons des entrepôts Arado. J'étais triste de quitter à nouveau mes amis, mais je savais que désormais je n'étais plus la même. J'étais devenue la femme de Werner, non seulement à leurs yeux, mais aussi aux miens. Ils avaient mesuré l'étendue de son pouvoir et s'étaient dit : « Edith est en sécurité avec cet homme » — tout comme je m'étais dit : « Hansi est en sécurité avec les Anglais. » Désormais, je n'étais plus à leurs yeux une victime désespérée, affamée et sans abri. À présent, grâce à mon protecteur, son imagination débordante, ses talents de peintre et son accès à toutes sortes d'équipements, j'étais en mesure de les aider.

J'avais atteint un nouveau stade de bien-être, mais je ne pouvais à aucun moment me permettre de baisser la garde. Le prix de cette « ascension sociale » était très lourd. Je devais me fondre si profondément dans ma fausse identité que je prenais le risque de me perdre complètement. Plus l'emprise de Vienne sur moi se desserrait, et plus je me sentais coupée de ce qui était autrefois mon « réel ». Je craignais d'être bientôt incapable de me reconnaître dans un miroir. « Qui sait qui je suis, maintenant ? Qui me connaît ? »

Je me trouvais là, dans la maternité, avec tous ces petits bébés que je baignais, nourrissais, berçais et apaisais lorsqu'ils se mettaient à pleurer. J'observais le ravissement des mamans quand nous leur apportions leurs enfants pour qu'elles les allaitent.

J'ai alors pensé : « J'ai presque trente ans. Je ne suis plus si jeune. Je suis bien placée pour savoir ce qu'est la sensation angoissante de ne plus avoir ses règles et de vivre sans l'espoir d'avoir un enfant. Maintenant, j'ai retrouvé cet espoir, mais pour combien de temps ? Peut-être vont-ils m'arrêter, et je connaîtrais alors à nouveau les affres de la malnutrition. Qui sait ? Qui peut dire combien de temps durera cette guerre et ce que réserve l'avenir ? Peut-être est-ce le moment ou jamais ? J'ai un amant qui n'a peur de rien, fort, viril, plein d'esprit, toujours prêt à raconter les plus invraisemblables mensonges. Peut-être pourrait-il me faire un enfant ? Si j'avais un enfant, je ne serais plus seule. J'aurais quelqu'un à moi. »

J'en parlais à Werner, mais il ne voulait pas d'enfant, pas avec moi. Voyez-vous, il était imprégné de la propagande raciale des nazis, et il croyait que, d'une manière ou d'une autre, le sang juif prédominerait dans les veines de cet enfant. Il ne voulait pas se retrouver dans une telle situation. Il fallait que je trouve un moyen de vaincre ses réticences.

Un soir, j'attendais son retour devant le fourneau quand j'entendis le bruit de ses pas à l'extérieur sur le petit perron. Je savais qu'il regardait souvent par le trou de la serrure, car il adorait m'observer pendant que je lui préparais son dîner. Les mots de *Frau Doktor* me revinrent à l'esprit : « Ce qu'ils veulent tous, c'est une femme qui les attende, dans un nid douillet, avec un bon repas et un lit bien chaud. » Je savais qu'il m'observait. Je sentis des picotements dans les cheveux. Il entra. Je fis semblant d'être absorbée dans la préparation du repas, au point de ne pas remarquer sa présence. Il se glissa derrière moi et me souleva, alors que j'avais toujours ma cuiller à la main.

Après dîner, je lui proposai de jouer aux échecs. Je jouais mal et il gagnait toujours. Il le savait à l'avance, dès que j'avais fait un mauvais coup, même si je prétendais le contraire. J'adorais voir son corps se détendre et son visage s'illuminer quand il réalisait qu'il allait gagner. Je trouvais adorable son bonheur si limpide. Avec les échecs, ça marchait toujours : c'était la « parade nuptiale » parfaite.

Ce soir-là, je réfléchis longuement avant chaque coup, je balançai la tour entre mon index et mon pouce, ne sachant que faire, puis, d'un air pensif, je la fis rouler entre les paumes de mes mains. Je fis un mauvais coup et Werner captura facilement cette tour et ma dame se retrouva complètement exposée.

Je le regardais en souriant et en haussant les épaules, signe de mon impuissance.

— Euh, on dirait que tu as gagné, encore une fois, dis-je. Félicitations !

Je me suis penchée au-dessus de la table pour l'embrasser.

Werner me prit alors dans ses bras et me porta jusqu'au lit. Impatient, il tendit le bras pour prendre un préservatif dans le tiroir de la table de chevet.

— Non, ai-je murmuré, pas de préservatif ce soir.

— Je ne veux pas que tu tombes enceinte, dit-il.

— Ça m'est égal, lui susurrai-je. Je veux être enceinte.

— Non.

— Je t'en prie.

— Non.

— Mon chéri...

— Arrête, Grete...

— Chut...

C'était la première fois que j'osais m'opposer à Werner Vetter. Mais cela en valut la peine. En septembre 1943, je sus que j'allais avoir un enfant.

10

UNE FAMILLE ARYENNE RESPECTABLE

J e voulais avoir un enfant, mais cela ne signifiait pas que je voulais me marier. La seule pensée qu'un bureaucrate nazi allait encore scruter mes faux papiers pour me délivrer un permis de mariage me rendait malade de peur. Et que pouvait recouvrir la notion d'illégitimité pour moi, dans ma situation ? Je me disais que, lorsque les neuf mois de grossesse se seraient écoulés, les nazis auraient perdu la guerre et, mon bébé illégitime sous le bras, j'aurais peut-être épousé son père ou bien, s'il ne le souhaitait pas, quelqu'un d'autre. Mais Werner Vetter était un authentique citoyen du Reich. Il avait une réputation à sauvegarder, et il refusait absolument d'engendrer un enfant illégitime. « Tante Paula m'a fermement mis en garde : si je ne me conduis pas bien avec toi, elle ne me parlera plus jamais. C'est pourquoi je dois faire de toi une femme honnête », me dit-il un jour.

Il était vain de vouloir s'opposer à lui. Nous devions nous marier.

Je descendis la rue principale de Brandenburg, saluant au passage des connaissances, inconsciente du temps radieux. Dans un bureau de l'administration, je me retrouvais face à un homme qui avait l'apparence du gardien des portes de l'enfer, un officier de l'état civil dépourvu d'humour, au visage terne. À en croire mes archives, il s'appelait Heineburg. Comme une araignée noire, il avait tissé une toile invisible qui le reliait à ses listes, à ses boîtes de fiches signalétiques et à tous ses fichiers potentiellement mortels. Il attendait, je dirais même espérait, qu'un ennemi de l'État comme moi se prenne dans sa toile. À côté de lui se trouvait un buste d'Hitler en pierre, et derrière lui, le drapeau nazi.

— Je vois que les parents de votre père sont aryens. Je vois que le père de votre mère a un certificat de naissance et un certificat de baptême. Voyons... (Il examina minutieusement les papiers.) Voyons... Mais je ne vois pas les certificats de votre grand-mère maternelle.

— Maman est une Russe blanche, expliquai-je. Papa l'a fait venir de là-bas après la Première Guerre mondiale. Il servait dans le corps du Génie du Kaiser.

— Oui, oui, je vois tout cela, mais... (examinant à nouveau les papiers). Mais... mais, qu'en est-il de votre grand-mère maternelle ? Où sont les certificats prouvant son appartenance raciale ?

— Il nous a été impossible d'en recevoir des copies en raison des combats et de la rupture des communications.

— Mais cela signifie qu'il nous est impossible de savoir qui elle était vraiment.

— C'était ma grand-mère.

— Mais elle pouvait très bien être juive, ce qui veut dire que vous pourriez vous-même être juive.

Je fis semblant d'avoir le souffle coupé par l'épouvante et je le regardai en plissant les yeux comme s'il était devenu fou. Il tapota ses dents avec ses ongles et me contempla calmement à travers ses lunettes épaisses parsemées de poussières. Ses yeux étaient très petits.

Mon cœur battait la chamade. Je ne pouvais plus respirer.

— Bon (le regard fixé sur moi). Bon. Bon, il suffit de vous regarder pour se rendre compte qu'il est impossible que vous soyez autre chose qu'une aryenne pur-sang, finit-il par dire.

Soudain, en poussant un grognement, il assena lourdement son tampon sur les formulaires : *Deutschblutig* — « Sang allemand » — indiquaient enfin mes papiers. Il me tendit mon permis de mariage et je pus respirer à nouveau.

Le 16 octobre 1943, ce fut ce même homme, derrière le même bureau décoré du même buste d'Hitler et du même drapeau nazi, qui nous maria, Werner et moi. Vous pouvez imaginer à quel point ce mariage fut romantique avec cet officier de l'état civil qui présidait la cérémonie ! Je crois que celle-ci n'a pas duré plus de trois minutes. Hilde Schlegel, qui était elle-même enceinte de six mois, et Heinz, son mari, qui était rentré du front en permission, jouèrent le rôle de témoins. Je portais une robe que ma mère m'avait confectionnée, sans doute dans l'espoir que son esprit me préserve des conséquences potentiellement fatales de cette mascarade. Mais j'étais une véritable épave. J'avais une peur panique d'oublier un de mes prénoms lors de la signature — Christina Maria Margarethe Denner — et que le stylo ne se mette à écrire de lui-même : « Edith Hahn, Edith Hahn, voilà qui je suis, espèces de salopards ; je vous hais ; je prie pour qu'une bombe américaine tombe pile sur ce bureau et réduise en poussière votre statue, vos drapeaux et tous vos effroyables fichiers fascistes. »

Normalement, on aurait dû recevoir un exemplaire de *Mein Kampf* — le cadeau de Hitler à tous les nouveaux mariés — mais, cette semaine-là, les stocks étaient épuisés à Brandenburg. Notre mariage nous donnait droit à des rations supplémentaires : 150 grammes de viande ; 50 grammes de vrai beurre, 40 grammes d'huile, 200 grammes de pain, 50 grammes de céréales, 100 grammes de sucre, 25 grammes de succédané de café, et un œuf pour chaque invité au mariage. J'eus peur, en fait, d'aller chercher ce trésor.

— Tu vois, je suis enceinte, dis-je à Hilde d'un ton plaintif. Werner exige que la maison soit si propre que l'on puisse manger sur le sol des toilettes ! Où pourrais-je trouver le temps d'aller au service du rationnement pour retirer mes tickets supplémentaires ?

Dieu merci, Hilde accepta d'aller chercher les tickets à ma place.

Heinz Schlegel nous proposa d'utiliser ces tickets pour aller au restaurant et faire une petite fête. Ce fut particulièrement agréable parce que mon célèbre patient, qui s'était suffisamment rétabli pour rentrer à Berlin, avait demandé à ses fils de m'envoyer quelques bouteilles de vin de Moselle à l'occasion de mon mariage, un régal rare pour les citoyens du Reich en ces temps de guerre.

Vous vous demandez sans doute comment je pouvais passer tant de temps avec des gens qui soutenaient le régime hitlérien. Je vous dirais que puisque je n'avais absolument aucun choix en la matière, j'avais fini par m'interdire d'y penser. Vivre en Allemagne à cette époque, feindre d'être une aryenne, impliquait inéluctablement des contacts étroits avec les nazis. Pour moi, ils étaient tous nazis, qu'ils soient membres du parti ou non. Il aurait été dangereux d'établir des distinctions — de considérer Hilde comme une « bonne » nazie et l'officier de l'état civil comme un « mauvais » nazi — parce que les « bons » pouvaient aussi bien vous dénoncer sur un coup de tête que les « mauvais » vous sauver la vie.

Mon nouveau mari était le plus complexe de tous. Selon les circonstances, il pouvait aussi bien faire preuve d'opportunisme que de fanatisme partisan. Le soir de notre « nuit de noces », alors que je lavais la vaisselle, Werner vint derrière moi et mit ses mains sur mon petit ventre.

— Ce sera un garçon, dit-il avec une confiance absolue. Nous l'appellerons Klaus.

Il m'enveloppa de ses bras. Il disait souvent que la race juive était plus forte, que le sang juif dominait toujours. Ces idées lui venaient des nazis, et il y croyait toujours. Il était persuadé qu'il était seulement « l'élément déclenchant » de ma grossesse, *das auslösende Element* — selon ses propres termes. Mais cela ne semblait pas le gêner outre mesure tant qu'il pourrait avoir ce qu'il désirait le plus au monde, un fils.

Je ne comprendrai jamais pourquoi mon mari n'arrivait pas à imaginer que le sang allemand puisse dominer, et qu'il ne puisse être le père d'un enfant aryen. Quand un concept est intrinsèquement stupide, son application ne peut qu'être insensée.

Après m'avoir examinée, le médecin hocha la tête. Il avait découvert quelque chose que j'avais complètement oublié. Enfant, j'avais été victime d'un accès de diphtérie qui avait entraîné un souffle cardiaque. Le médecin viennois m'avait dit à l'époque de faire très attention en cas de grossesse. Mais les événements tumultueux des années qui suivirent ont relégué de telles considérations à l'arrière-plan.

— Vous avez pris de gros risques, Grete, dit le

médecin allemand. Votre cœur est faible. Le souffle est
très fort. Vous n'auriez jamais dû tomber enceinte. Mais
à présent que le mal est fait, je vais vous prescrire de
la digitaline et un arrêt de travail jusqu'à la naissance
du bébé.

Une merveilleuse nouvelle ? Eh bien, pas exactement, parce que je me retrouvais encore une fois avec
un problème de carte de rationnement. Ma carte me
permettait de prendre mes repas à l'hôpital en tant
qu'employée de la Croix-Rouge. Comment allais-je
faire pour me nourrir pendant ces six mois d'arrêt
maladie ? Il me fallait une nouvelle carte de rationnement. Mais je ne pouvais en obtenir une qu'avec une
fiche nationale d'identité, que le *Wirtschaftsamt*, le
Bureau des affaires économiques, établissait pour
chaque citoyen du Reich. Et comment pourrais-je obtenir une nouvelle carte de rationnement sans attirer l'attention de la Gestapo ? « Je t'en prie, mon Dieu, ai-je
alors imploré, aide-moi à sortir de cette impasse. Bientôt, j'aurai un enfant à protéger. Aide-nous à surmonter
cette épreuve. »

Pour la première fois, je décidai de soigner mon
apparence, de me rendre aussi élégante et séduisante
que possible, pour me présenter au bureau central de
l'état civil. Cette fois, ce fut une femme qui me reçut.
Elle était grosse, soignée et parfumée. Il y avait une
plante en pot sur son bureau immaculé. Je lui tendis le
document de la Croix-Rouge, lequel indiquait que
j'avais été libérée de mon emploi à l'hôpital et que je
devais à présent recevoir mes tickets de rationnement
chez moi.

Elle s'était mise à rechercher ma fiche. Impossible
de la trouver dans le fichier principal. Elle vérifia à
quatre reprises. Je fixais du regard ses doigts qui par-

couraient les petites fiches sur lesquelles figuraient tous les noms des citoyens du Reich. Elle m'a jeté un regard.

— Je ne la trouve pas.

Je souris.

— Bon, elle doit bien être quelque part.

Elle avait cherché un signe de reproche dans le ton de ma voix ou dans l'expression de mon visage, mais je fis en sorte qu'elle n'en vît aucun. Je ne voulais pas qu'elle se sente coupable, qu'elle se mette sur la défensive. Je voulais qu'elle se sente en sécurité. Soudain, elle me sourit et se tapa le front avec la paume de sa main pour me montrer qu'elle venait d'avoir une merveilleuse idée. Avec un regain d'enthousiasme, elle chercha dans le fichier réservé aux personnes qui avaient déménagé. Ma fiche devait certainement se trouver là. Elle chercha, encore et encore.

— Je ne la trouve pas.

Un filet de sueur perla sur ses tempes et sa lèvre supérieure. Elle était terrifiée. Je concentrai toute mon énergie pour masquer ma propre terreur.

— Heu... Peut-être pourriez-vous trouver la fiche de mon mari, dis-je.

Elle trouva immédiatement la fiche de Werner. Je pouvais voir qu'elle réfléchissait intensément. Comment une aide-soignante de la Croix-Rouge, une employée du *Städische Krankenhaus*, la femme enceinte d'un contremaître des usines Arado membre de longue date du parti nazi, comment une telle femme pouvait-elle ne pas avoir de fiche ? Impossible !

— Il a dû se produire une erreur..., murmura-t-elle.

Je me taisais.

— Je sais ce qu'il faut faire.

J'attendis.

— Étant donné que votre fiche a manifestement

été égarée, je vais vous en établir une autre immédiatement.

Le fichier contenait à présent une fiche au nom de Christina Maria Margarethe Vetter.

Je fis tout mon possible pour dissimuler mon bonheur. Mais, croyez-moi, si cela avait été possible, j'aurais pris dans mes bras cette femme gentille, grosse et gauche, et j'aurais dansé sur son bureau immaculé. Parce qu'à présent, j'avais une fiche d'identité et je pouvais recevoir mes rations alimentaires sans risque d'attirer l'attention. En effet, mon plus grand point faible, celui qui aurait pu permettre à la Gestapo de me retrouver à tout moment, avait été éliminé.

Restait à résoudre le problème de l'habillement. Souvenez-vous que Herr Plattner, le spécialiste des affaires raciales à Vienne, m'avait fortement recommandé de ne jamais solliciter de carte de rationnement pour les vêtements. Si mes chaussures étaient abîmées, Werner les réparait. Si j'avais besoin d'une robe, j'en confectionnais une moi-même avec des lambeaux de vêtements. J'étais maintenant sur le point d'enfanter. *Frau Doktor* m'avait envoyé une pièce de tissu avec lequel j'ai cousu une robe chasuble que je pouvais facilement porter par-dessus mes autres vêtements, qui me serraient de plus en plus. Finalement, je finis par ne porter que de vieilles chemises de Werner. Mais comment allais-je pouvoir habiller mon enfant ? Après tout, je ne connaissais pas de soldat à Paris qui puisse m'envoyer des vêtements pour bébés en soie. Christl me fit parvenir une liseuse afin que je puisse en utiliser la laine pour tricoter un petit chandail.

Et puis, Werner reçut une lettre de tante Paula dont les conséquences allaient se révéler miraculeuses :

« Quel genre de frère es-tu ? Ton pauvre frère Robert est au front, sa femme et ses trois enfants ont été évacués en Prusse-Orientale, leur appartement risque à tout moment d'être bombardé, les portes ne fonctionnent plus, les fenêtres ne ferment plus, et n'importe quel voleur ou déserteur peut s'y installer sans le moindre encombre ! »

Évidemment, mon mari, si grand et si fort, ne put résister à une telle directive de sa minuscule tante. Il raconta je ne sais quel mensonge aux responsables d'Arado et se précipita à Berlin. La maison de son frère était pratiquement vide. Gertrude avait presque tout pris. Seuls quelques objets demeuraient, parmi lesquels un lit d'enfant pliant et un grand nombre de barboteuses et de couches ! Werner écrivit à son frère pour lui demander s'il pouvait prendre les affaires de bébé et, comme elles étaient à présent trop petites pour ses propres enfants, Robert fut ravi de nous les donner. Werner condamna les fenêtres, répara les portes et barricada la maison. En fin de compte, malgré tous les bombardements que subit Berlin, cet appartement-là ne fut jamais touché.

En un peu plus d'un an, j'étais passée de la condition de créature la plus méprisée du Troisième Reich — une jeune esclave juive en fuite pour éviter la déportation en Pologne — à celle de citoyenne aryenne modèle et enceinte. Les gens me traitaient avec respect et sollicitude. S'ils avaient su qui j'étais en réalité et quel genre d'enfant j'allais mettre au monde !

Le caractère insensé de cette situation me rendait un peu hystérique. J'observais les bombardiers américains qui passaient au-dessus de nous pour rejoindre Berlin tout proche. Le ciel était semblable à un immense écran de cinéma sur lequel ces avions volaient en for-

mation comme d'énormes canards à travers les bouf-
fées de fumée noire des tirs des canons antiaériens. Je
faisais le signe de la victoire à mes sauveurs célestes.
Lorsque je voyais qu'un avion américain avait été
touché et piquait vers le sol, mon cœur se brisait. Je
priais pour que le pilote puisse ouvrir son parachute,
car l'éventualité de sa mort me plongeait dans une terrible affliction.

L'apparition des Alliés dans le ciel, la perspective
réelle d'une défaite allemande, le temps automnal, le
sentiment nouveau de sécurité que j'éprouvais dans ma
vie, tout cela suscitait des pensées dangereuses dans
mon esprit. Je refoulais depuis si longtemps le souvenir
des fêtes juives et la nostalgie de mon père, de mes
sœurs, de ma mère et de mes cousins. Où étaient-ils ?
Y avait-il encore quelqu'un à Vienne ? Est-ce que je
manquais à mes proches autant qu'ils me manquaient ?

Seule chez moi, je faisais la cuisine, le ménage,
j'écoutais la BBC et soudain, à ma grande surprise, au
lieu des nouvelles habituelles, j'entendis un message
qui m'était particulièrement destiné. C'était une partie
du sermon que le grand rabbin Hertz faisait à l'approche de Roch Hachana et de Yom Kippour. Il s'expri-
mait en allemand :

« Nous exprimons notre infinie compassion à nos
frères qui ont survécu dans les territoires nazis et qui
marchent dans la vallée obscure de la mort. »

« Il s'adresse à moi, me dis-je, à moi et à mon bébé.
Mais pourquoi évoque-t-il "ceux qui ont survécu" ?
Sommes-nous les seuls survivants ? Est-il concevable
que tous les autres soient morts ? »

« Dans le monde entier, des hommes bons et justes
pensent à eux durant leurs prières et brûlent de
connaître enfin le jour où le pays du bourreau sera

réduit à l'impuissance et où tous ses desseins criminels seront contrecarrés. »

« Ils se souviennent de nous, pensai-je. Ceux d'entre nous qui sont pourchassés, qui se cachent dans l'obscurité, sont présents dans les prières de nos frères et sœurs. On ne nous oublie pas. »

« Et maintenant, je sais que mes auditeurs juifs, en prévision du jour du Grand Pardon, vont se joindre à moi avec ferveur pour dire nos prières ancestrales. "Souviens-toi de nous, ô Roi que la vie enchante, et inscris-nous dans le livre de vie, par amour pour Toi, ô Dieu vivant !" »

Lorsque Werner rentra, il me demanda pourquoi j'avais pleuré. Je dus lui dire que j'étais en proie aux sautes d'humeur des femmes enceintes, afin de ne pas l'inquiéter avec mes véritables pensées, en cette veille du Roch Hachana de 1943.

Au sixième mois de ma grossesse environ, durant l'hiver 1944, je sombrai dans un état de grande tristesse. Werner en fut affecté, car il aimait me voir heureuse.

— C'est seulement le mal du pays, murmurai-je en pleurant.

Sans même réfléchir, il me dit :

— Fais tes valises.

Il se rendit à Arado sur son vélo. Je crois qu'il leur raconta que la maison de sa mère avait été bombardée, puis cambriolée et saccagée par un gang de déserteurs, et qu'il devait absolument aller là-bas pour signer un rapport de police. En tout cas, ils le crurent, et nous partîmes à Vienne.

Là-bas, tout était pareil, et tout était différent. Les Autrichiens commençaient à souffrir à présent. Leur petit dictateur de Linz n'avait pas démontré le génie militaire que tous lui reconnaissaient en 1941. Leurs fils tombaient au front et eux-mêmes subissaient les attaques aériennes. Ils s'étaient follement amusés lorsqu'ils avaient pu, impunément, dépouiller une population civile sans défense, mais, en votant pour l'*Anschluss*, ils n'avaient pas imaginé qu'il leur faudrait un jour affronter ces armées ennemies conduites par les Zhukhov, Eisenhower et autres Montgomery.

Au cours de ce deuxième voyage à Vienne en compagnie de Werner, je me promenais lentement dans la *Ringstrasse* en m'efforçant de rassembler mes souvenirs d'enfance. La rue était isolée par un cordon de police parce qu'Hitler devait séjourner à l'Hôtel Impérial et que l'on préparait un gigantesque rassemblement.

Un policier s'approcha de moi. La peur au ventre, je me suis dit : « Frau Westermayer m'a vue. Elle a mis sa menace à exécution, elle a appelé la police. »

— Peut-être devriez-vous venir par là, madame, dit-il, parce que nous attendons dans très peu de temps une foule énorme et une dame dans votre état ne devrait pas se retrouver dans une telle bousculade.

Je dépassais quelques pâtés de maisons pour observer ces foules à l'abri, mais de foule, il n'y en eut point. Je suppose que les nazis locaux avaient eu peur que le Führer ne fût mécontent en découvrant des rues vides et qu'il ne reportât sa colère sur eux. Aussi avaient-ils fait venir un grand nombre d'écoliers à qui l'on avait donné pour instruction de crier, *Wir wollen unser Führer sehen !*, « Nous voulons voir notre Führer ! » Le cinglé serait alors bien « obligé » d'apparaître au balcon, comme un monarque.

Le lendemain, Werner et moi avions rendez-vous avec Pepi dans un café. Ces deux hommes, si chers à mon cœur, avaient établi une certaine relation, pas vraiment amicale, plutôt une sorte d'alliance. Tout le monde, dans mon groupe de Vienne, avait admiré les motifs que Werner avait imprimés sur les foulards-souvenirs de Christl, des foulards qu'elle vendit par la suite comme des petits pains dans sa boutique. Maintenant, c'était au tour de Pepi de demander de l'aide. Il avait l'air très mal en point, vieilli, usé.

— Les hommes désertent, dit-il d'une voix douce. Plus la situation se détériore sur le front, et plus le régime s'en prend violemment à son propre peuple. Ainsi, ils ont ordonné à la police, et même aux SS, de pourchasser les déserteurs. N'importe quel jeune homme qui ne porte pas d'uniforme peut être embarqué à tout moment.

Je ne l'avais jamais vu aussi sombre, aussi inquiet.

— Que vais-je faire s'ils m'arrêtent, s'ils m'accusent d'être un déserteur ? Sortir ma carte d'identité bleue qui m'exclut de l'incorporation parce que je suis juif ?

— Tu as besoin d'une bonne dispense, dit Werner d'un air pensif.

— Exactement.

— Une dispense officielle...

— Que je porterai toujours sur moi...

— ... attestant que tu effectues un travail indispensable à l'effort de guerre.

— Oui, c'est ça ! C'est exactement ça !

Nous étions assis en silence, chacun réfléchissant de son côté. Soudain, Werner dit :

— Va chercher du papier à lettres avec en-tête à la compagnie d'assurances de ton beau-père, ainsi qu'un spécimen de la signature du directeur général.

— Il faut aussi un tampon, ajouta Pepi nerveusement. Un tampon du ministère du Travail, ou de celui de l'Intérieur, ou encore...

— Ça ne posera pas de problèmes.

— Pas de problèmes ? Mon cher ami, mais tout est un problème ! dit Pepi du bout des lèvres.

— Tu peux faire confiance à Werner, lui assurai-je. Il a des mains en or.

De retour à la maison, Werner se mit au travail. Il acheta des tampons officiels déjà pourvus d'une date, d'un numéro de facture, etc. Puis il détacha des lettres d'un tampon, découpa d'autres lettres d'un deuxième tampon, fixa ces dernières à la place des premières, et obtint bientôt un tampon flambant neuf, doté du cachet souhaité. À l'aide de couteaux et de ciseaux, il cisela le motif approprié, puis, avec des pincettes, inséra les lettres et la date. Aux usines Arado, il dactylographia une lettre sur le papier à en-tête que Pepi avait pris à la compagnie de Herr Hofer. Cette lettre stipulait que le Dr. Josef Rosenfeld était *Unabkömmmlich* — « très occupé » — et que la compagnie d'assurances Donau avait besoin de ses services pour accomplir un travail capital pour le compte du Reich. Puis, il contrefit la signature du directeur général de la compagnie Hofer. Alors, il s'appuya contre le dossier de sa chaise et contempla une dernière fois son œuvre d'un œil attentif et critique.

— Pas mal, non ?

— Absolument merveilleux !

À mes yeux, ce document était parfait, magique même, car il permettrait à Pepi d'attendre la fin des hostilités en parfaite sécurité. Je ne sais pas s'il lui a jamais servi, mais il l'*avait* sur lui, voyez-vous, et ainsi, il se sentait protégé. Pour nous les *U-boats*, ce sentiment de confiance, c'était déjà un grand pas de fait. Si vous

aviez confiance, la terreur et le stress de la survie quoti-
dienne ne s'exprimeraient pas sur votre visage.
  — Je suis sûr que j'aurais pu me faire un fric
monstre avec ce genre de trucs dans les années trente.
Beaucoup de gens avaient besoin de faux papiers, de
documents divers...
  — Oui, je suppose que tu aurais pu.
  — Merde ! C'est bien ma chance ! Je rate toujours
les bons coups !
  — Mais tu es mon génie, lui dis-je en l'embrassant.
Il était vraiment particulier, mon Werner Vetter.
Un homme réellement talentueux. Je me demande si
quelqu'un d'autre que moi a jamais apprécié ses mul-
tiples talents à leur juste mesure.

Nous étions au mois d'avril. Werner voyageait
beaucoup à présent car la guerre avait désorganisé les
services de livraison et on lui avait confié la tâche de
trouver des fournitures pour Arado. Il était fatigué.
Nous jouions un petit peu aux échecs, écoutions
quelques nouvelles, puis allions nous coucher. Il s'endormait alors instantanément.
  Un soir, je ressentis les premières douleurs de l'enfantement, mais je ne voulus pas le réveiller tout de
suite. Je marchais de long en large dans la salle de
bains. Vers 23 heures, je le réveillai.
  — Je crois que je suis en train d'accoucher,
Werner.
  — Ah, parfait. Je vais te dire comment les choses
se déroulent.
  Il prit alors un livre sur un rayon de la bibliothèque.

— Au début, les douleurs sont très espacées et peu intenses. Ensuite, lorsque le bébé change de position...
— C'est bien, c'est parfait au plan théorique, mais maintenant, il faut vite aller à l'hôpital, lui dis-je en l'interrompant.

Nous traversâmes les rues tranquilles de Brandenburg. Je le tenais par le bras. Il nous fallut presque une heure pour arriver car j'avançais très lentement. À l'hôpital, les infirmières m'ont installée dans une grande pièce où d'autres femmes s'apprêtaient à accoucher.

Sur chaque mur, on entendait le bruit régulier des pendules. Ils étaient fous des pendules, les Allemands. Je pouvais entendre les gémissements des autres femmes. Le médecin est venu brièvement me voir. Il a dit à l'infirmière : « Attendez un peu, puis vous lui donnerez un sédatif. »

Sur le moment, je n'avais pas réalisé, car toute mon énergie était concentrée sur la maîtrise de la douleur. Mais ensuite, je me souvins de toutes ces patientes qui avaient été anesthésiées avant ou pendant l'accouchement, et qui avaient révélé des choses qui auraient pu les trahir, elles et leurs proches. Soudain, je compris dans quelle situation fâcheuse je me trouvais, je ne pouvais prendre aucun médicament contre la douleur, car, dans mon délire, je pourrais mentionner des noms : « Christl », « Frau Doktor ». Grands dieux, je pourrais dire « juif » ! Je m'exhortais ainsi au courage : « Tous les gens que tu adores mourront si tu te montres incapable de supporter les douleurs de l'enfantement. Durant des milliers et des milliers d'années, les femmes ont surmonté cette épreuve sans anesthésie. Tu dois te montrer aussi forte qu'elles. Tu dois faire comme tes grand-mères et tes arrière-grand-mères et donner naissance à ton enfant naturellement. »

Quand l'infirmière revint avec sa seringue, je lui

dis d'une voix enrouée : « Non, non, je suis jeune et forte, et je n'ai besoin de rien pour supporter la douleur. » Elle ne discuta pas. Elle rangea sa seringue et s'en alla. Tant que je ne criais pas, que je ne faisais pas de vacarme, qu'est-ce que cela pouvait bien lui faire ? Mais ensuite, pour la première fois au cours de cette terrible guerre, je voulus vraiment mourir.

En ce dimanche matin de Pâques, le 9 avril 1944, mon enfant, finalement, naquit. Le médecin vint au dernier moment pour le mettre au monde. Lorsque je vis qu'il s'agissait d'une magnifique petite fille avec une délicieuse petite frimousse, de beaux yeux, et que ses mains et ses pieds étaient parfaits, je fus transportée de joie.

— Mon mari voulait un garçon, dis-je au médecin. Il sera peut-être très malheureux.

— Et alors, que peut-on y faire, Frau Vetter ? Doit-on la remettre dans votre ventre en espérant qu'elle renaisse en garçon ? Dites à votre mari que le fait d'avoir un enfant en bonne santé à une époque comme la nôtre est un miracle encore plus extraordinaire qu'en temps normal. Qu'il remercie le Ciel.

Il s'apprêtait à partir quand il revint vers moi pour ajouter :

— Et souvenez-vous de ceci : c'est l'homme qui détermine le sexe du bébé. Dans ces conditions, votre mari ne peut s'en prendre qu'à lui-même s'il a engendré cette délicieuse petite fille.

Ils la déposèrent dans mes bras. J'étais en lambeaux, sanguinolente, en proie à de vives douleurs, mais je ressentais une paix et un bonheur profonds.

Tout d'un coup, les sirènes se mirent à mugir : une attaque aérienne américaine. Les bombardiers passaient au-dessus de nous, et cette fois, on avait le sentiment qu'ils n'étaient pas là seulement pour bombarder Berlin ou Potsdam, mais également Brandenburg.

Tous ceux qui pouvaient marcher se ruèrent vers les abris. Quelqu'un poussa la civière roulante sur laquelle j'étais allongée jusqu'à un endroit sombre et privé d'air. Quelle chance que ma petite ait été avec moi juste à ce moment-là, que l'on m'ait donné une petite bouteille d'eau pour elle, pour lui apprendre à téter. Plongés dans l'obscurité, nous nous efforcions tous, avec l'oreille expérimentée et attentive de ceux qui ont déjà subi des bombardements, de déterminer où les bombes tombaient.

Je pensais. « Espèce d'idiote ! qu'as-tu fait ? Tu as mis au monde une enfant condamnée. Si tu ne te retrouves pas enfouie sous les décombres, tu seras découverte par les nazis ! Ta famille tout entière, l'univers qui a été le tien, tout cela pourrait disparaître à jamais. Et quand tu mourras, qui observera la *shiva* [1] pour toi ? »

Je me sentis si seule à ce moment-là, j'avais si peur. Et la seule pensée qui me vint à l'esprit fut celle de ma mère.

Werner fit tout son possible pour venir à l'hôpital, mais il fut à plusieurs reprises bloqué à cause des alertes générales. Il attendit un long moment le signal de fin d'alerte. Finalement, les Américains ne bombardèrent pas Brandenburg, mais prirent comme d'habitude la direction de Berlin.

Lorsque je le vis errer dans le bunker, appelant mon nom, mon cœur fondit. Il avait l'air si charmant. Il ne s'était pas rasé. Son visage était marqué par le

---

1. *Shiva* : dans le judaïsme, période de deuil de sept jours observée par la famille et les amis du défunt. (*N.d.T.*)

manque de sommeil. Ses cheveux, d'ordinaire parfaitement peignés, étaient tout en désordre.

— Grete ! appelait-il d'une voix douce. Grete, où es-tu ?

J'eus l'impression de lui avoir répondu à voix haute et forte, mais il est probable que mon cri s'était borné à un murmure, car il passa à côté de moi à deux reprises sans me voir avant de me découvrir. Il se pencha sur moi, souriant, ses yeux bleus brillants de bonheur. Il souleva le bébé, défit les couvertures, mais, quand il vit qu'il s'agissait d'une fille, son visage se transforma en pierre.

— C'était ton idée ! Toute cette histoire de grossesse, c'était ton idée ! Et qu'est-ce que j'ai, maintenant ? Encore une autre fille inutile ! Une autre fille inutile !

Il était ivre de rage. Je crus que ses yeux en devenaient blancs. L'élan d'amour que j'avais éprouvé quelques instants plus tôt s'évanouit complètement. Un mari nazi ! Que pouvais-je attendre d'un tel homme ? Ce régime n'était-il pas celui du mépris de la femme ? N'avait-il pas encouragé le culte d'une virilité primitive, pervertie ? Werner faisait les cent pas devant ma civière, bredouillant des paroles de colère. Je le haïssais tellement, à ce moment-là, que je ne voulais plus jamais le revoir. Et je me répétais : « C'est mon enfant, mon enfant, mon enfant. Cet enfant n'appartient qu'à moi. »

Le lendemain, je reçus une lettre de Werner où il s'excusait de sa conduite inqualifiable. Vous savez, la souffrance exacerbe parfois les passions. Et puis, bien sûr, le temps passe et emporte avec lui la passion et la souffrance. Alors, on pardonne et on oublie. Mais je crois que, chaque fois que l'on blesse un être cher, une fissure apparaît dans la relation, qui reste là, dangereuse, prête à s'agrandir et à tout détruire à la moindre opportunité. Toutefois, ma situation ne me permettait pas de garder de la rancune contre Werner. Il était le père de mon enfant, mon protecteur, *son* protecteur. Aussi, lorsqu'il revint à l'hôpital et porta ma main à ses lèvres, mon cœur s'adoucit.

— Tu verras, dis-je, elle t'apportera beaucoup de joies.

Il sourit un peu et s'efforça de traiter l'enfant avec affection. Il essaya vraiment. Il réalisa un faire-part de naissance et l'envoya à de nombreux amis. Mais son attitude était semblable à la guirlande de fruits et de fleurs dans notre cuisine : juste un ornement destiné à masquer quelque chose de plus grave. La vérité était que Werner était profondément déçu et qu'il le serait pour le reste de sa vie. Il voulait un garçon.

Au fil des jours, ses cheveux étaient de plus en plus mal coiffés. Il maigrissait à vue d'œil. Il était totalement incapable de se faire lui-même à manger, de se débrouiller tout seul. Il était depuis toujours habitué à ce qu'une femme s'occupe de lui. Peut-être avait-il pensé qu'en venant à l'hôpital sous l'aspect d'un clochard, la chemise sale et le visage décharné par la malnutrition, j'éprouverais de la compassion, je me remettrais rapidement de l'accouchement et rentrerais à la maison. Si telles étaient ses pensées, eh bien, il avait absolument raison. Chaque fois que je le regardai, mon cœur se brisait, et le fait est que je décidai de rentrer à la maison au bout d'une semaine parce que, sans moi, mon mari était complètement perdu.

Je prénommai ma fille Maria en hommage à *Frau Doktor*, ma salvatrice à Vienne. Nous lui avions donné un deuxième prénom, Angelika, en hommage à Angelika Kauffman, le grand peintre du XVIIIe siècle que Werner admirait, amie de Goethe, de Herder, de Joshua

Reynolds et de Thomas Gainsborough. Ses toiles mythiques qui dépeignaient des scènes des guerres germaniques contre les Romains étaient à présent accrochées aux murs de la chancellerie du Reich, car elle était également la préférée d'Hitler. (Des années plus tard, lorsque nous nous installâmes en Angleterre, notre fille abandonna ce prénom pour choisir celui d'Angela. À partir de maintenant, j'utiliserai ce dernier prénom pour me référer à elle dans mon récit, car elle le préfère de beaucoup.)

Vous vous demandez peut-être pourquoi je n'avais pas donné à ma fille le prénom de ma mère ? C'est parce que la tradition juive exige que l'on donne uniquement aux enfants les prénoms de personnes décédées et, en avril 1944, je croyais que ma mère était encore en vie. Je sentais sa présence chaque fois que je m'occupais de mon bébé. Je la voyais se pencher sur le berceau, je sentais son parfum dans l'air. Sa présence était si vive, si physique, que j'étais absolument certaine qu'elle était vivante et en bonne santé.

La petite Bärbl, la fille de Werner, âgée de quatre ans, arriva, accompagnée par sa mère un mardi matin de bonne heure, quelque temps après la naissance d'Angela. À peine était-elle entrée dans l'appartement, agrippée à sa poupée aux cheveux d'or, qu'elle leva son petit bras et cria : « *Heil Hitler !* » Sa mère, Élisabeth, eut un sourire approbateur.

Je pense avoir rarement rencontré dans ma vie quelqu'un qui m'ait autant terrifiée qu'Élisabeth Vetter. C'était une femme très belle, très grande. Je suppose que, pour d'autres, elle pouvait sembler aussi douce et tendre que ma « statue magique ». Mais, en ce qui me concerne, elle m'avait paru aussi glaciale qu'un bloc de marbre. Ce matin-là, Werner s'était un peu attardé pour accueillir Élisabeth et Bärbl. Le mélange d'hostilité et d'attraction qui régnaient entre lui et son ex-femme rendait l'atmosphère de l'appartement électrique. Il m'apparut évident qu'il la désirait encore. Il embrassa sa petite fille et partit aussitôt travailler.

Seule avec Élisabeth, j'adoptais mon comportement d'innocente. Je m'exprimais à voix basse. Je me déplaçais à pas précipités pour lui servir du café, lui offrir une chaise, lui proposer de visiter l'appartement. Bärbl resta sagement dans un coin. C'était une enfant grande et blonde, naturellement timide avec moi.

Élisabeth regarda fixement Angela dans le panier à linge qui lui servait de lit.

— Elles n'ont vraiment pas l'air d'être sœurs, dit-elle.

Elle observa la guirlande peinte sur le mur autour de la cuisine.

— Eh bien, je vois que Werner fait plus d'efforts pour toi que pour nous, pas vrai, Bärbl ?

Elle contempla les outils et les tubes de peinture bien rangés.

— Il croit être un artiste. Dommage qu'il n'ait aucun talent.

Je ne me rappelle plus si Élisabeth a embrassé Bärbl avant de partir. J'attendis qu'elle sorte du hall d'entrée. J'attendis à la fenêtre qu'elle sorte dans la rue. J'attendis, attendis jusqu'à ce qu'elle ait complètement disparu derrière le pâté de maisons. Alors seulement, je pus respirer un peu mieux.

— Où est le portrait d'Hitler ? demanda Bärbl. Chez nous, on en a un dans chaque pièce.

— Il est tombé, s'est cassé et il a fallu le donner à

réparer. Cela prendra quelque temps, mais on le remettra à sa place. Veux-tu un biscuit ?

— Oui.

Je lui donnais un *Knödl*, une petite pomme de terre enrobée de sucre et fourrée d'une fraise. Plus tard, à l'âge adulte, installée dans un pays lointain, mariée à un Écossais, mère d'enfants britanniques, ce serait cela dont elle se souviendrait : les *Knödl* viennois.

Chaque jour, nous allions nous promener, moi, mon bébé dans le landau, et cette grande petite fille de quatre ans. Tout ce que je faisais avec Angela, Bärbl le faisait avec sa poupée. Quand je la baignais, elle baignait sa poupée. Quand je tirais du lait de mon sein pour le mettre dans un biberon, elle faisait boire sa poupée au biberon. Chaque fois que je croisais une connaissance dans la rue, je lui disais « Bonjour », et Bärbl disait, *Heil Hitler ! Heil Hitler !* au jardinier, à la dame qui nettoyait les trottoirs, à l'employé qui livrait les rations alimentaires. Les gens devaient penser que j'étais une merveilleuse mère nazie.

Mais, en vérité, j'adorais Bärbl. C'était une délicieuse petite fille et, après quelque temps auprès de moi, elle cessa de dire *Heil Hitler !* Je n'étais pas sévère. Je ne travaillais pas. J'avais tout le temps pour m'occuper des enfants.

Les vacances de six semaines que Bärbl passa avec nous se déroulèrent si bien qu'Élisabeth dut se sentir menacée. En cohérence avec l'esprit de l'époque, elle nous dénonça aux autorités, Werner et moi, sous le prétexte que nous étions « inaptes » à héberger sa fille. Le tribunal dépêcha deux assistantes sociales pour une visite domiciliaire.

Comme chaque fois que j'étais confrontée à la bureaucratie, je fus prise de panique. Cela faisait pas mal de temps que je vivais avec Werner, plus d'un an, et nous vivions à présent de manière décontractée. Y avait-il dans notre appartement des signes de ma judaïté qui lui auraient échappé, mais que ces deux femmes pourraient déceler ? Y avait-il des indices qui puisse révéler certains faits : « Cette femme a été à l'université, elle a étudié le droit, elle sait s'habiller avec recherche » ?

Je demandais à Karla, ma voisine du dessus, si elle pouvait me prêter un portrait du Führer. Elle en trouva un au fond d'un tiroir.

Les assistantes sociales arrivèrent sans prévenir, avec leurs chapeaux, leurs blocs-notes et cette suffisance propre à toutes les femmes nazies. Je les invitai à entrer. Mon magnifique petit ange dormait dans son panier à linge. Je pensais : « Mon Dieu, dans ce petit nid en osier, elle ressemble à Moïse flottant au milieu des joncs des marais ! » Elles m'interrogèrent sur notre vie quotidienne, sur la nature de nos repas. Elles ouvrirent la cuisinière pour voir si elle était propre. Elles cherchèrent des traces de poussière dans chaque recoin. Elles notèrent tous les titres des livres dans la bibliothèque, puis elles partirent.

Quelques semaines plus tard, nous reçûmes une lettre nous informant que les résultats de l'inspection étaient positifs, que nous composions manifestement un foyer aryen respectable, et que la requête d'Élisabeth pour obtenir la garde exclusive de Bärbl était rejetée. « Il est foncièrement dans l'intérêt de l'enfant qu'elle passe autant de temps que possible au domicile de Herr et de Frau Vetter », écrivaient les deux assistantes sociales dans le rapport. Des années plus tard, j'aurais éprouvé un frisson de plaisir si j'avais pu entrer dans leur bureau pour leur dire : « Regardez, voici ce que vous écriviez à propos d'une Juive, espèces d'ignobles hypocrites ! »

Mais le destin nous accorde rarement de telles satisfactions.

11

LA CHUTE DE BRANDENBURG

Je vivais dans l'espoir. Je ne pensais pas à mes sœurs, excepté, parfois, pour me rassurer en me disant qu'elles étaient en sécurité en Palestine. Je ne pensais pas à Mina ou à mes autres amies du camp de travail. Je m'efforçais de ne pas penser à maman, car sinon, j'aurais perdu la raison. J'aurais été incapable de vivre une minute de plus sous une fausse identité. Aussi ai-je fait tout mon possible pour oublier les terribles paroles du rabbin Hertz et pour vivre dans l'illusion que je menais une vie « normale ».

« Normale ». C'est ainsi que je qualifiais ma vie, des années plus tard. Je vivais comme une femme au foyer, comme une mère. Nous avions une vie « normale ». Mon Dieu.

Chaque matin, un livreur nous apportait notre ration de lait. Le journal nazi — *Der Völkische Beobachter* — était livré tous les jours par un jeune cycliste. Je m'efforçais de faire mes courses dans des magasins où l'on n'était pas contraint au salut nazi. Nous vivions de nos rations. *Frau Doktor* nous envoyait quelques extra, des denrées non périssables : riz, nouilles, lentilles ou pois chiches. Frau Gerl m'adressait parfois des tickets de rationnement pour du pain. J'ai expédié à Jultschi autant de lait que j'ai pu pour son petit Otti, et j'ai mis de côté toutes mes rations de café pour tante Paula, qui avait une passion irrésistible pour cette boisson. Nous avions des choux et des pommes de terre. Nous avions du pain, du sucre, du sel et, de temps à autre, un peu de viande. Tout cela suffisait à nourrir ma petite famille.

Les paysans faisaient fortune grâce au troc, car les citadins étaient prêts à échanger des meubles de grande valeur contre des carottes, ou contre un pavé de lard, ou encore contre du fromage frais. Les gens disaient en plaisantant que les paysans possédaient à présent tellement de tapis persans qu'ils étaient obligés de les stocker dans les étables. On m'avait dit que l'on pouvait échanger des vêtements usagés, mais j'avais peur que l'on me demande ma carte de rationnement pour les vêtements. Comme je ne pouvais pas en obtenir une, j'avais renoncé et j'avais continué à coudre comme avant.

J'étais assez amie avec Karla, la dame qui chantait à l'étage au-dessus. Elle et son mari, plus âgé qu'elle, voulaient depuis longtemps adopter un enfant, mais, pour une raison ou pour une autre, et malgré tous les orphelins que comptait le pays, ils n'avaient pas pu en trouver. Un jour, ils vinrent chez moi accompagnés d'une jolie petite fille inconnue. Je compris tout de suite que la mère de cette enfant s'était débarrassée d'elle à cause de l'identité du père. Mais quelle importance ? Cette enfant avait bien de la chance d'être tombée sur des parents adoptifs aussi gentils. Je donnais à plusieurs reprises à Karla des vêtements devenus trop petits pour Angela. Karla, à son tour, conservait précieusement tous ces vêtements pour ma voisine d'en face, Frau Ziegler qui était à nouveau enceinte depuis que son mari était rentré du front en permission.

La seule personne qui venait bavarder un peu avec moi était Hilde Schlegel. Elle s'asseyait à la cuisine et me disait à quel point elle attendait avec impatience la prochaine permission de Heinz. Nous parlions du temps, du rationnement, des difficultés ménagères et de ma grande chance d'avoir une amie à Vienne qui m'envoie un peu de lessive (en réalité, cette lessive appartenait à Anna Hofer et Pepi l'avait volée sous l'évier). Hilde n'arrêtait pas de parler de sa belle-mère. Cela me donna une idée :

— Pourquoi n'inviterions-nous pas ta mère ici ? ai-je dit à Werner.

— Quoi ?

— Elle n'a jamais vu le bébé.

— C'est bien le dernier de ses soucis.

— C'est impossible. Qui pourrait résister au charme de notre petit ange ?

La mère de Werner resta chez nous pendant une semaine. Elle avait un visage plat, pâle et ridé, et un chignon gris sur la nuque. Elle ne devait pratiquement pas m'adresser la parole. Elle portait un tablier blanc empesé. Elle était si propre et nette qu'elle ne voulait même pas toucher Angela, de peur qu'une couche sale ou qu'un peu de bave ne la salisse. Elle buvait de la bière du matin jusqu'au soir, tranquillement, puis s'endormait en ronflant, son tablier toujours immaculé. Elle me rappelait Aschersleben sous la neige : elle était blanche et propre à l'extérieur, mais, à l'intérieur, c'était une poivrote invétérée, une dépravée incapable d'éprouver le moindre sentiment pour sa propre petite-fille. Un jour, alors que je rentrais à la maison avec Angela, elle n'était plus là. Elle était venue les mains vides, elle n'avait rien emporté. La description que Werner m'avait faite de sa mère était absolument conforme à la réalité.

Je serrai mon joli bébé dans mes bras en lui murmurant : « Ne t'inquiète pas, mon petit. Ce n'est pas

grave si mamie n'a pas dit au revoir. Bientôt, la guerre
sera finie. Il nous suffit d'attendre que l'armée soviétique victorieuse vienne à notre secours. Et quand les
ghettos de Pologne seront libérés, ton autre mamie
viendra chez nous, et tu verras, elle chantera pour toi,
te bercera et te fera des bisous sur les yeux. »

Pepi avait raison ; plus le sort leur était défavo-
rable, et plus les nazis se montraient dangereux. Le
matraquage de la propagande s'efforçait de ranimer
l'espoir au sein de la population en évoquant des
« armes secrètes ». Mais ces armes se révélaient le plus
souvent chimériques. En cette période de troubles, la
Gestapo doutait de la loyauté du peuple envers le Führer. Ses sbires pourchassaient les déserteurs, qui étaient
fusillés lorsqu'ils étaient découverts. Ils fouillaient les
baraques des travailleurs étrangers, à la recherche de
preuves de sabotage. Ils s'acharnaient sur les femmes
seules — les veuves étaient nombreuses à présent —
qui entretenaient une liaison avec un travailleur étranger. En 1944, presque un quart des affaires judiciaires
concernait des liaisons illicites entre des Allemandes et
des étrangers, et chaque jour, trois ou quatre travailleurs étaient exécutés pour des crimes divers — larcins,
adultère, etc. Il y avait de plus en plus de descentes de
police, aussi soudaines qu'inexplicables. Elles exaspé-
raient les citoyens ordinaires et suscitaient une grande
tension dans ma vie. Je me souviens qu'un jour, alors
que j'étais dans une pharmacie avec Angela, deux SS
entrèrent pour demander ses papiers à la pharmacienne. Elle leur tendit les documents sans dire un mot.
Les SS examinèrent soigneusement les tampons, les
visas officiels. Je m'étais mise en retrait au milieu des

médicaments, élaborant ma stratégie, comme je le faisais chaque fois : « S'ils me demandent mes papiers, je les leur donne. S'ils émettent un doute sur leur régularité, je joue les gentilles idiotes. S'ils m'arrêtent, je leur dis que je les ai volés, toute seule, que personne ne m'a aidée, que mon mari n'est au courant de rien... » Satisfaits, les SS rendirent ses papiers à la pharmacienne et se dirigèrent vers la sortie. L'un d'eux s'arrêta et, le visage attendri, sourit à mon bébé dans son landau.

Werner travaillait à présent sept jours sur sept, douze heures par jour. Arguant de considérations religieuses, ses employés hollandais refusaient de travailler le dimanche. Même s'il pouvait paraître étrange que des étrangers travaillent un jour de moins que les Allemands, Werner défendit leur cause auprès des responsables de l'entreprise et les Hollandais obtinrent finalement satisfaction. Voyez-vous, comme tous les Allemands bons pour le service étaient au front, le manque de main-d'œuvre qualifiée était si critique que ces travailleurs étrangers étaient devenus à présent trop précieux pour que l'on puisse se permettre de les froisser. Werner, en particulier, faisait tout son possible pour les traiter décemment. Un Français reconnaissant nous envoya une magnifique boîte aux gravures complexes, incrustée de petits morceaux de bois et de métal. Il avait probablement maintenu en vie son âme en concentrant son énergie sur la fabrication de cet objet d'art. J'avais vécu la même expérience.

Les voies de ravitaillement étaient constamment bombardées. La production se ralentit. Tout au long de l'année 1944, Werner dut voyager pour contacter des entreprises comme Daimler-Benz, Siemens, Argus, Telefunken, etc., afin d'acquérir du matériel pour Arado. Au sein de l'usine, une propagande constante exhortait les travailleurs à fournir des efforts toujours plus grands. D'immenses photos de travailleurs morts au front étaient accrochées aux murs, afin que chacun réalise qu'il valait mille fois mieux supporter les dures conditions de travail au pays que risquer sa vie en Union soviétique. Le nombre d'incidents de sabotage augmentait. Nous apprîmes plus tard que des travailleurs français d'Arado, de connivence avec des communistes allemands, avaient fabriqué en secret une radio pour envoyer des messages aux Alliés.

En plus de sa semaine de travail interminable, Werner était souvent mobilisé pour la défense passive, car nous subissions à présent des bombardements pratiquement en permanence. Si les sirènes d'alerte aérienne se mettaient à mugir quand Werner se trouvait à la maison, nous déposions Angela dans un panier à linge et la portions ensemble jusqu'à l'abri. Mais lorsque j'étais seule, je n'emmenais Angela à l'abri qu'en cas d'absolue nécessité, car il n'y avait là ni air ni lumière, et toutes les mères et leurs enfants étaient entassés comme des sardines. Je craignais qu'Angela n'attrape une maladie, car un enfant infecté était susceptible de contaminer tous les autres. Un petit garçon de notre immeuble — je crois qu'il s'appelait Petr — avait ainsi contracté une coqueluche et il était mort dans les bras de sa mère.

Ma plus grande crainte était d'être écrasée sous les décombres de l'immeuble ou enterrée vivante à l'intérieur de l'abri. En cas de bombardement, mon plan était de me précipiter à l'extérieur. Bien sûr, cela peut paraître idiot, aujourd'hui. Mais en temps de guerre, les gens ont des comportements singuliers lorsqu'ils se sentent en danger de mort. Ainsi, quand les bombardiers rugissaient au-dessus de moi, je ne descendais pas aux abris. Je mettais Angela dans son panier sur le sol et je bâtissais de petits « murs » autour d'elle avec des meubles et des oreillers. Je m'asseyais le dos à la fenêtre pour protéger ma fille des éventuels éclats de verre. Je conservais une couverture à portée de main au cas où il nous faudrait quitter précipitamment les lieux.

En été, les bombardiers nous survolaient de 20 heures à minuit. Les Américains volaient en formation, à une altitude si basse que l'on pouvait voir leurs emblèmes. Je m'étais organisée en fonction des bombardements. Avant qu'ils ne commencent, en général vers 20 heures, je préparais le dîner et le petit déjeuner du lendemain, je faisais la lessive et rapportais le linge suspendu à l'extérieur.

De temps à autre, les Américains dérogeaient à leurs habitudes. Un jour, alors que j'étais sortie avec Angela pour notre promenade quotidienne sur la *Wilhelmstrasse*, loin du centre-ville, je m'étais arrêtée pour m'asseoir dans l'herbe, sous un arbre, afin de lui donner le biberon (au bout de trois mois, je n'avais plus de montées de lait, un effet des privations alimentaires que j'avais endurées à Osterburg et à Aschersleben. Werner allait à présent chercher un lait pour bébé à la pharmacie). Mon bébé était allongé sur une couverture, riant, gazouillant et se tortillant de plaisir tandis que je frottais mon nez contre son petit ventre. Ce fut alors que les bombes s'écrasèrent sur la ville, à l'horizon, que le ciel se zébra de vagues mortelles orange et noires et que les canons antiaériens se déchaînèrent. La terre tremblait sous Angela, qui donnait alors des coups de pied dans le vide et éclatait de rire. Elle me permettait de garder mon équilibre. Elle me faisait sourire au milieu de la mort. Tant que je l'avais à mes côtés, j'avais le sentiment que n'importe quel miracle pouvait se produire, que le monde entier pouvait être sauvé.

Jusqu'à présent, j'avais toujours réussi à retrouver tant bien que mal la véritable Edith en me regardant dans le miroir. Mais maintenant, ce que j'avais craint, en m'engageant dans une existence clandestine, était en train de se produire ; je ne me reconnaissais plus. J'avais fini par me considérer comme une Allemande, mère d'une petite fille. Mais où se trouvait la grand-mère de cette enfant ? Où se trouvaient ses tantes ? Pourquoi n'y avait-il pas une grande famille chaleureuse et débordant d'affection autour de son petit lit pour lui offrir des cadeaux, pour commenter ses exploits extraordinaires ? Ma mère me manquait terriblement. Elle savait qui j'étais. Elle reconnaîtrait, elle, les doigts de grand-mère Hahn ou le nez de tante Marianne dont avait hérité mon bébé.

— Qu'y a-t-il ? demanda Werner.

— La nostalgie, dis-je. J'ai cette terrible nostalgie...

— N'en dis pas plus. Mets quelques affaires dans une valise. Je serai de retour à midi et nous partirons aussitôt pour Vienne.

Je ne lui ai pas dit : « Ce n'est pas Vienne qui me manque, c'est ma mère, perdue quelque part là-bas dans cet empire que ton Führer a bâti de force contre la volonté du monde. »

Werner enfourcha son vélo pour aller dire aux responsables d'Arado que la maison de sa mère en Rhénanie avait de nouveau été bombardée, qu'il devait aller l'aider, et ils le crurent une fois de plus (avec des gens aussi compétents au sommet, il n'était guère étonnant que la radio clandestine des travailleurs français et des communistes allemands ait pu aussi bien fonctionner).

Quel étrange voyage ce fut ! Alors que des soldats de la Wehrmacht épuisés se tenaient debout dans le couloir bondé, des infirmières étaient aux petits soins pour Angela et je voyageais comme une reine dans un compartiment en compagnie de mon mari. En Allemagne, à cette époque, le fait d'avoir un enfant était devenu le service rendu à la nation le plus glorifié après la mort au front. Je pense qu'à ce moment-là les nazis ne croyaient plus à leur chimère raciale, au repeuplement d'une « nouvelle Europe ». Non, ils voulaient surtout des bébés pour repeupler l'Allemagne elle-même, parce que d'innombrables Allemands avaient été victimes de la guerre.

Lorsque nous arrivâmes chez elle, Jultschi nous jeta à peine un regard, à moi, à mon mari nazi et à mon bébé allemand, puis me dit : « Tu es complètement folle ! » Peut-être l'étais-je devenue un peu, à force de vivre sous une fausse identité.

Seule *Frau Doktor* eut la réaction que j'espérais tant. Quand je lui dis que j'avais donné son prénom à ma fille, son visage vigoureux s'attendrit et elle berça Angela, la fit sauter sur ses genoux en lui gazouillant des mots tendres. Ensuite, elle la changea, marcha à quatre pattes avec elle, bref, elle fit tout ce que ma mère aurait fait.

Frau Doktor devait quitter la ville pour quelques jours, aussi suis-je restée dans son appartement sur la *Partenstrasse*. Werner, lui, alla à l'hôtel. En compagnie de Pepi, je parcourus les rues de notre jeunesse. Le bébé dormait. Pepi était pâle. Les cernes sombres qui ourlaient ses yeux témoignaient de la peur permanente qui le tenaillait. Ses cheveux avaient presque complètement disparu. Il n'avait plus l'air d'avoir vingt ans de plus que moi, mais quarante. *Rappelle-moi cette fille insouciante que j'étais*, avais-je envie de lui dire. *Dis-moi que maman est saine et sauve. Dis-moi que mon bébé grandira dans la liberté.* Mais il était trop tard. Il était trop vieux, trop marqué par la vie. J'avais toujours été l'étudiante, et lui l'enseignant. Lorsque j'étais une prisonnière affamée, il était mon consolateur. À présent, c'était à mon tour d'essayer de le réconforter.

— Tout ira bien. Sois patient. Sois fort. Pense au paradis socialiste...

Pepi répondit d'un rire forcé. Il s'intéressa à peine à mon bébé.

Werner fut appelé sous les drapeaux le 1er septembre 1944, dans le cadre d'un effort désespéré pour recruter les derniers Allemands disponibles — ceux qui souffraient de troubles intestinaux, d'asthme, de troubles sensoriels, de problèmes de pieds, ou de toute autre affection considérée comme trop légère pour justifier une exemption, même pour une cause perdue. Bientôt, le gouvernement enrôlerait des hommes âgés et de jeunes adolescents pour défendre les villes allemandes. Werner faisait partie de ces brigades de « chair à canon ». Il se présenta le 3 septembre à la caserne. S'il avait osé, il aurait prétendu n'avoir jamais reçu l'avis d'incorporation et se serait caché quelque part. Mais même Werner n'aurait jamais pris le risque de mentir pour échapper à sa conscription.

Le pays était en train de se désagréger. Sabotages, désertions, des milliers de personnes à la rue à cause des bombardements. À bout de souffle, cette dictature n'avait rien trouvé de mieux que de sacrifier mon mari. Il avait retiré toutes nos économies — dix mille marks — de la banque, au cas où il lui faudrait soudoyer quelqu'un pour obtenir sa libération s'il tombait aux mains de l'ennemi. Je n'avais pas pensé protester un seul instant. Je vivais bien avec son salaire, que les usines Arado continuèrent à me verser après son appel sous les drapeaux, et je devais continuer à économiser autant que je pourrais.

Au moment de partir, Werner soupira et baissa la tête. Je savais que j'allais avoir droit à une confession.

— Écoute, Grete. Lorsque tu iras à la pharmacie chercher ce lait pour bébé, ne sois pas surprise s'ils te traitent comme une héroïne. Parce que, autant te le dire, je leur ai menti. Je leur ai dit que tu avais déjà perdu trois enfants et que tu avais absolument besoin de lait pour ne pas en perdre un quatrième.

Aujourd'hui encore, quand je repense à cela, je ne peux m'empêcher de sourire. Voyez-vous, de tout ce que j'aimais chez Werner, c'était cette attitude qui me faisait le plus chaud au cœur ; il n'avait aucun respect pour la vérité, dans l'Allemagne nazie.

Les autres hommes ne quittaient pas leurs baraquements. Mon Werner, lui, rentrait à la maison chaque soir sur sa bicyclette pour passer la soirée avec moi jusqu'à ce qu'il soit obligé de rentrer à la base. J'ignore quel mensonge il avait inventé pour justifier ces absences, mais je peux l'imaginer. De plus, il n'aimait pas porter l'uniforme et s'en débarrassait dès qu'il arrivait à la maison. Les symboles de l'autorité l'irritaient — sauf quand il s'agissait de sa propre autorité.

Un soir, quand il voulut partir pour rejoindre son baraquement, il s'aperçut qu'on lui avait volé une pièce de sa bicyclette. C'était une véritable catastrophe. S'il ne rentrait pas en temps voulu à la base, il serait considéré comme un déserteur et fusillé avant même de pouvoir s'expliquer. Que fit-il, dans ces conditions ? Il chercha une autre bicyclette et déroba la pièce manquante. C'était de bonne guerre.

Il se fit un ami à la base, un jeune homme qui voulait à tout prix faire un enfant à sa femme avant d'aller au front pour la bataille finale. Le jeune couple n'avait nul endroit où se retrouver dans l'intimité. Aussi Werner, sans m'en avertir, leur avait proposé notre petite chambre d'amis. Ce fut pour moi un véritable choc quand il vint avec eux à la maison. Inviter des inconnus ! C'était tellement dangereux ! Et s'il s'agissait de nazis fervents qui fourraient leur nez partout ?

Je m'étais assise dehors avec mon bébé pour laisser un peu d'intimité à nos hôtes. Durant tout ce temps, j'étais en proie à une vive inquiétude. Allaient-ils remarquer que le cadran de la radio n'était pas fixé sur la station du gouvernement ? Allaient-ils remarquer que nous n'avions pas de portrait de Hitler accroché au mur ? Nous entendions dire tous les jours que des voisins se dénonçaient les uns les autres pour des infractions dérisoires dans l'espoir d'obtenir quelque avantage.

Comment Werner avait-il pu jouer ainsi avec notre sécurité, alors que jusqu'ici nous avions mené une existence si prudente, si tranquille ? La réponse, bien sûr, était qu'il n'avait jamais ressenti avec la même intensité que moi la peur d'être découvert. Et pourquoi l'aurait-il ressentie ? S'il avait été découvert, il aurait prétendu avoir totalement ignoré ma véritable identité et j'aurais confirmé ses dires. Angela et moi aurions alors disparu.

Ce charmant jeune couple me remercia de mon hospitalité, me dit que tout irait bien pour moi, puis s'en alla. Je suppose qu'ils auraient été mortifiés d'apprendre que j'avais eu peur d'eux. Je me demande parfois s'ils ont eu l'enfant qu'ils désiraient tant.

À l'approche de Noël, la plus grande partie de l'unité de Werner embarqua pour rejoindre le front Ouest et s'opposer à l'invasion alliée. Mais Werner, manifestement plus brillant que la plupart des autres hommes, avait une expérience du travail de supervision. En outre, malgré son œil unique, il était assez bon tireur pour avoir gagné un prix d'adresse ! On lui demanda donc de suivre une formation complémentaire à Francfort avant de l'envoyer sur le front Est. Ils avaient décidé d'en faire un officier.

« Passons le réveillon du nouvel an ensemble. » Il y avait un ton d'urgence dans sa voix — c'était notre dernier moment avant qu'il n'aille affronter les Soviétiques. Je me dépêchais d'organiser notre soirée. Hilda Schlegel accepta de garder mon bébé.

J'attendis Werner dans une petite auberge qui avait l'habitude de recevoir dans de bonnes conditions les soldats et leurs compagnes. L'aubergiste et ses employés me traitèrent avec déférence, je dirais même avec un grand respect ! Parce que, voyez-vous, mon déguisement avait alors atteint les limites extrêmes de l'absurde. J'avais à présent le statut le plus convoité par les Allemandes, celui de femme d'officier nazi.

Lorsque je vis Werner dans son uniforme d'officier, j'hésitai entre éclater de rire ou m'évanouir. Cet horrible col ! Ces insignes hideux en laiton ! Cet aigle ! L'emblème des prétendus conquérants du monde ! Il m'attira vers lui, mais je me dégageai avec dégoût. Je ne pouvais pas supporter que cet uniforme touche ma peau.

— Oh, je t'en prie, enlève cette horrible chose ! lui criai-je.

Nous ne sortîmes pas de tout le séjour. Nous restâmes à l'auberge à nous raconter des histoires drôles. Je vous jure que c'est la vérité : nous ne fîmes que nous raconter toutes les histoires drôles que nous connaissions ! Je me souviens de l'une d'entre elles : « Un Allemand veut se suicider. Il essaie de se pendre, mais la corde est d'une si piètre qualité qu'elle casse. Il essaie alors de se noyer, mais le pourcentage de bois dans le tissu de son pantalon est si élevé qu'il flotte à la surface de l'eau comme un radeau. Finalement, il meurt d'inanition à cause des pauvres rations alimentaires attribuées par le gouvernement. »

Ce qu'allaient voir Werner et ses camarades pendant leur avancée vers l'Est à la rencontre de l'armée soviétique était beaucoup moins drôle. Ils croiseraient des milliers d'Allemands fuyant dans la direction opposée pour tenter d'échapper à la mort. Contrairement aux chefs nazis qui avaient envoyé Werner au front, ces gens-là savaient que la guerre était perdue.

« Croise les doigts pour moi », m'écrivit-il.

Ma voisine du dessus et son mari partirent juste après le nouvel an, très tôt le matin. Je les vis s'en aller uniquement parce que Angela m'avait réveillée avant l'aube. Je les entendis sortir furtivement de leur appartement en emportant tous leurs biens et leur enfant endormi. J'entrouvris ma porte.

— Bonne chance à vous, leur dis-je.

— Pareillement pour vous, Grete, répondit Karla. J'espère que votre mari rentrera à la maison sain et sauf.

Nous nous serrâmes la main, et ils disparurent. Mais cette nuit-là, j'entendis quelqu'un bouger dans leur appartement : des bruits de pas, le sifflement d'une bouilloire, un lit qui craquait. Je me demandais de qui il pouvait s'agir, mais mieux valait ne pas se poser ce genre de questions.

Le lendemain matin, alors que j'étais dans la salle de bains pour laver des couches, de terribles coups frappés à la porte me firent sursauter :

— Frau Vetter ! Ouvrez la porte !

Le jeune couple ! Ils m'avaient dénoncée parce qu'il n'y avait pas de portrait de Hitler accroché au mur ! Ou, alors, c'était Frau Ziegler, ma voisine d'en face ! Elle m'avait dénoncée parce qu'elle avait entendu l'indicatif de la BBC ! Ou l'officier de l'état civil, qui m'avait toujours soupçonnée ! Ou encore Élisabeth, qui avait toujours voulu se débarrasser de moi ! Ça pouvait être n'importe qui. Le plus terrible, c'était de penser que la guerre était presque finie et qu'au dernier moment, quelqu'un m'avait dénoncée. Mon estomac se serra. Mes jambes se dérobèrent. Ma gorge se dessécha. L'histoire que j'avais répétée à des milliers de reprises envahit mon esprit. « Ces papiers appartiennent à Christl Denner, Fräulein. Elle vit à Vienne. Qui êtes-vous ? Comment avez-vous obtenu ces papiers ? — Je les ai volés. Je me promenais sur le sentier qui longe le Alte Donau ; Christl faisait une promenade en canot, quand j'ai vu son sac tomber dans le fleuve. Mais elle a poursuivi sa route avec ses amis et, dès qu'elle s'est trouvée hors de ma vue, j'ai sauté dans le fleuve et nagé jusqu'à l'endroit où elle avait perdu son sac. Là, j'ai plongé plusieurs fois jusqu'à ce que je découvre le sac. Ensuite, j'ai pris les papiers à l'intérieur et je les ai maquillés. J'ai fait cela toute seule. Toute seule. Personne ne m'a aidée... »

Les yeux fermés, je visualisais le visage de ma mère pour me donner du courage, puis j'ouvris la porte. Un policier se tenait là. Il n'était pas très jeune et avait l'air fatigué.

— Bonjour, Frau Vetter. Nous avons des raisons de croire qu'un déserteur se cache dans l'appartement vacant de sa sœur, dans cet immeuble, juste au-dessus de vous. Il aurait passé la nuit ici. Avez-vous entendu du bruit ?

— Non, dis-je. Rien du tout.

— Peut-être que vous dormiez.

— Non, je l'aurais entendu, parce que je me lève très souvent la nuit à cause de ma fille.

— Ah, bon, très bien. Si vous entendez quelqu'un là-haut, soyez aimable d'appeler à ce numéro.

— Mais oui, bien sûr, monsieur l'officier. Je n'y manquerai pas.

Il s'inclina poliment et s'en alla.

Les programmes de la BBC s'inscrivaient parfaitement dans mon emploi du temps. Un soir, j'étais tombée sur une émission de Thomas Mann, prix Nobel de littérature, auteur de chef-d'œuvres comme *La Montagne magique* ou *Mort à Venise*. Il avait passé la guerre en Californie où il avait participé, des années durant, à un programme radiophonique antinazi destiné au peuple allemand. C'était la première fois que je l'entendais.

« Auditeurs allemands ! Si seulement cette guerre pouvait s'achever ! Si seulement les actes effroyables commis par l'Allemagne dans le monde pouvaient être effacés. »

« Si seulement », pensai-je.

« Mais une chose est nécessaire pour une ère nouvelle... C'est la prise de conscience pleine et absolue des crimes impardonnables, dont, en vérité, vous savez très peu de choses, en partie parce qu'ils entraînent un repli sur soi, parfois proche de la stupidité... et en partie parce que l'instinct de conservation pousse à protéger sa conscience d'une telle horreur. »

« Mais à quoi fait-il allusion ? » m'étais-je dit.

« Vous qui m'écoutez actuellement, avez-vous entendu parler du camp d'extermination de Maidanek, près de Lublin, en Pologne ? Ce n'était pas un camp de concentration. C'était surtout une immense usine de mort. Il y a là un imposant bâtiment en pierre surmontée d'une cheminée d'usine, le plus grand crematorium au monde... Plus d'un demi-million d'Européens — hommes, femmes, enfants — ont été empoisonnés au chlore, puis brûlés, mille quatre cents chaque jour. Cette usine de mort fonctionnait jour et nuit ; ses cheminées dégageaient de la fumée en permanence. »

« Non, pensai-je, ce n'est pas possible. C'est de la propagande. »

« La Mission suisse de sauvetage... a vu les camps d'Auschwitz et de Birkenau. Ses membres ont vu des choses qu'aucune personne sensible ne pourrait croire sans les avoir vues de ses propres yeux : des os humains, des fûts de chaux, des conduites de chlore gazeux, et les fours crématoires. Puis, ils ont vu les piles de vêtements et de chaussures que les martyres devaient enlever avant d'être sacrifiées, beaucoup de petites chaussures, des chaussures d'enfants... Dans ces seuls camps allemands, un million sept cent quinze mille Juifs furent assassinés du 15 avril 1942 au 15 avril 1944. »

« Non. Ce n'est pas possible. Non. Ferme la radio ! me dis-je. Qu'il se taise ! »

Mais je ne pouvais faire le moindre geste, et Mann poursuivit son récit.

« ... Les restes des corps brûlés étaient réduits en poudre, conditionnés puis expédiés en Allemagne pour fertiliser les sols allemands... »

« Maman ! »

« Ce ne sont là que quelques exemples des choses que vous découvrirez. L'exécution des otages, le meurtre de prisonniers, la salle de torture de la Gestapo... les bains de sang dont a été victime la population civile russe... l'assassinat planifié, délibéré et effectif d'enfants en France, en Belgique, aux Pays-Bas, en Grèce et surtout en Pologne. »

Un terrible silence se fit en moi. J'étais comme vidée de toute substance. Angela commença à pleurer. Je n'allais pas la consoler. Je m'effondrai sur le sol. Le col de mon chemisier me serrait si fort que je l'ai déchiré, juste pour respirer. Mais je ne pouvais pas respirer. Je suis restée étendue sur le sol, incapable de me relever. Angela poussait des cris aigus, à présent. Je me mis à crier, moi aussi, mais aucun son ne sortait de ma gorge, parce que les Allemands auraient pu m'entendre.

J'étais allongée par terre, incapable d'assimiler l'horreur de ce que je venais d'apprendre. Qui peut imaginer que sa propre mère soit réduite en cendres ? Personne ne peut concevoir une chose pareille.

Mon esprit se replia sur lui-même. J'ai sombré comme une pierre dans les tourments de mon âme. Le véritable sens du terme *U-boat* m'apparut clairement à ce moment-là.

J'avais l'impression d'être enterrée vivante, dans le silence, accablée de terreur. Je vivais au milieu des complices de cette horreur. Peu importait l'apparente innocence des gens ordinaires — femmes au foyer ou commerçants —, je savais que leur approbation de la guerre d'Hitler contre les Juifs avait conduit au cauchemar décrit par Thomas Mann.

Je ne sais pas combien de temps je restais par terre. Je ne sais pas quand Angela s'endormit, épuisée d'avoir trop crié.

Les jours et les semaines passèrent, et puis maman revint hanter mon imagination. Elle s'assit sur mon lit, un soir, et me dit les poèmes, depuis longtemps oubliés, que je récitais à mon grand-père. Les choses se déroulèrent ainsi, sans doute, car le lendemain matin, je les connaissais à nouveau et pus les réciter à Angela. Quand elle commença à se déplacer à quatre pattes, j'imaginai que maman battait des mains de bonheur. « Tu vois, Édith, c'est une fille intelligente. Bientôt, elle traversera en courant le pont à Stockerau... »

Un officier de la Wehrmacht s'est assis à la table de la cuisine. Il tenait sa casquette dans la main : « Il vient m'apprendre la mort de Werner », pensai-je. Des larmes chaudes coulèrent sur mon cou.

— Non, dit l'officier. Ne pleurez pas. Werner n'est pas mort. Il a été fait prisonnier par les Soviétiques. Son unité a été attaquée à Küstrin. Nos soldats se sont repliés jusqu'à ce qu'ils ne puissent plus reculer. Ils étaient cernés et ils se sont rendus. Ils ont tous été capturés.

— A-t-il été blessé ?

— Je ne crois pas.

— Oh, merci ! Quel soulagement de le savoir en vie ! m'écriai-je.

— Il ira dans un camp en Sibérie. Vous ne le verrez pas avant longtemps.

— Merci ! Merci !

Il remit sa casquette et s'en alla informer une autre femme.

À tout point de vue, cette situation m'apparaissait comme la meilleure issue possible. Werner était sain et sauf et il ne faisait pour moi aucun doute qu'il se débrouillerait mieux que n'importe quel autre soldat allemand dans ce camp de prisonniers. Je l'imaginais dans la même situation que ma sœur Hansi : parfaitement en sécurité dans un pays allié. Ses frères, Bert et Robert, ne devaient pas avoir la même chance ; ils décédèrent de leurs blessures dans un hôpital de campagne. Quant au mari d'Hilde Schlegel, Heinz, il fut tué au cours d'une des dernières batailles sur le front de l'Est. Elle confia sa fille Evelyn à sa mère car l'occupation de la ville la plongeait dans une inquiétude folle.

— Tout le monde dit que les Soviétiques sont des monstres qui vont nous violer, toutes autant que nous sommes, dit-elle. On m'a dit qu'avant de tirer des soldats russes attachent de pauvres vieilles sur la bouche de leurs canons.

Après tout ce que j'avais appris sur les horreurs de cette guerre, je ne répondais plus qu'en manifestant mon incrédulité, en disant : « Ah, mais c'est de la propagande. »

— Peut-être devrais-tu faire comme Werner — retirer tout ton argent. Comme ça, tu pourras soudoyer quelqu'un si nécessaire.

— *Ach*, mais c'est une idée épouvantable, Grete. Mon argent est en sécurité à la banque. Les Soviétiques ne pourront jamais s'en emparer.

Le samedi de Pâques 1945, Brandenburg fut bombardé. Le gaz et l'électricité furent coupés. Les SS firent venir une brigade de soldats russes pour qu'ils creusent des tranchées devant nos immeubles et nous défendent. Je suppose qu'il s'agissait de prisonniers de guerre. Mais ces hommes avaient tellement peur de l'Armée rouge qui se rapprochait que les SS les retirèrent rapidement.

Une sirène retentit pendant une heure. Il fallait comprendre que Brandenburg était tombé. Nous nous précipitâmes dans les abris avec peut-être une vingtaine d'enfants. Une petite fille pleurait et hurlait parce qu'elle avait laissé sa poupée en haut et qu'elle avait peur de la perdre sous les bombes. Devant tant de détresse, sa mère ne put résister et remonta chercher la poupée. Quand elle redescendit, une bombe heurta le toit dans un tel fracas que la mère, affolée, lâcha la poupée. Finalement, non seulement la petite fille continua de pleurer, mais sa mère aussi. Tout le monde était tendu, effrayé.

Je m'étais allongée sur mon matelas pour dormir un peu, serrant une Angela bien sage dans mes bras, avec la certitude que nos sauveurs arriveraient bientôt. Un des hommes âgés de la défense passive descendit pour nous dire qu'un train d'approvisionnement bourré de denrées alimentaires s'était arrêté sur la voie ferrée. Beaucoup de gens sortirent pour aller profiter de l'aubaine. Au retour, ils partagèrent ces denrées avec nous. Puis un soldat allemand vint nous réveiller : « Les Soviétiques sont arrivés, il est temps d'évacuer la ville. »

Alors, il ne me restait qu'à agir comme tout le monde, prendre la fuite avec mon bébé dans son landau. Partout, des soldats nous indiquaient la direction à prendre. Tout le monde courait. La ville était en flammes. La Wehrmacht faisait sauter des ponts derrière nous pour ralentir l'avance des troupes russes. Peu avant la tombée du jour, j'arrivai dans une petite ville aux alentours de Brandenburg. J'entrais précipitamment dans une étable pour m'y cacher. Angela enveloppée dans mon manteau, le sommeil finit par nous gagner toutes les deux. À mon réveil, le ciel était rouge de feu. Angela aussi : son corps était couvert de boutons rouges et elle avait une forte fièvre. Elle avait la rougeole.

Je n'avais rien pour la soigner, pas d'eau, rien. J'allais de maison en maison, pleurant, suppliant que l'on me laisse entrer avec mon enfant si malade. Un voisin de Brandenburg s'aperçut de ma détresse et intercéda en ma faveur. Tout le monde refusa de m'aider. Tout le monde avait peur. Finalement, dans la dernière maison, la plus petite, une femme et sa fille me laissèrent entrer. Elle avaient eu toutes les deux la rougeole. Elles me dirent de mettre Angela à l'ombre et de lui donner de l'eau.

J'avais l'impression que toute la population de Brandenburg était venue se réfugier dans cette petite ville. L'armée suivit de tout près les civils — une armée que l'on croyait invincible et qui était à présent complètement défaite, affolée à l'idée de tomber entre les mains des Soviétiques. Des soldats entrèrent dans la petite maison pour se cacher et prendre un peu de repos. L'un d'eux avait une radio à piles. Nous nous étions tous rassemblés autour de l'appareil, moi, mon enfant malade, la vieille dame et sa fille, et les soldats hagards. L'amiral Doenitz prit la parole. Il déclara que l'Allemagne ne pouvait plus assurer sa défense, que la guerre était perdue et que les citoyens allemands devaient obéir aux ordres des vainqueurs.

Le silence se fit. Personne ne pleura, pas même un soupir.

— Bon, quelqu'un a-t-il faim ? questionnai-je.

Ils me regardèrent bouche bée.

— Allez demander aux paysans du coin de la farine, des œufs, du lait, du jambon et du pain. Rapportez tout ça ici, laissez vos armes dehors, et je vous ferai quelque chose de bon à manger.

Et comme cela toute la journée, je fis des centaines de délicieuses crêpes viennoises. La vieille dame et sa fille les servirent aux nombreux soldats de la Wehrmacht qui entraient sans arrêt dans la petite maison.

Soudain, devant mon fourneau, je me mis à chanter une complainte surgie du fond des âges.

« Un jour, le Temple sera reconstruit
Et les Juifs retourneront à Jérusalem.
C'est ainsi qu'il est écrit dans le Livre Saint.
C'est ainsi qu'il est écrit. Alléluia ! »

L'un des soldats me chuchota à l'oreille :

— Ne vous réjouissez pas trop vite, madame, Hitler pourrait vous entendre.

— Hitler s'est suicidé, sergent. J'en suis sûre. Hitler et Goebbels n'ont pas attendu les Soviétiques comme nous, les gens ordinaires. C'est pour ça que c'est l'amiral Doenitz qui a parlé à la radio.

— On ne sait jamais, dit-il. Il faut être prudent.

Au milieu de cette terrible défaite, alors que le ciel était embrasé par les bombes et que retentissaient les canons russes, ce soldat avait toujours peur de s'exprimer librement. C'était l'habitude du silence, voyez-vous. Cette habitude s'insinuait en vous, elle contaminait chaque individu, l'un après l'autre. Ce n'était pas de la rougeole dont les Allemands auraient dû avoir la phobie, mais plutôt du silence. Avant de s'en aller, ce soldat me donna quelques comprimés de glucose, des pilules de sucre, comme nous les appelions. Elles devaient se révéler extrêmement précieuses !

À présent, dans cette petite ville, chaque maison arborait le drapeau blanc de la reddition — un chiffon, un drap, une serviette. Mes deux gentilles hôtesses n'avaient aucune envie de souhaiter la bienvenue à l'Armée rouge, aussi étaient-elles parties. N'ayant pas trop envie de les recevoir moi-même, je décidai de retourner à Brandenburg. J'emportai autant de nourriture que je pus et repartis à pied avec Angela, vers l'est, tandis que les soldats allemands vaincus se dirigeaient vers l'ouest.

Je tombai sur un pont, enjambant un fossé très profond, coupé en deux. Ses deux parties étaient reliées par une porte de toilettes, le genre de porte en bois qu'ils avaient à la campagne, avec un cœur découpé au centre. Cette petite porte était tout juste assez large pour les roues du landau. Je jetai un coup d'œil en bas à travers l'ouverture en forme de cœur et je vis des blocs de pierre, des débris... la mort. J'imaginais que le landau, avec le bébé, basculait dans le vide.

« C'est la fin », me dis-je

Je fermai les yeux et traversai la porte à toute allure. Quand je rouvris les yeux, Angela était assise et me regardait. Sa fièvre était tombée.

La route de Brandenburg était jonchée de cadavres d'Allemands. Les plus chanceux avaient un journal sur leur visage. Je m'efforçais de ne pas leur marcher dessus, mais, parfois, il était impossible de les contourner. Les bombardements avaient provoqué d'énormes décombres. Je dus soulever le landau pour les escalader. Les Soviétiques descendaient la rue, dominant la ville du haut de leurs immenses chevaux.

Je rencontrai par hasard Frau Ziegler, ma voisine. Sa grossesse était bien avancée. Comme moi, elle poussait son deuxième enfant, un petit garçon, dans un landau. Nous décidâmes de rester ensemble et d'essayer de rejoindre notre immeuble.

À la banque, les Soviétiques avaient pénétré par effraction dans la chambre forte et s'étaient emparés de tous les Reichsmarks, qu'ils jetaient à présent dans la rue. Le vent, rendu chaud par les feux qui s'élevaient un peu partout, emportaient les billets comme des feuilles d'automne. Les Allemands se mirent à courir après les billets, ce qui fit hurler de rire les Soviétiques. Notre maison sur la *Immelmannstrasse* était en train de brûler. Les soldats russes avaient pris les matelas, les couvertures et les oreillers, et les avaient jetés dans le terrain vague de l'autre côté de la rue. Là, ils observaient l'immeuble brûler, paresseusement allongés en fumant et en riant. Une grande partie de la façade s'était effondrée, mettant à découvert la cave où j'avais caché la précieuse valise que maman avait confiée à Pepi. Je pouvais la voir, miroitant dans une brume de chaleur et de fumée.

« Il faut que je récupère cette valise ! » Je m'étais entendue hurler me précipitant comme une folle dans les flammes. La chaleur terrifiante me fit battre en retraite. Frau Ziegler me suppliait d'oublier cette valise. Que pouvait-elle donc contenir de si important qui vaille la peine de risquer sa vie ? Mais je me ruai à nouveau dans la cave. La chaleur était insupportable, les flammes léchaient mes sourcils et mes cheveux. « Au secours ! Aidez-moi ! Il faut que je récupère cette valise ! Au secours ! »

Un soldat soviétique qui observait la scène s'enveloppa d'un dessus-de-lit et courut jusqu'à la cave pour saisir ma valise. Je l'en remerciais je ne sais combien de fois. Je crois même lui avoir embrassé les mains. Lui et ses camarades m'observaient avec curiosité tandis que j'ouvrais la valise, imaginant, je suppose, qu'elle contenait quelque chose d'extrêmement précieux — des bijoux, de l'argent ou des tableaux de maître. Quand ils virent qu'il ne s'agissait que d'un livre bleu et élimé, maladroitement relié, ils ont dû croire que j'étais folle.

Notre immeuble n'étant plus qu'un amas de ruines, nous avions à chercher un endroit où passer la nuit. Dans la rue, notre médecin, le vieil homme qui s'était occupé de nos enfants, nous indiqua une école de filles toute proche. Là, les enseignants nous montrèrent une petite pièce, une sorte de cagibi, derrière l'estrade de la salle de réunion. Il y avait deux brancards, un balai et un évier. Nous étions épuisées, tout comme nos enfants. Il ne nous restait qu'à nous allonger sur les brancards pour dormir, sans même songer à fermer la porte à clé.

Une sorte de lamentation, une plainte basse, continue, me réveilla en pleine nuit. Elle semblait provenir à la fois du ciel et de la terre. À l'extérieur de la petite pièce où nous étions tapies, des soldats ivres de l'Armée rouge allaient et venaient. Peut-être pensèrent-ils qu'il s'agissait d'un placard car ils n'y entrèrent pas. Frau Ziegler et moi, nous restâmes là toute la nuit en nous tenant par la main. Nous osions à peine respirer et priions pour que les enfants demeurent tranquilles.

Le matin, notre quête d'un appartement abandonné recommença. Nous devions finir par le trouver. Les portes ne fermaient pas, les fenêtres non plus, mais plus personne ne faisait attention à ce genre de problèmes. Nous n'avions rien à manger, à l'exception de quelques crêpes froides. Dans la rue, toutefois, il y avait une prise d'eau en état de marche. Je pus nourrir mon bébé en dissolvant les comprimés de glucose dans l'eau.

Le viol systématique des femmes se poursuivit à Brandenburg pendant quelques jours, puis cessa brusquement. La plupart des femmes purent trouver refuge chez des parents. Ce fut ainsi que Frau Ziegler me quitta pour aller s'installer chez sa mère. Mais moi, j'étais seule, aussi devais-je rester dans cet appartement, à proximité de la prise d'eau.

Je partis à la recherche d'Hilde Schlegel.

Son immeuble sur la *Wilhelmdorfer Landstrasse* n'avait pas été détruit. Elle était assise sur une chaise, contemplant la ville dévastée à travers la fenêtre, les carcasses fumantes des bâtiments, les Soviétiques qui flânaient tranquillement, une cigarette aux lèvres. Ses yeux étaient cernés de contusions violacées. Son nez était plaqué de sang séché. Sa robe était déchirée.

— J'aurais dû faire comme tu m'avais dit, dit-elle. J'aurais dû retirer l'argent de la banque pour essayer de le soudoyer. Je lui ai proposé la montre d'Heinz, mais il en avait déjà plusieurs.

Elle ne pleurait pas. Je crois qu'elle avait épuisé toutes ses larmes.

— Dieu merci, mon enfant était chez ma mère.

— Notre vieux pédiatre est dans le coin. Il pourrait peut-être t'aider...

— Non, ça ira. J'ai de l'eau. J'ai de quoi manger.

Elle regarda autour d'elle, bien consciente qu'une page de sa vie était définitivement tournée, une existence qui lui manquait déjà, comme lui manquaient son Führer, sa jeunesse hitlérienne et le régime qui lui avait fait découvrir le goût du vrai beurre.

— C'était le plus bel appartement que j'aie jamais eu, dit-elle.

Au bout d'un certain temps, les propriétaires de l'appartement où je m'étais installée revinrent. Surpris et enchantés que je n'aie rien volé, ils acceptèrent que je reste là. Je me demande encore comment mon bébé et moi avons échappé à la famine. Chaque jour était un combat incertain pour trouver de quoi s'alimenter. Nous faisions la queue pendant des heures pour un peu de nourriture (pâtes, haricots secs, pain noir). En guise de petit déjeuner, nous nous contentions d'une soupe de farine trop claire additionnée de sel. Angela l'avalait avec un peu de sucre. J'étais si maigre et si faible qu'il m'était parfois impossible de la soulever.

Bientôt, il n'y eut plus un seul chien ni un seul chat encore vivant dans la ville.

Durant des mois et des mois, ce fut l'anarchie : ni transport, ni électricité, ni eau au robinet. Tout le monde volait et tout le monde crevait de faim.

Toutes les ampoules, dans tous les immeubles, avaient été dérobées. Si l'on était invité à manger, il fallait apporter son propre couvert. Le courrier arrivait dans un chariot tiré par un cheval. Pepi m'envoya une carte postale en 1945. Je la reçus en juillet 1946. Les cigarettes devinrent une unité monétaire. Les Américains disaient en plaisantant qu'on pouvait s'offrir n'importe quelle femme en Allemagne pour quelques cigarettes. En certains endroits de la ville, les Allemands venaient proposer aux soldats britanniques et américains, en échange de produits de première nécessité, leur vaisselle de porcelaine, leurs articles en dentelle et leurs horloges d'époque (les Soviétiques, eux, n'avaient pas le droit de frayer avec les Allemands).

Immédiatement après l'arrivée de l'Armée rouge, tout le monde se mit à porter un brassard blanc en signe de reddition. Pas moi. Après tout, j'étais dans le camp des vainqueurs. Les travailleurs étrangers se débrouillèrent pour arborer les couleurs de leur pays sur leurs manches, afin que les Soviétiques sachent qui ils étaient et leur donnent de quoi manger pour le long et pénible trajet du retour au pays. Je vis un homme arborant les couleurs du drapeau autrichien — rouge, blanc, rouge. Je décidai de faire comme lui et les Soviétiques me fournirent un peu de nourriture.

Ils ouvrirent les portes des prisons et libérèrent

tous les prisonniers sans distinction : assassins, voleurs et prisonniers politiques. L'un de ces derniers remarqua mon brassard alors que je faisais la queue pour obtenir quelques produits alimentaires, et me dit, sur un ton joyeux, qu'il était lui aussi originaire d'Autriche et qu'il avait fait de la prison pour « menées subversives au sein de l'armée allemande. » Il me demanda mon adresse. Il partit, puis je l'oubliais. Plus d'une semaine plus tard, un camion s'arrêta devant notre immeuble et le chauffeur déchargea des pommes de terre, des légumes et même des fruits. Pour nous, c'était une manne providentielle.

— C'est un cadeau de l'Autrichien, dis-je à mes voisins ahuris. Je ne connais même pas son nom.

— C'est un ange envoyé par Dieu, dit une vieille dame.

Il fallut attendre presque six mois avant qu'on nous distribue des tickets de rationnement. Nous eûmes droit à un litre de lait écrémé par jour et par enfant. Jusque-là, nous avions vécu avec l'argent que j'avais retiré à temps de la banque. Je gardais cet argent sur moi ou je le cachais dans le landau. Mais, à présent, il ne m'en restait plus. Il me fallait un travail, mais pour en trouver un, j'avais besoin de papiers en règle. C'était pour moi un vrai problème parce que j'avais encore peur de révéler que j'étais juive.

Durant la guerre, personne ne parlait des Juifs. Pas un mot. C'était comme si personne ne se souvenait qu'il y avait peu encore, des Juifs vivaient dans ce pays. Désormais, les Allemands craignaient par-dessus tout que les Juifs ne reviennent pour se venger. Chaque fois qu'un groupe d'étrangers arrivait en ville, mes voisins étaient tendus et inquiets : « Est-ce que ce sont des Juifs ? » Sans doute s'attendaient-ils à affronter des individus haineux et armés jusqu'aux dents, prêts à appliquer la loi du talion. Quelle plaisanterie ! Personne ne pouvait alors imaginer l'étendue de la destruction qui avait frappé le peuple juif, ni l'état de malnutrition, de maladie et d'épuisement dans lequel se trouvaient les rares survivants. Dans un tel climat, j'avais peur de révéler que j'étais juive. Je craignais que les gens qui m'hébergeaient — et dont la maison et les vêtements pouvaient très bien avoir appartenu à des Juifs — ne me soupçonnent de vouloir leur voler quelque chose. Ils auraient pu nous jeter à la rue, Angela et moi.

Ce ne fut qu'en juillet, deux mois après la victoire russe, que je découpai la couverture du livre de Goethe pour en retirer mes véritables papiers. J'allai voir un avocat, le Dr. Schütze. Il engagea une procédure judiciaire pour que mon nom officiel fût désormais Edith Vetter née Hahn, et non plus Grete Vetter.

Ensuite, j'allai à la station de radio où je demandai à ce que le nom de ma mère soit diffusé tous les jours lors de l'émission sur les personnes disparues : « Si quelqu'un sait où se trouve Klothilde Hahn de Vienne, couturière qualifiée, déportée en Pologne en 1942, si quelqu'un l'a vue ou a entendu parler d'elle, qu'il contacte sa fille... »

Les communistes qui revenaient des camps confirmèrent le récit de Thomas Mann. L'un d'eux me raconta que son travail au camp consistait à chercher dans la doublure des vêtements des Juifs envoyés dans les chambres à gaz l'argent ou les bijoux qui pouvaient s'y trouver. Je me souvins du manteau marron de ma mère, de ses jolis chemisiers en soie. J'imaginai cet homme en train d'en déchirer les coutures.

Non. Non. Ce n'était pas possible.

Voyez-vous, je ne pouvais accepter l'idée que maman ait connu un tel sort. Cela m'était tout simplement impossible. Ce n'était pas une attitude complètement insensée car, chaque jour, des gens que l'on croyait morts sortaient des décombres pour se réfugier dans les bras de leurs proches. Aussi, devais-je continuer à lancer des appels à la radio. J'espérais son retour.

Au bureau central de l'état civil, à ma grande horreur, je me retrouvai face au fonctionnaire qui avait présidé à notre cérémonie de mariage.

— Ah, Frau Vetter ! Je me souviens très bien de vous.

— Moi aussi, je me souviens de vous.

— Les certificats de votre grand-mère maternelle font toujours défaut. Maintenant que nos amis russes sont là, peut-être pourront-ils vous les procurer.

— Je ne crois pas. C'étaient de faux papiers.

— Quoi ?

— Voici mes véritables papiers d'identité. Et voici une décision judiciaire vous ordonnant de m'enregistrer sous ma véritable identité.

Il regarda mes papiers juifs d'un air surpris, choqué.

— Vous m'avez menti ! s'exclama-t-il.

— Bien entendu !

— Vous avez falsifié vos certificats !

— Exact.

— Savez-vous que c'est un crime contre l'État ?

Je me penchai vers lui. Près, tout près. Je voulais qu'il sente mon haleine.

— Eh bien, je ne crois pas que vous puissiez trouver aujourd'hui un seul procureur à Brandenburg qui accepterait de m'inculper pour un tel motif.

Pour la première fois depuis des années, j'étais

redevenue moi-même. Quelle impression cela me fit-il ? Eh bien, je dois vous dire que cela ne me fit rien du tout. Parce que, voyez-vous, je ne pus immédiatement retrouver l'ancienne Edith. Au tréfonds de son être, elle était toujours un *U-boat*. Comme tous les autres survivants juifs, il lui était difficile de retourner si vite à la vie. Cela prit du temps, beaucoup de temps.

Une éternité.

Munie de ma nouvelle identité, j'allai voir le maire de la ville, un communiste qui avait passé de nombreuses années dans un camp de concentration.

— Dans quel camp étiez-vous ? me demanda-t-il.

— Je m'en suis sortie en me passant de camp, ironisai-je.

Il examina mes diplômes et vit tout de suite que j'avais les qualifications d'un avocat stagiaire, d'un *Referendar*. Alors, il m'adressa au tribunal de Brandenburg, où je devais décrocher immédiatement un poste. Une vie nouvelle, aussi inespérée que cela paraisse, s'ouvrait alors devant moi.

12

REFAIRE SURFACE

L es nazis de haut rang avaient depuis longtemps décampé avec leur butin. Il ne restait plus à Brandenburg qu'un grand nombre de petits nazis qui s'efforçaient de dissimuler leurs antécédents. Toutefois, le tribunal et toutes ses archives n'avaient pas été bombardés, aussi les Soviétiques savaient-ils assez précisément qui était nazi et qui ne l'était pas. Ces archives contenaient des lettres se terminant par *Heil Hitler*, écrites par des gens que l'on côtoyait tous les jours. Les plus enthousiastes rajoutaient *Gott Strafe England* ! — Puisse Dieu détruire l'Angleterre ! Dans ces conditions, rares étaient ceux qui pouvaient mentir sur leur passé pour s'en tirer à bon compte. Les Soviétiques, contrairement aux Américains et aux Britanniques, refusaient de recourir aux services d'anciens nazis. C'est pourquoi ceux d'entre nous qui avaient une authentique formation juridique et qui n'étaient pas nazis étaient devenus subitement une denrée rare et très recherchée en raison de la pénurie de personnel qualifié.

Le 1er septembre 1945, je pris pour la première fois mes fonctions au second étage du tribunal régional. Le président du tribunal — Herr Ulrich — me donna de vieux dossiers à étudier pour que je puisse me remettre à niveau et bien maîtriser le système judiciaire. Juriste distingué, congédié pour avoir refusé d'adhérer au parti nazi, il éprouvait à présent une joie profonde lorsqu'il interrogeait des anciens nazis : « Dites-moi, monsieur, étiez-vous membre du parti ? » Alors, il se renversait dans son fauteuil pour mieux observer ces gens qui se tortillaient, transpiraient en débitant leurs mensonges.

Mon premier poste fut celui de *Rechtspleger*, un greffier de justice qui conseillait et orientait le public. Après quelque temps, je fus nommée juge au sein d'une commission exceptionnelle de trois magistrats assistés de deux assesseurs non professionnels (il aurait été impossible de constituer un jury de douze personnes sans antécédents nazis). L'administration du tribunal, dominée par les Soviétiques, me demanda de présider un tribunal spécial traitant des affaires politiques. Je refusai et j'occupai finalement le poste de juge au tribunal de la famille.

Ma plus grande ambition, stimulée par l'affaire Halsman et par ma relation avec Pepi, ambition à laquelle j'avais renoncé depuis longtemps, renaissait à présent pour devenir une réalité. J'étais juge.

On m'avait attribué un bureau. J'avais revêtu la robe. Au moment où je m'apprêtais à entrer dans la salle d'audience, l'huissier criait : « Messieurs, la Cour ! » Les gens se levaient et restaient debout jusqu'à ce que je m'asseye. Ce fut la plus belle période de ma vie, la seule et unique circonstance où je pus exploiter au maximum mes capacités intellectuelles — un plaisir indescriptible — et où je pus prendre part, si peu que ce fût, au soulagement des souffrances de ce monde.

Peu après ma nomination au poste de juge, je tombai malade — une éruption cutanée due à des carences alimentaires. En outre, je souffrais d'une déformation des pieds parce que j'avais longtemps porté des chaussures trop petites. J'étais épuisée. Je fus hospitalisée après avoir confié Angela à ma propriétaire.

Une fois rétablie, je sollicitai un nouvel appartement au bureau du logement. Cela prit deux mois, mais on m'attribua finalement un magnifique appartement avec balcon sur la *Kanalstrasse*, dans le plus beau quartier de la ville. Il avait appartenu à un avocat nazi qui avait pris la fuite.

Un homme qui avait repris une usine de meubles confisquée à des Juifs par les nazis me vendit du mobilier à bon prix. Je me souviens d'un magnifique bureau, orné de motifs décoratifs en laiton et de pieds semblables à des griffes de lion. On aurait dit qu'il provenait d'un palais, un véritable bureau de SS. Pour parfaire ma bonne fortune, le directeur de la compagnie d'électricité, un communiste de retour des camps, résidait dans mon immeuble et fit en sorte de nous raccorder au réseau soviétique. Ainsi, contrairement à la plupart des Allemands de Brandenburg, nous avions la lumière.

Vous vous demandez peut-être ce que nous pouvions manger à cette époque. Eh bien on se débrouillait comme on pouvait avec l'aide des amis.

Ayant rejoint l'organisation, *Victimes du fascisme*, j'y retrouvais de très nombreuses personnes qui, comme moi, avaient survécu au nazisme. Il ne s'agissait pas uniquement de communistes, mais aussi de Juifs qui avaient traversé la guerre sous une fausse identité, ou en se cachant à la campagne. D'autres encore s'étaient échappés de marches de la mort ou de camps de concentration. Découvrir que d'autres avaient pu survivre constitua un événement extrêmement important pour moi. Nous nous dévisagions et, sans échanger un mot, nous devinions nos tragédies. Ce que j'avais

cherché désespérément lors de mes séjours successifs à
Vienne — une pause dans mon existence faite de mensonges, de camouflage et de peur, *quelqu'un qui pourrait
comprendre* — je le trouvais à présent au sein de *Victimes
du fascisme.*

Mes nouveaux amis m'avaient offert une bouteille
de vin. Je l'échangeai contre une bouteille d'huile de
cuisson avec un soldat soviétique, un troc qui fit le bonheur des deux parties.

Un jour, je fis la connaissance d'Agnès, une jeune
femme de mon âge, en attendant avec elle la soupe
populaire. Par la suite, alors que nous étions devenues
amies, elle vint chaque jour à l'hôpital m'apporter
quelque chose à manger. Son frère avait été dans les SS.
Son mari — je crois qu'il s'appelait Heinrich — avait
passé dix ans au camp de concentration d'Oranienburg
parce qu'il était communiste. Vers la fin de la guerre, il
s'était enfui et avait été recueilli par des camarades du
parti qui distribuaient des tracts aux travailleurs étrangers afin de les encourager à commettre des actes de
sabotage. Il était à présent fonctionnaire à la municipalité de Brandenburg. Son rang était si élevé dans la hiérarchie du Parti communiste, qu'il *avait une voiture.*

Et puis, il y avait Klessen, le pêcheur. Durant la
guerre, il avait prêté son bateau de pêche aux communistes qui en firent un quartier général flottant où ils
imprimaient des tracts antinazis. Klessen avait perdu
son plus jeune fils à Stalingrad. Un jour, un officier nazi
qui avait affrété son bateau évoqua avec tant d'indiffé-
rence les pertes en vies humaines au combat que Klessen, fou de rage, l'abattit d'un coup de pistolet. Bien
sûr, il avait dû prendre la fuite. Il s'était caché dans une
forêt et, la guerre finie, était revenu chez lui.

Les Soviétiques avaient confiance en lui. Lui et sa
femme étaient devenus mes amis. Ils me donnaient de

telles quantités de poisson, de légumes et de pommes de terre qu'il m'en restait suffisamment pour en envoyer à tante Paula et à ma belle-sœur Gertrude, à Berlin. Un jour, Klessen entra dans mon cabinet de consultation avec un sac d'anguilles qu'il avait prises avec un piège de son invention. Je les plaçai dans le tiroir de mon bureau. Plus tard, alors que je m'entretenais avec quelqu'un, le bureau s'est soudain mis à trembler : les anguilles bougeaient encore !

Dès que j'avais été nommée au tribunal, j'avais demandé à l'administration soviétique — la *Kommandatura* — d'intervenir pour faire sortir Werner de Sibérie.

« Mon mari est un officier allemand, mais il n'a été capturé qu'à la fin de la guerre et n'a pratiquement pas accompli de service actif. Il est handicapé, à moitié aveugle. Il ne mérite pas de croupir dans un camp de prisonniers. C'est un homme bon qui m'a cachée et qui m'a aidée. Je vous en prie... libérez-le. »

Il faut que vous sachiez que, lorsque l'on demandait quelque chose à ces Soviétiques, ils ne disaient jamais oui ou non. Comme ils ne disaient rien, il était impossible de savoir comment la situation allait se résoudre. Aussi, je continuais sans relâche à les solliciter, sans jamais obtenir de réponses de leur part.

Peu à peu, le courrier fonctionna de nouveau ainsi que, de temps à autre, le téléphone. Je pus ainsi avoir des nouvelles de mes proches. Ma petite sœur Hansi était rentrée à Vienne avec l'armée britannique et elle s'était aussitôt rendue chez Jultschi. Le bonheur de leurs retrouvailles s'était répandu comme un torrent jusque dans ma petite ville en ruine. Peu à peu, j'eus des nouvelles des autres membres de ma famille : ma cousine Elli était saine et sauve à Londres ; Mimi et Milo vivaient en Palestine ; mon cousin Max Sternback, l'artiste, avait survécu en se faisant passer pour un prisonnier français ; Wolfgang et Ilse Roemer avaient été sauvés par des Quakers ; mes cousins Vera et Alex Robichek avaient survécu à leur exil italien ; et oncle Richard et tante Roszi vivaient tranquillement à Sacramento. Pouvais-je imaginer que presque tous les autres avaient été assassinés ? Mes amis de Vienne, les filles de l'*Arbeitslager*, les nombreux membres de ma famille, tous disparus... Comment aurais-je pu imaginer une chose pareille ?

Mon travail de juge était centré sur les enfants. En ce temps-là, beaucoup d'enfants allemands indigents mendiaient dans les gares, dormaient sur des tas de chiffons, à même le trottoir. Bien entendu, ils basculaient dans la délinquance. Ils revendaient au marché noir des produits alimentaires précieux. Ils vendaient leurs sœurs et se vendaient eux-mêmes. Ils volaient tout ce qu'ils pouvaient trouver. Ces jeunes étaient conduits au tribunal de la famille. Je ne les envoyais jamais croupir aux côtés de criminels endurcis. Je les condamnais systématiquement à un travail en plein air — enlever les décombres, paver les rues — en me souvenant des champs d'asperges d'Osterburg, la moins pénible de mes prisons.

Les Russes recherchèrent dans tous les pays les enfants issus d'unions entre Allemandes et travailleurs forcés : ils les arrachaient des bras de leur mère, naturelle ou adoptive, pour les envoyer en Union soviétique. C'était une mesure de représailles pour répondre au rapt inhumain, par les nazis, de milliers d'enfants soviétiques, condamnés au travail forcé, ou bien envoyés en Allemagne pour être « aryanisés ».

Ce qui ressort de la politique des nations constitue souvent une tragédie au plan personnel. Ainsi, Karla, mon ancienne voisine du dessus, vint me voir au tribunal :

— Est-il vrai que tu es juive, Grete ?

— Oui. En réalité je ne m'appelle pas Grete, mais Edith.

— Alors peut-être comprendras-tu mon problème. Tu sais, nous n'avons pas d'enfants, mon mari et moi, et il nous était impossible d'en adopter, malgré le grand nombre d'enfants adoptables, parce que nous n'étions pas membres du parti nazi.

— Ah, c'est pour ça que...

— Nous avons alors trouvé un enfant, la fille d'un prisonnier français et d'une fille de ferme de Prusse-Orientale. Nous avons donné à sa famille tout l'argent que nous avons pu réunir. Et tu sais à quel point j'aime ma petite Elsie ; elle est toute ma vie. Mais les Soviétiques kidnappent tous ces enfants maintenant, Grete... Je veux dire, Edith... et c'est pourquoi nous nous sommes enfuis si rapidement avant l'aube l'autre jour... (Elle baissa les yeux) mais aussi pour laisser l'appartement à mon frère...

— Oui, je comprends.

— J'ai enfreint je ne sais combien de lois, signé toutes sortes de faux documents pour que personne ne retrouve ses origines et pour que l'on croie qu'elle est véritablement ma fille. Mais aujourd'hui, on est en train d'enlever tous ces enfants, et j'ai tellement peur. Oh, pas d'aller en prison ; je serais ravie d'aller en prison, mais j'ai peur de perdre mon enfant. Grete ... Je veux dire Edith... Je ferais n'importe quoi pour garder mon enfant. Peux-tu m'aider ?

— Oui.

Je le fis car c'était à mon tour de sauver quelqu'un.

Je fus souvent confrontée à des conflits juridiques concernant la garde d'enfants d'officiers allemands prisonniers. Il s'agissait de divorcés dont les enfants étaient confiés à la nouvelle épouse. La véritable mère des enfants réclamait leur garde exclusive sous prétexte que le père, nazi, ne pouvait les éduquer « dans l'esprit de la démocratie ». Je pensais souvent à mon Werner perdu dans les neiges de Sibérie. Je pensais à Élisabeth qui essayait de profiter de l'occupation russe pour éloigner Bärbl de Werner, et jamais je ne donnai mon assentiment à ce type de requête. Jamais.

Un vieux magistrat à la retraite, à qui l'on avait demandé de reprendre du service, me dit qu'il avait jugé pendant la guerre le cas d'un demi-Juif marié à une aryenne. Quand cet homme fut contraint par les nazis à nettoyer les rues, il éructa les pires insultes à l'encontre de Goebbels, le ministre de l'Information et de la Propagande. La police voulait l'expédier dans un camp de concentration, mais le vieux juge se contenta de lui infliger une amende pour diffamation en le suppliant, dans l'intérêt de sa famille, d'éviter à tout prix ce genre de manifestation à l'avenir.

En 1946, la fille de ce même homme vint me voir pour me demander de l'aider à émigrer en Palestine. C'était une mission impossible, ou presque. Il y avait environ cent mille Juifs survivants en Europe qui voulaient à tout prix quitter le continent où six millions de leurs frères avaient été exterminés. L'Angleterre refusait de les laisser entrer en Palestine et elle était encore moins disposée à laisser entrer une Allemande qui n'était que partiellement juive par son père.

Cette fille alla frapper à toutes les portes que j'ai pu lui indiquer — celles de l'American Joint Distribution Committee, de l'Agence juive, du Consulat britannique — et, finalement, elle réussit à émigrer en Israël. Elle s'est mariée dans ce pays où ses parents l'ont rejointe.

À la fin de la guerre, bon nombre de gens s'étaient suicidés. Non seulement Hitler et Goebbels, mais aussi ma professeur et son mari, un juge nazi, ainsi que mon professeur de latin originaire du Tyrol du Sud. Aussi, quand on m'annonça qu'une femme qui avait tenté de se suicider tenait absolument à me voir, je me dis qu'il s'agissait d'une nazie qui craignait de finir au goulag. Dès qu'elle entra dans mon bureau, je la reconnus. C'était la femme dont je m'étais occupée à la maternité du *Städische Krankenhaus*, celle que son mari violait et battait et qui redoutait tellement de rentrer chez elle. Au bout du rouleau, elle avait jeté ses enfants dans le fleuve et s'y était précipitée juste après. Un soldat russe l'avait sauvée. Elle allait bientôt être jugée pour meurtre. L'avocat qui avait été commis d'office pour la défendre s'était désisté, et je décidai donc d'assurer sa défense. Ce fut la première et la dernière fois de mon existence que j'assurais la défense d'un accusé. « C'est un acte de folie, dis-je, provoqué par un sadisme et une cruauté qui dépassent l'entendement. Qui ne sombrerait dans la folie après avoir enduré de tels tourments ? Qui ne souhaiterait voir mourir ses enfants plutôt que de les laisser vivre dans des souffrances indicibles ? Si ma mère avait su ce que la vie me réservait, elle m'aurait tuée dès ma naissance. » Cette femme fut acquittée.

Je voulais qu'Angela ait une copine de jeu durant ma longue journée de travail. Je me rendis à l'orphelinat où l'on me confia une petite fille prénommée Gretl. Elle m'appelait « Tatie » et devint comme une sœur aînée pour ma fille. Chaque soir, je leur préparais le dîner, leur racontais une histoire, puis les mettais au lit.

— Quand est-ce que maman va rentrer, Tatie ?

— Je ne sais pas, Gretl.

— Et papa, quand est-ce qu'il va revenir ? demandait Angela.

— Ils vont tous les deux bientôt rentrer, mes enfants.

— Comment il est, papa ?

Je le leur avais dit une centaine de fois, déjà, mais il fallait toujours que je me répète :

— Eh bien, papa est grand et fort. Et très bel homme. Il peint de magnifiques tableaux et il peut manger plus que nous toutes réunies !

Elles gloussaient, je les embrassais et leur souhaitais bonne nuit. Pour moi, ces moments où je regardais ces fillettes s'endormir, heureuses et en paix, les paupières lourdes de sommeil, représentaient l'image d'un bonheur parfait. Pour la première fois en dix ans, je commençais à me sentir « réelle ». J'avais un appartement convenable. J'avais des amis qui me comprenaient, avec lesquels je pouvais être moi-même et à qui je pouvais me confier. J'avais une profession merveilleuse, qui représentait une gageure pour moi et qui me permettait d'apporter un peu de bien dans ce monde. La vraie Edith Hahn était de retour. Je riais et discutais de nouveau, je rêvais d'un avenir meilleur.

Dans mon rêve, maman revenait. Bien sûr, me disais-je, elle serait vieillie et probablement épuisée après la terrible épreuve vécue dans le ghetto polonais. Mais, bien vite, après un bon repos, une bonne alimentation, notre amour et nos soins, elle redeviendrait cette mère pleine d'esprit, d'énergie, et je la garderais pour toujours à mes côtés. Jamais plus nous ne serions séparées.

Dans mon rêve, Werner revenait. Il se sentirait bien dans notre nouvel appartement. Il pourrait exercer sa profession de peintre et nous aurions à nouveau une vie de famille, peut-être même ferions-nous un autre enfant. Les yeux fermés, j'imaginais nos petits bouts de chou assis à la table du déjeuner avec leurs grandes serviettes blanches nouées autour du cou.

Hilde Benjamin, ministre dans le nouveau gouvernement, convoquait chaque mois à Berlin une réunion des femmes juges. Au cours d'un de ces voyages, j'entrai en contact avec l'American Joint Distribution Committee, une organisation juive américaine qui s'efforçait de venir en aide aux survivants de notre peuple en Europe. Le *Joint* se mit à m'envoyer chaque mois des colis : des cigarettes que je pouvais échanger contre des chaussures pour Angela, des serviettes hygiéniques, des chaussettes.

Un jour, à Berlin, je vis un soldat anglais qui escaladait un poteau pour installer des lignes téléphoniques entre les secteurs soviétique et britannique.

— J'ai une sœur dans l'armée britannique, lui dis-je, et ma cousine, à Vienne, m'a donné son adresse militaire. Mais, en tant que civile, je n'ai pas le droit de lui écrire. Pourriez-vous lui remettre une lettre de ma part ?

Il redescendit de son poteau. C'était un jeune Anglais poli avec des taches de rousseur et des dents proéminentes.

— Mais voyons, certainement, madame. Ce serait avec plaisir.

Assise sur les décombres d'un escalier, j'écrivis ma lettre, puis je la lui remis.

— Dites-lui que je suis juge à Brandenburg. Dites-lui que tout va bien et que je l'aime... C'est ma petite sœur... Dites-lui que je pense tendrement à elle tous les jours...

Quelques semaines plus tard, mon jeune ami le soldat britannique se rendit jusqu'au tribunal pour m'apporter une lettre d'Hansi. Par la suite, il devint notre intermédiaire. Hansi m'envoyait des élastiques pour mes sous-vêtements, des aiguilles à coudre et de l'huile de foie de morue grâce à laquelle j'ai pu guérir ma petite fille adorée. Elle m'apprit qu'elle avait travaillé pour l'armée britannique en Égypte. Sa tâche consistait à interroger les soldats allemands prisonniers.

— Vous parlez bien l'allemand pour une Anglaise, lui avait dit l'un d'entre eux. Où avez-vous appris un si bon allemand ?

— C'est moi qui pose les questions, maintenant, avait répondu Hansi.

Le goût de la victoire était exquis.

À l'automne de 1946, une de mes collègues m'apprit l'existence d'un camp de transit dans le secteur français où avaient été rassemblés des survivants juifs. Je continuais à diffuser le nom de maman chaque jour à la radio, mais cela ne donnait rien. Je me dis que je pourrais peut-être trouver dans ce camp quelqu'un qui l'aurait connue. En outre, nous approchions de Roch Hachana et je voulais absolument passer cette fête en compagnie de Juifs. J'ai donc demandé à mes supérieurs quelques jours de congé et ces vieux communistes me laissèrent partir.

À cette époque, les conditions de voyage étaient infernales. Les trains roulaient selon leur bon plaisir. Des panneaux de couleur verte décrivaient les terribles maladies que l'on risquait d'attraper dans les transports publics. Dans les gares, des hommes au regard furtif proposaient au marché noir des bas, du café, du chocolat et des cigarettes. Pour marcher dans les rues, il fallait escalader ou contourner des montagnes de décombres. Des conduites de chauffage sortaient des façades éventrées des immeubles, dégageant une terrible odeur de gaz. Lors de ce pénible voyage vers le camp de transit, je fus très souvent obligée de porter Angela et de pousser le landau.

Ce camp avait dû être une école. Il y avait de grandes pièces, remplies de lits, disposés comme s'il y avait eu un ouragan ou une inondation. Les personnes très âgées et les petits enfants y avaient été installés. Mais ces personnes n'étaient peut-être pas aussi âgées qu'elles le paraissaient, parce que, voyez-vous, tous ces gens avaient l'air de sortir d'une tombe : blafards, émaciés, édentés, tremblants, les yeux hagards. Je passais au milieu d'eux avec Angela dans les bras. Ils tendaient les mains vers elle, juste pour la toucher... une enfant en bonne santé. Ma mère n'était pas là.

Je confiai Angela à l'un des préposés pour me rendre de l'autre côté du camp, là où se trouvaient les jeunes. Des hommes grisonnants aux yeux vitreux essayèrent de m'attraper par le bras. L'un d'eux m'a dit :

— Viens dans mon lit, ma chérie, ça fait une éternité que j'ai pas vu une femme comme toi.

— Fous-moi la paix ! Je cherche ma mère !

— Es-tu juive ? D'où viens-tu ?

— Je suis juive, oui. De Vienne. Je recherche Klothilde Hahn !

Ils m'entourèrent. J'étais terrifiée. Je ne voyais personne qui pût venir à mon aide.

— Laissez-moi tranquille ! hurlai-je. Je suis mariée. Mon mari est un prisonnier de guerre. Il est en Sibérie. Ma fille est là, avec moi. Je suis juste venue pour fêter Roch Hachana, pour être en compagnie d'autres Juifs.

Est-il possible que vous soyez juifs ? Je n'arrive pas à le croire !

L'un d'eux me tira par les cheveux, faisant basculer ma tête vers l'arrière. Il était grand et maigre, la tête rasée, avec des yeux noirs enfoncés dans les cernes rouges de ses orbites.

— Alors, comme ça, tu es mariée à un soldat allemand, espèce de salope ! C'est pour ça que tu as l'air en si bon état, toute rose et propre.

Il se tourna alors vers ses compagnons.

— Qu'est-ce que vous en pensez, les mecs ? Elle couche avec les goys, mais elle est trop bien pour coucher avec nous.

Il me cracha dessus. Il ne lui restait plus qu'une ou deux dents qui ressemblaient davantage à des crocs. J'eus l'impression que, pour sortir de cet endroit, il me faudrait échapper à mille mains, prêtes à m'agripper. Comment ces hommes brutaux et rapaces pouvaient-ils être juifs ? C'était impossible ! Où se trouvaient donc les talmudistes posés et courtois que j'avais rencontrés à Badgastein ? Où se trouvaient les jeunes gens cultivés et brillants qui étudiaient avec moi à l'université ? Qu'est-ce que ces monstres de nazis avaient fait à mon peuple ? Pour la première fois, j'éprouvais la culpabilité atroce et irrationnelle qui ronge tous les survivants. Pour la première fois, je me dis que ma vie de *U-boat* ne se situait pas très haut sur l'échelle de la souffrance, que les expériences atroces qui avaient métamorphosé les hommes du camp de transit leur interdiraient à tout jamais de m'accepter comme l'une des leurs.

Je me mis à trembler et à pleurer de manière incontrôlable.

Je retournai de l'autre côté du camp, pour retrouver les personnes âgées, pour m'occuper des enfants, les orphelins de cet ouragan. Je les serrais contre moi.

Je les faisais jouer avec Angela. Je leur apprenais des jeux simples pour les faire sourire. En leur compagnie, je trouvai une certaine paix intérieure.

Mais la perspective du retour me plongea dans un profond découragement. Traîner et pousser le landau d'Angela jusqu'à la gare m'apparaissait à présent comme une tâche impossible. Je la confiai à un employé du camp en lui disant que je reviendrais la chercher en voiture.

À la gare, un des petits trafiquants me dit :

— Il y a un train qui passe par Brandenburg, mais c'est un train russe. Il vaut peut-être mieux qu'une femme comme vous évite ce genre de train.

Je n'avais pas le choix.

Le train arriva. Il était vide.

— C'est mon train, dit l'officier responsable.

Il avait des cheveux blonds et raides et des traits asiatiques.

— Si vous voulez voyager avec moi, vous devez vous installer dans un compartiment.

Je montai. J'étais trop tendue pour m'asseoir. Je préférais rester debout à regarder par la fenêtre. Le Soviétique vint près de moi et glissa son bras autour de ma taille.

— Je ne suis pas allemande, je suis juive.

Il retira aussitôt son bras.

— Il y a un officier juif à bord. Il est responsable de tous les trains. Venez, je vais vous conduire à lui.

L'officier juif avait des cheveux et des yeux bruns comme mon père et s'adressa à moi en yiddish.

— Je ne parle pas yiddish, dis-je.

— Alors vous n'êtes pas juive.

— Je viens de Vienne. Nous n'avions jamais appris cette langue.

— Tous les Juifs de Vienne sont morts. Disparus. Assassinés. Vous mentez.

— *Shema Israël. Adonai eloheynu. Adonai ehad.*

Je n'avais pas dit cette prière depuis l'enterrement de mon père — depuis dix ans, le temps que tout un monde disparaisse. Je me mordais les lèvres pour retenir mes larmes, appuyée sur son bureau pour ne pas tomber. Finalement, il dit :

— Ce train arrive vide dans ce maudit pays chaque semaine pour prendre des prisonniers russes et les ramener au pays. Voici les horaires. Vous pouvez le prendre quand vous voulez. Je me porte garant de votre sécurité.

Il me tint la main jusqu'à ce que je retrouve mon calme.

Mais, à vrai dire, je pense parfois que je n'ai jamais retrouvé mon calme depuis cette visite au camp de transit, dans le secteur français de Berlin. Ce que vous voyez est un masque de calme et de courtoisie. À l'intérieur, je pleure encore, et je pleurerai sans doute toujours.

Le lendemain, le mari communiste de mon amie Agnès me ramena en voiture au camp de transit où je récupérais Angela. Les employés étaient surpris. Je suppose qu'ils pensaient ne jamais me revoir. Mais je n'avais pas mis au monde ce bébé en pleine guerre pour l'abandonner ensuite.

Un soir, vers la fin de 1946, j'étais chez moi en train de travailler sur un dossier quand quelqu'un frappa à la porte. À peine avais-je ouvert qu'un homme me jeta dans les mains une boîte remplie de monocles, puis il partit comme il était venu. Je refermai la porte. Jetant les monocles sur le sol, fouillant un bon moment le revêtement intérieur de la boîte, je finis par trouver une lettre de Werner d'une écriture minuscule.

Il allait bien. Cela faisait plus d'un an que je lui écrivais, mais il n'avait reçu aucune lettre de moi jusqu'à celle datée du 31 octobre. En réalité, le seul courrier qu'il ait reçu lui était parvenu par l'intermédiaire de sa belle-sœur. Il était destiné à son frère Robert qui, blessé, se trouvait dans un hôpital militaire.

Après avoir longuement contemplé la lettre de Werner, en proie à un immense soulagement, je la lus...

« Je vous adresse, à toi et à Angelika, mes meilleures salutations et mes meilleurs souhaits. J'espère que le destin vous préservera de la pauvreté et donnera à ma très chère Grete les forces morales... pour supporter cette période de séparation... »

Le 10 mars 1945, il avait été blessé au bras droit par des éclats d'obus. Le 12 mars, il avait été fait prisonnier. Après un voyage terrifiant par transport militaire, il s'était retrouvé dans un hôpital en Pologne, où il avait guéri tant bien que mal malgré des rations alimentaires très insuffisantes. En mai, il avait été expédié dans un camp de prisonniers en Sibérie, un endroit sinistre, glacial, hideux, aussi dur que je l'avais imaginé.

Mais Werner était un homme doué de multiples talents. Il savait se rendre utile. Il effectuait des travaux de menuiserie, réparait des serrures, connectait des lampes, décorait les lugubres bureaux soviétiques, peignait des portraits que les Russes envoyaient à leur famille. Werner savait adoucir le cœur d'un supérieur en lui offrant un cadeau charmant pour sa femme. Cela me rappelait la magnifique boîte en marqueterie qu'avait confectionnée pour moi le prisonnier français.

Ses lettres étaient hantées par les craintes que suscitait l'isolement. Des craintes que je ne connaissais que trop bien ! Faisais-je tout le nécessaire pour le sortir de là ? Pouvais-je faire jouer mes relations ? Les gens, en Allemagne, se souciaient-ils encore des prisonniers de guerre ? Ceux-ci n'étaient-ils pas devenus un fardeau pour la mère patrie ?

Il me suppliait d'exposer aux Soviétiques les circonstances de notre mariage, « qui témoigne clairement de mon attitude antifasciste, bien avant la chute du régime d'Hitler ».

Il me demandait de prendre bien soin de Bärbl.

Maintenant que j'étais juge, avais-je encore besoin d'un mari ? Trouverait-il du travail à son retour ?

« C'est un indicible tourment, écrivait-il, que d'ignorer si des mains aimantes et pleines de compassion vont ou non vous réconforter après la torture de la captivité. »

Je savais exactement ce qu'il éprouvait. Je n'avais pas oublié mes lettres à Pepi : « Es-tu là ? Te souviens-tu de moi ? Est-ce que tu m'aimes encore ? »

J'imaginais le mugissement des vents polaires, les étendues sauvages d'un blanc immaculé, la succession des périodes de jours ou de nuits interminables.

Je m'adressai au président du tribunal : « Je vous en prie, Herr Ulrich, utilisez votre influence, faites revenir Werner. »

J'imaginais les rations, la dureté du pain. J'imaginais Werner tremblant sous de minces couvertures, dormant avec tous ses vêtements comme je l'avais fait moi-même, ses mains habiles enveloppées dans des gants de chiffon.

J'allai voir un avocat · « Je vous en prie, Herr Schütze, vous connaissez des Soviétiques influents. Dites-leur avec quelle bonté, quelle gentillesse Werner s'est comporté avec les Français et les Hollandais à Arado. »

J'imaginais la neige, profonde, montant jusqu'à ses genoux. Je l'imaginais travaillant aux côtés de SS, de bouchers des camps de la mort.

J'allai implorer un commandant de l'Armée rouge : « Faites-le sortir. Il est différent des autres. Il mérite de rentrer au pays, de retrouver sa femme et son enfant. Je vous en prie. » Il m'avait jeté un regard inexpressif, sans rien me promettre, mais sans rien exclure non plus.

Je poursuivais sans relâche mes démarches. J'envoyais des lettres à Berlin, je sollicitais toutes les administrations possibles et imaginables. J'avais beau me démener pour obtenir la libération de Werner, je n'en appréhendais pas moins son retour. Même si je ne fréquentais principalement que mes camarades de *Victimes du fascisme*, il n'en demeurait pas moins que je vivais au milieu des antisémites les plus virulents que le monde ait connus et que l'un d'entre eux était le père d'Angela. J'avais souvent entendu Werner évoquer ses idées sur la « force du sang juif ». Que se passerait-il s'il rejetait notre délicieuse petite fille de trois ans ? Il fallait que je fasse quelque chose pour neutraliser les effets de la propagande nazie sur lui, pour m'assurer qu'Angela ait un père plein d'amour et de compassion. Ce fut pourquoi je demandai à un pasteur luthérien de venir baptiser Angela à la maison.

Pourquoi n'avais-je pas voulu faire baptiser Angela à l'église ? Parce que cette perspective me déprimait complètement et que je voulais que cette cérémonie se déroule sans témoins.

Cela se passa un soir de l'été 1947, vers 19 h 30. Dehors, les rues étaient calmes. On entendait les chocs des bateaux contre le quai du canal. Les arbres, qui recommençaient à pousser, emplissaient la nuit d'un parfum de paix. J'étais seule ce soir-là. Gretl se trouvait avec son petit frère à l'orphelinat. Angela, qui souffrait de diphtérie, était soignée dans un hôpital d'enfants à Berlin-Ouest, le seul endroit où l'on pouvait trouver de la pénicilline. J'entendis un léger coup frappé à la porte. La chaîne était mise, et j'ai entrouvert la porte.

— Qui est là ?

Il faisait sombre dans le couloir, je n'y voyais presque rien.

— Qui est là ?

Je vis un homme grand, maigre et hagard avec une barbe grisonnante de plusieurs jours, trop épuisé pour sourire.

— C'est moi, dit-il.

Je le pris dans mes bras, avant de lui préparer un bon bain chaud et de le laisser dormir. « Nous en avons fini avec ce cauchemar, me suis-je dit. Maintenant, enfin, tout ira bien. »

Je le croyais vraiment. Durant quelques jours, nous fûmes heureux. Mais ensuite, lorsque Werner commença à retrouver ses forces, ses repères, et qu'il prit conscience de notre situation, il ne put maîtriser sa colère. Rien ne lui plaisait dans cette nouvelle situation. C'était vrai, il aimait l'appartement. Il disait qu'il semblait tout droit sorti d'un film. Mais le matin, au réveil, c'était la femme de ménage qui lui préparait son petit déjeuner, parce que j'étais partie au travail, et ça, il ne pouvait le supporter. Il voulait que je reste à la maison comme avant, pour le servir, lui faire la cuisine et l'attendre bien gentiment. « Mais je dois travailler. Je suis juge. J'ai des dossiers... » lui disais-je. Angela rentra de l'hôpital. Je l'avais habillée comme une poupée, d'une jolie robe, et noué ses boucles brunes avec des rubans. Elle hésitait à entrer, fixant Werner de ses grands yeux clairs.

— Va embrasser ton papa, lui murmurai-je en me penchant vers elle. Va lui donner un gros bisou.

Elle se réfugia dans ses bras pour se faire câliner, prête à l'aimer et à être aimée. Il la tapota d'un air absent. À ma grande déception, il se moquait éperdument qu'elle ait été baptisée. Il était toujours persuadé que seul le « sang juif » comptait. J'étais complètement désemparée, j'avais le cœur brisé et j'avais honte. Je m'étais trahie moi-même et j'avais enfreint pour rien la volonté de mon père.

Werner n'appréciait pas du tout que je dispose d'un bureau, d'une secrétaire et d'un réceptionniste. Il ne supportait pas de devoir impérativement se faire annoncer avant de pénétrer dans mon bureau. Il ne supportait pas d'attendre pendant que je recevais quelqu'un. Il s'attendait à être traité en héros, mais ses espoirs furent vite déçus. Personne ne le considérait comme un héros. De toute façon, les « héros » de retour étaient bien trop nombreux pour qu'on leur prête attention. Bien sûr, je comprenais sa frustration. Comment aurais-je pu ne pas la comprendre ? Imaginez à quel point ce fut dur pour lui de rentrer, après une défaite, dans un pays à l'économie ruinée, qui n'avait rien à lui proposer et que des gens autrefois méprisés et jetés en prison gouvernaient à présent en imposant un nouveau système.

Le seul travail que l'agence de l'emploi put lui proposer consistait à déblayer les rues et à réparer des conduites d'égouts. Il pensait que, grâce à mes relations, je pourrais lui trouver un emploi de contremaître, comme celui qu'il avait à Arado. Mais de tels emplois étaient réservés aux communistes. Des gens comme tante Paula lui dirent qu'il avait de la chance d'avoir une femme qui travaillait, qui pouvait l'héberger et le nourrir convenablement. Il ne comprenait pas (pas plus que moi, d'ailleurs) que le fait de l'avoir sorti du camp soviétique, alors que tant d'autres n'en sortiraient qu'après une longue captivité, me rendait redevable vis-à-vis de la *Kommandatura*. Je n'imaginais pas alors le prix que j'aurais à payer pour m'acquitter de cette dette.

Il s'attendait à ce que je m'occupe de la maison et du bébé comme autrefois, mais je n'avais pas le temps. Je ne pouvais pas faire son linge, et ça le rendait furieux. Les petites filles heureuses qui couraient dans tous les sens, en criant et en riant, l'irritaient au plus haut point. Il voulait que je renvoie une fois pour toutes Gretl à l'orphelinat :

— Ce n'est pas ma fille ! s'écria-t-il un jour. C'est déjà assez dur comme ça de s'occuper de deux filles ! Et voilà que tu m'en imposes une troisième, et elle n'est même pas à moi !

Un soir, je lui dis d'aller chercher du poisson pour le dîner chez Herr Klessen, le pêcheur généreux. Il a refusé :

— C'est ton boulot, m'a-t-il jeté d'un ton cassant. Ce n'est pas à moi de faire les courses dans cette maison. Mon boulot, c'est de m'installer le soir à table et de manger ce que tu m'as préparé !

— Mais je n'ai pas le temps de faire les courses. Il y a tous ces dossiers...

— Au diable tes foutus dossiers !

— Je t'en prie, Werner...

— Il n'est pas question que j'aille quémander du poisson à un pêcheur socialiste ! C'est le boulot d'une femme !

Il était plein d'énergie, et il n'avait rien à faire. Il était très nerveux, très irrité, mais il n'avait personne contre qui diriger sa colère. Ses vieux amis des usines Arado ne pouvaient rien pour lui. L'usine elle-même n'était plus qu'un tas de ruines. Elle avait été bombardée à de multiples reprises et les Soviétiques avaient raflé tous les équipements encore en état de fonctionner. Des années plus tard, Angela devait retourner là-bas. Elle a demandé à des habitants de Brandenburg où se trouvaient les usines Arado, mais ils n'avaient aucun souvenir d'une telle usine.

Un soir, je rentrai tard du travail, fatiguée, l'esprit encombré des tristes problèmes des Allemandes et de leurs enfants. Werner était fou de colère depuis le matin parce qu'il avait découvert un trou dans sa chaussette, et sa rage contenue m'est tombée dessus comme une bombe :

— Tu ne sais plus coudre, ou quoi ?

— Non, Je... Je sais toujours coudre... Seulement je...

— Seulement, tu es une grande juge aux ordres du régime soviétique et tu n'as pas le temps de t'occuper de ton mari.

— Ça suffit maintenant ! Tu ne comprends pas que si tu as pu rentrer à la maison si rapidement, c'est uniquement parce que j'ai supplié, imploré les Soviétiques, et parce que je travaille pour eux ? Laisse-moi tranquille avec ton trou de chaussette ! Tu es chez toi ! Tu es sain et sauf ! Tu devrais au moins te rendre compte de ta chance !

— Quelle chance ? Celle d'avoir une femme bardée de diplômes qui ne ressemble plus du tout à celle que j'ai connue ?

— Je suis restée la même... Oh, mon Dieu, je t'en prie, mon chéri, essaie de comprendre...

— Non, tu n'es plus la même femme. Ma femme, Grete, était obéissante, elle ! Elle faisait la cuisine, le ménage, le repassage, la couture ! Elle me traitait comme un roi ! Et je veux la retrouver !

Tout ce que j'avais refoulé pendant si longtemps — mes véritables instincts, ma véritable personnalité, mon ressentiment et mon inépuisable colère — est violemment remonté à la surface :

— Eh bien, tu ne la retrouveras jamais ! criai-je. Grete est morte ! C'était une création du nazisme — un mensonge, exactement comme la propagande à la radio ! Et maintenant que les nazis ont disparu, elle a disparu avec eux ! Je suis Edith ! Je suis Edith ! Je suis moi-même ! Tu ne peux plus profiter d'une petite esclave, soumise, apeurée et obéissante comme celles de l'usine de papier de H.C. Bestehorn à Aschersleben ! Maintenant, tu as une vraie femme !

Il me frappa. Je me retrouvai par terre et littéralement vis trente-six chandelles, tant la tête me tournait. Werner sortit. J'avais l'impression que mon cœur allait se briser. Il revint après plusieurs jours. Il avait l'air content de lui. J'ai compris qu'il avait été voir une autre femme. J'ai su plus tard qu'il s'agissait d'Hilde Schlegel. Il avait pris un peu d'argent et s'en est allé. Par la suite, Hilde me dit qu'elle avait attendu en vain son retour. En fait, il était allé chez sa première femme, Élisabeth. Et quelques jours après, il était revenu à la maison.

— La petite Bärbl va venir passer quelque temps ici.

— Quoi ?

— Ramène Gretl à l'orphelinat. Je veux que Bärbl reste ici. Élisabeth a besoin de repos.

— Non, il n'en est pas question. Je ne mettrai pas Gretl à la porte. Bärbl a une mère, et Gretl n'en a pas.

— Je suis ton mari. Tu feras ce que je dis.

— Je ne vais pas assumer la garde de Bärbl pour que tu puisses reprendre tranquillement ton idylle avec Élisabeth. Non, ne compte pas sur moi ! J'adore Bärbl et j'adorerais la revoir. Mais ça, ce n'est pas juste. C'est malsain.

— Je n'aime pas ce que tu es devenue, dit-il. Je t'aimais comme tu étais avant. Je voudrais que tu écrives à tes riches cousins à Londres pour leur demander de m'envoyer quelques tubes de peinture...

— Mes riches cousins ? Es-tu devenu fou ? Ma famille a été dépouillée de tout de qu'elle possédait ! Mes sœurs n'ont plus rien ! Et toi, tu as dix mille Reichsmarks !

— Oh, ça. Je les ai jetés quand ce Soviétique m'a fait prisonnier, car je ne voulais pas qu'il me prenne pour un capitaliste...

Je ne sus pas quoi répondre à ça. J'aurais probablement dû rire, mais j'étais trop malheureuse. Il me dit qu'il voulait divorcer et que le plus vite serait le mieux.

— Tu retournes chez Élisabeth ?

— Bien entendu. Je dois m'occuper de ma petite Bärbl, moi !

Je pleurai sans pouvoir m'arrêter lorsque je compris que je l'avais perdu à tout jamais. J'eus alors le sentiment que je resterais seule toute ma vie. Et je devais pleurer jusqu'à ce qu'un jour, un incident me fasse revenir à la raison.

Angela avait été vilaine — elle avait jeté un jouet, élevé la voix — et je l'avais réprimandée :

— Cesse immédiatement de faire l'imbécile ou tu seras punie !

— Si tu me punis, dit-elle, je le dirai à papa et il te frappera et te fera pleurer.

Je décidai immédiatement d'accepter le divorce.

Une de mes collègues s'en occupa. Werner me demanda d'accélérer la procédure. Il s'était à présent installé à l'Ouest avec Élisabeth. Il voulait que je mente en affirmant que, s'il avait divorcé la première fois, c'était uniquement « pour me sauver », qu'il ne m'avait jamais fait la cour à Munich, ni aimée une seule seconde, que notre mariage n'était qu'une comédie antinazie. On appelait ce genre d'arguments *Persilschein*, en référence au slogan « Persil lave plus blanc » d'une célèbre marque de lessive. Tous les nazis voulaient un *Persilschein* après la guerre. Werner pensait qu'avec un tel document il pourrait s'insinuer dans les bonnes grâces de certaines organisations qui leur donneraient, à lui et à Élisabeth, de l'argent, du boulot, des tubes de peinture, un logement. C'était toujours la même histoire.

Je demandai à mes collègues d'avancer tous les arguments nécessaires afin que la procédure de divorce fût aussi rapide que l'éclair.

En fait, il en fut de même du second mariage de Werner avec Élisabeth. Pfft... ! Oublié. C'était Werner.

13

J'AI ENTENDU RIRE
LE MONSTRE GOEBBELS

À ce moment-là, les procès de Nuremberg venaient juste de s'achever pour laisser place à ceux des nazis de moindre importance. On avait besoin de juges. Les Soviétiques me choisirent, mais je ne voulais pas être impliquée dans cette histoire.

— Qui pourra croire à l'équité de mes jugements ? leur déclarai-je. Tout le monde dira : elle est juive, elle ne cherche qu'à se venger. Et il est vrai que je ne vais certainement pas remuer ciel et terre pour les sauver. Je ne peux pas être impartiale. Je ne suis pas qualifiée pour ce travail.

Pour moi, il était essentiel que mon intégrité ne fût jamais mise en doute, parce que, voyez-vous, en deux ans, personne n'avait jamais fait appel d'une seule de mes décisions. Je ne voulais à aucun prix perdre la confiance et le respect que l'on me témoignait.

Les officiers soviétiques ne l'entendaient pas de cette oreille. Je me rendis à Potsdam pour défendre ma cause auprès du conseiller du ministère de la Justice, le Dr. Hoenniger. Il reconnut le bien-fondé de ma position et me dit qu'il allait plaider ma cause auprès de l'Armée rouge. Mais je reçus quand même l'ordre de me mettre au travail. Je retournai voir Hoenniger. Cette fois, il me mit à la porte.

J'allai voir le ministre de l'Intérieur et je dus attendre pendant des heures avant qu'il daigne me recevoir. Il ne comprit pas mes réticences : « Mais, puisque vous tenez tellement à être récusée, dit-il, je vais vous aider. » On me notifia que je n'aurais pas à juger les nazis, mais on m'informa par la suite que je ne pourrais plus exercer la profession de juge. À l'avenir, je pourrais seulement être procureur.

Mon sentiment de sécurité commença à se désagréger. Je sentais la présence d'un inconnu dans l'obscurité du couloir. Lorsque je rentrais chez moi, le soir, je n'étais pas absolument sûre de trouver l'appartement en ordre. J'eus l'impression que les lettres que m'envoyaient Hansi et Jultschi avaient été ouvertes.

Les Soviétiques me convoquèrent.

Ils me posèrent des questions sur ma vie, sur ma famille et sur mes amis. Ils me demandèrent de consigner par écrit les noms et adresses de toutes les personnes avec qui je correspondais. Ils me laissèrent partir. Puis, ils me convoquèrent à nouveau pour me poser d'autres questions, dont manifestement ils connaissaient les réponses. Quelque chose dans leur attitude me rappelait l'officier de l'état civil : « *Mais, Fräulein, qu'en est-il de votre grand-mère maternelle ?* »

Mon sang se glaça, une vieille sensation, bien trop familière.

— Nous vous avons aidée, dit le commandant. Maintenant, c'est à votre tour de nous aider.

— Mais comment ?

— Nous avons constaté que les gens ont confiance en vous et qu'ils vous confient facilement leurs secrets. Tout ce que nous voulons, c'est que vous nous rapportiez ce qu'ils vous disent.

Ils voulaient que j'espionne mes collègues, que j'espionne Agnès et son mari, la concierge, la secrétaire et

Klessen, les avocats et les plaideurs, que j'espionne tous ceux que je connaissais. Ils me donnèrent un numéro de téléphone où je pourrais toujours les joindre. « Nous souhaitons avoir de vos nouvelles au plus vite », dit le commandant.

La vieille terreur me submergea à nouveau. Mes genoux se mirent à trembler. Ma voix se fit de plus en plus inaudible. Je marmonnai. Le regard absent, je feignis de ne pas comprendre. Je n'ai pas dit oui, je n'ai pas dit non. Je cherchais à gagner du temps, dans l'espoir qu'ils m'oublient. Mais il s'agissait du N.K.V.D., la police secrète. Ils n'oubliaient jamais personne. Ils avaient leurs méthodes. Des gens disparaissaient. Il y avait des rumeurs de passages à tabac, de torture. Ils pouvaient vous priver de votre emploi, de votre appartement, vous enlever vos enfants.

Ils m'interrogèrent à nouveau.

Je ne pouvais plus dormir. Je sursautais à chaque bruit dans le couloir. Je commençai à soupçonner mes amis. Après tout, si les Soviétiques m'avaient demandé de les surveiller, peut-être leur avaient-ils demandé la même chose.

Ulrich me dit de ne pas trop m'inquiéter.

— Tu n'as qu'à leur raconter ce que tu veux.

— Oui, mais je ne sais pas ce qu'ils vont faire de mes déclarations.

Il haussa les épaules. Je suppose que tout cela ne prêtait pas vraiment à conséquence. Mais pour moi, voyez-vous, pour moi, c'était encore et toujours *le même problème*.

— Nous n'avons pas eu de vos nouvelles, Frau Vetter, dit le commandant.

— Euh... oui... oui, je devais vous rappeler à ce numéro... (Je me suis mise à fouiller dans mon sac.) Je me demande si je l'ai encore...

Avais-je vraiment cru pouvoir le convaincre que j'avais égaré son numéro de la même manière que j'avais « égaré » l'insigne nazi de la Croix-Rouge ?

— Ce numéro se trouve sur votre bureau, me dit-il avec un sourire.

— Ah, oui, dans mon cabinet de consultation.

— Non, non, pas celui-là. Il se trouve sur le bureau d'époque aux pieds en forme de griffes de lion, le bureau de votre appartement.

Je crus entendre rire le monstre Goebbels.

Une jeune amie qui avait raté le dernier train pour rentrer chez elle arriva à l'improviste chez moi pour y passer la nuit. Lorsqu'elle frappa à la porte, une sueur froide couvrit mon corps. Au moment d'ouvrir, je crus que j'allais mourir de peur. Des souvenirs terribles remontèrent à ma mémoire : la peur de l'arrestation, des interrogatoires, de la mort.

— Tu es un messager du ciel, dis-je à cette fille en guise de bienvenue.

Elle ne comprit pas mes paroles. Je voulais signifier ainsi que je ne pourrais jamais plus vivre dans un système fondé sur la délation, l'intimidation et la tyrannie. Je savais que je devais partir.

Je confiai à certaines personnes — dont je savais qu'elles le répéteraient au commandant — que je voulais me rendre en Angleterre pendant deux semaines pour voir ma sœur. Ensuite, je me rendis à Berlin à la Maison du Yorkshire pour m'informer du meilleur moyen d'obtenir un visa. Là, un Anglais pur jus, avec une grande moustache et un énorme porte-documents, me dit que la meilleure solution consistait à louer une chambre à Berlin-Ouest et à faire là-bas ma demande de passeport.

J'allai ensuite au siège de la communauté juive. Là, je rencontrai un homme qui me proposa une chambre à louer. Je lui dis qu'en réalité, la seule chose dont j'avais besoin était une adresse qui me permettrait d'obtenir un *Ausweis*, une carte de résident.

Au poste de police, j'attendis pendant un long moment. Finalement, un officier vint et me proposa de la nourriture. Je lui dis que j'avais seulement besoin d'un permis pour aller voir ma sœur en Angleterre.

Il faut que vous sachiez qu'à cette époque Berlin était soumis à un blocus. Il était impossible d'obtenir un permis de circuler. Mais ce policier m'en donna un, puis il me souhaita bon voyage.

Il me fallut des mois pour rassembler tous les documents nécessaires — passeport, visas, autorisations diverses. Durant tout ce temps, je travaillais au tribunal comme si j'allais y rester toute ma vie. Tous les dix jours, environ, je me rendais en secteur britannique pour retirer des documents et payer mon loyer. Je savais qu'un jour je devrais me séparer de Gretl, mais je ne voulais pas le faire au dernier moment car cela aurait pu révéler mon départ imminent. Aussi, un jour, en faisant tout pour ne pas éveiller les soupçons, je rassemblais mon courage et je ramenais Gretl à l'orphelinat. Je commençais par lui raconter des mensonges en lui disant que l'on se reverrait très bientôt.

Elle se boucha les oreilles avec ses mains en criant « Non ! »

Je l'embrassai. Ce fut mon erreur. Je n'aurais jamais dû faire cela. Elle se mit à pleurer, et moi aussi.

Au moment où je la quittai, elle cria : « Tatie ! Tatie ! » La dame qui l'avait prise en charge eut du mal à la retenir. Je m'enfuis.

C'était le prix à payer pour que je puisse quitter l'Allemagne : tourner le dos à cette enfant qui hurlait. Le baron de Rothschild, qui dut abandonner aux nazis ses usines sidérurgiques et ses palais pour pouvoir sortir d'Autriche, n'avait pas payé un prix plus élevé.

Durant les longues tractations clandestines qui précédèrent mon départ, j'eus souvent à faire la queue pendant des heures avec Angela. Même si elle était particulièrement mûre pour une petite fille — une véritable enfant de la guerre, qui ne se plaignait jamais —, elle devenait parfois agitée et irritable si l'attente se prolongeait trop. Elle pleurnichait ou faisait des histoires. En outre, pousser son landau à travers les rues dévastées m'épuisait complètement.

Un jour, j'essayais de me frayer un chemin à travers les décombres, quand un soldat soviétique vint m'aider.

— Votre fille me rappelle ma nièce, dit-il.

— Oh, alors votre nièce doit être adorable.

— Elle est morte. Les SS sont arrivés dans notre ville, et se sont mis à pourchasser tous les Juifs. Et puis, quand ils ont trouvé ma sœur et mon beau-frère, ils les ont tués sur-le-champ et ont jeté leur petite fille par la fenêtre.

La journée touchait à sa fin. Le soleil allait se coucher comme d'habitude. Devant le récit d'événements aussi monstrueux et incompréhensibles, le soleil aurait dû tout simplement cesser de briller. Mais il continua de rayonner comme si de rien n'était, indifférent aux sanglots des enfants.

— Votre allemand est excellent, dis-je. Je n'aurais jamais pensé que vous étiez juif.

Il se mit à rire.

— En ce qui me concerne, j'ai compris que vous étiez juive dès que je vous ai vue.

Une affirmation étonnante, ne trouvez-vous pas ? Des années durant, les Allemands avaient été incapables, à mon apparence, de déterminer si j'étais juive. L'officier de l'état civil m'avait longuement dévisagée, il avait minutieusement scruté mon passé, mais il n'avait pu en tirer aucune conclusion. Et voilà qu'un inconnu, un étranger, devinait immédiatement mes origines.

— Je voudrais passer du côté ouest de la ville pour voir les membres de ma famille qui sont encore en vie. Mais il m'est très difficile d'aller au bureau des visas, parce que j'ai ma petite fille avec moi et qu'il m'est impossible de faire la queue pendant des heures avec elle.

— Laissez-la-moi, dit-il. Dites-moi quand vous voulez revenir ici, où vous souhaitez me donner rendez-vous, et je garderai la petite avec moi jusqu'à ce que vous ayez obtenu votre visa.

Une proposition extraordinaire, et il est tout aussi extraordinaire que je l'aie acceptée. Je revins la semaine suivante à Berlin, où je retrouvai mon soldat russe. Je lui confiais ma fille adorée pour toute la journée, et je ne pensais pas une seconde qu'il pourrait la violer, l'enlever, la vendre ou lui causer un tort quelconque. Pourquoi avais-je eu tellement confiance en lui ? Parce qu'il était juif et qu'il était pour moi impensable qu'un Juif puisse s'en prendre à mon bébé.

Voyez-vous, dans ma vie, même aux moments de profonde détresse, quelque chose vient toujours me rappeler que le peuple juif sera toujours mon peuple et que je lui appartiendrai toujours : une chanson yiddish à Hanoukka, la prière d'un rabbin anglais à la radio, des gestes de gentillesse à bord d'un train ou dans la rue.

Pourquoi m'a-t-il fallu tant de temps pour envisager de quitter Brandenburg ? Comment ai-je pu rêver, ne serait-ce qu'un instant, de faire ma vie en Allemagne ? La réponse est simple : il m'était impossible d'imaginer une vie normale ailleurs.

Je ne pouvais pas obtenir de visa pour la Palestine, même si Mimi avait souhaité que je vienne là-bas, ce qui n'était pas le cas. Je ne pouvais pas revenir à Vienne. Retourner vivre dans la ville qui avait anéanti toute ma famille ? Jamais ! À Brandenburg, je parlais la langue du pays et je pouvais subvenir aux besoins de ma fille. Sous le régime communiste, j'avais une place au soleil, un bon travail, un bel appartement et des amis qui avaient connu un destin semblable au mien. Comment aurais-je pu, après avoir vécu cette existence de terreur, de clandestinité, de faim et de fuite, avoir encore le désir d'affronter, seule avec un enfant, un monde inconnu et terrifiant ? Être à nouveau perdue, sans savoir où aller, sans maison, sans mari, sans famille ?

En fermant la porte de cet appartement derrière moi, me vinrent des larmes d'amertume et de deuil. Je pleurais les moments de paix, de créativité et de sécurité dont j'avais si brièvement profité.

Je quittai Brandenburg un dimanche de novembre 1948. Je n'avais révélé à personne mes intentions afin que nul ne soit accusé de complicité, et j'avais suffisamment d'argent sur mon compte en banque pour régler les factures impayées. Sur ma table de cuisine, j'avais laissé une miche de pain pour faire croire aux Soviétiques que j'allais revenir.

Angela et moi, nous prîmes le chemin de la gare et puis... Je perdis courage et je décidai de rentrer à la maison.

Le lundi matin, je téléphonai au mari d'Agnès pour

lui demander de nous emmener à Potsdam, où l'on pouvait prendre le métro et éviter ainsi le train et une possible descente des fonctionnaires de l'Armée rouge. Je devais rester deux semaines dans une famille juive au 33 de la *Wielandstrasse* à Charlottenburg près de Berlin, à attendre la fin d'une grève de la compagnie aérienne britannique. Un ami qui arrivait de Brandenburg me dit que mon appartement avait été mis sous scellés par la police. Je suppose qu'ils avaient compris que je ne reviendrais pas.

La grève prit fin, et je pus enfin utiliser le billet que Hansi et son mari, Richard, m'avaient envoyé. Cette dure épreuve s'achevait.

À l'aéroport de Northolt, quand je vis ma sœur Hansi, quand je vis ses larmes de joie et ses cris de bienvenue, mélangeant mes larmes aux siennes alors que je la serrai dans mes bras — ma petite sœur soldat —, je compris qu'Edith Hahn était finalement redevenue elle-même. L'océan de terreur refluait loin de moi. Je respirais l'air de la liberté. Ma fausse identité n'était plus qu'une page d'histoire.

Je vis aussi, dans le regard de ma sœur, le reflet de mon propre deuil, enfoui durant des années sous des rêveries illusoires. Il fallait faire face à la réalité atroce. Notre mère, Klothilde Hahn, avait été assassinée après avoir été déportée au ghetto de Minsk au cours de l'été 1942. Elle m'était apparue dans des miroirs, souriante et me prodiguant des encouragements, à d'autres moments assise à mon chevet, pour me réconforter avec des souvenirs heureux dans les pires circonstances, ou encore veillant sur moi, le jour où un policier était venu frapper à ma porte et où j'avais bien cru que ma dernière heure était arrivée. N'était-ce pas maman qui s'adressait à moi à travers cette froide statue de marbre pour m'indiquer la bonne direction ? Mon ange, mon phare, était partie pour toujours, alors que ma petite fille et moi, grâce à une incroyable chance et à l'intervention de quelques personnes honnêtes, avions été sauvées.

14

LE DERNIER COLIS DE PEPI

A Brandenburg, j'étais une magistrate respectée, une femme de la classe moyenne dotée d'un bon salaire et d'un logement décent. Je débarquais en Angleterre comme une misérable réfugiée avec pour seul bagage un porte-documents contenant des sous-vêtements de rechange. J'avais un visa valable deux mois, pas de permis de travail et je parlais très mal l'anglais. Dans les années qui suivirent, je devais travailler à la Sécurité sociale comme domestique, cuisinière et couturière. Jamais plus je ne devais exercer de profession juridique.

En 1957, j'épousai Fred Beer, Juif viennois lui aussi.

Sa mère avait été assassinée durant la Shoah. Nous n'avons évoqué nos tragédies respectives qu'une seule et unique fois durant les trente années de notre union. Nous avons laissé le passé dériver comme une épave, dans l'espoir qu'il finirait par sombrer dans l'oubli. On me dit qu'en cela, nous avons réagi comme tous les survivants de terribles catastrophes.

Fred est mort en 1984, et je suis allée m'installer en Israël en 1987, pour vivre enfin au milieu du peuple juif, dans son propre pays. Et, même si je suis ici entourée par des gens issus de cultures très différentes de la mienne, j'éprouve un sentiment d'étroite parenté avec eux. Je me sens bien ici. C'est chez moi.

J'ai essayé de rester en contact avec ceux qui avaient été si proches de moi au cours de ma dure expérience de *U-boat*. Quand *Frau Doktor*, Maria Niederall, est tombée malade après avoir été expulsée de son magasin, j'ai mis de côté l'équivalent de deux semaines de salaire pour lui envoyer une belle liseuse. Au moins, cela lui a-t-il apporté un peu de bonheur. Elle avait toujours aimé les articles féminins de luxe. Mais cela ne lui a pas redonné la santé. Elle est morte trop jeune, tout comme bon nombre de gens qui auraient pu la pleurer.

Dans un roman, Simon Wiesenthal, le célèbre chasseur de nazis, fait dire à l'un des personnages : « Nous ne devons jamais oublier ceux qui nous ont aidés... », et c'est pourquoi j'ai écrit à l'auteur pour lui raconter l'histoire de Christl Denner Beran, mon amie bien-aimée, aujourd'hui disparue. Elle a été décorée par l'État d'Israël de la médaille des Justes parmi les nations pour son héroïsme et son extraordinaire courage. Un arbre fut planté en son nom, ici, en Israël, à l'institut Yad-Vashem, le mémorial de l'Holocauste — le plus grand honneur accordé par notre pays à un non-Juif.

En Angleterre, j'avais pris l'habitude d'envoyer à Angela des cartes d'anniversaire de membres de la famille qui avaient été exterminés afin qu'elle ait le sentiment d'avoir une grande famille pleine de tendresse pour elle. Elle recevait toujours une carte de tante Klothilde.

Je suis restée en contact avec Bärbl et sa famille. Et j'ai essayé de faire en sorte que l'extraordinaire personnalité de Werner Vetter soit d'une certaine manière présente dans notre vie.

« Ton père aurait pu peindre ce mur... Ton père aurait réussi à faire avaler ce mensonge à ton professeur... Ton père aurait pu réparer le vélo... »

J'ai dit à Angela que Werner et moi nous étions vraiment aimés et que, si nous étions séparés, c'est uniquement parce que il n'avait pu trouver de travail en Angleterre. Je ne lui ai appris notre divorce qu'à l'orée de son adolescence. En fait, je me suis arrangée pour qu'elle le voie à plusieurs reprises, afin qu'elle connaisse cet homme que j'avais tellement voulu aimer et que, malgré tout ce qui a pu se passer, je respecterai toujours.

Pour quelles raisons ai-je entouré ma fille de tous ces mensonges agréables et apaisants ? Parce que je ne voulais pas qu'elle se sente seule. Tout comme ma mère se privait pour moi — elle m'envoyait des gâteaux alors qu'elle avait faim, des gants alors qu'elle avait froid — j'ai voulu offrir à Angela ce que j'avais perdu — une famille, un lieu de vie sûr, une vie normale.

En fait, j'aurais très bien pu garder pour moi cette histoire, mais Pepi Rosenfeld, avec un courage insensé, totalement étranger à son caractère, avait conservé toutes les lettres et toutes les photos que je lui avais envoyées, alors que je lui avais demandé de les brûler.

Ces lettres auraient pu nous tuer, nous tous.

Lorsque nous nous sommes retrouvés, des années plus tard à Vienne, il m'a présenté sa femme et je lui ai présenté mon mari. Il m'a alors dit avec son sourire timide : « Qu'en penses-tu, ma chère Edith ? Faut-il que je fasse don de ces lettres aux Archives nationales autrichiennes ? » Je crois que j'ai dû m'écrier, saisie d'horreur : « Oui, je reconnais bien là ton style ! » Il a ri. Des décennies sont passées, et les petites facéties de cet homme me ravissent toujours autant.

En 1977, peu avant sa mort, Pepi m'a fait parvenir son dernier colis. Il contenait toutes les lettres que je lui avais envoyées des camps de travail et de Brandenburg, à l'époque où je menais l'existence d'un *U-boat* sous l'empire nazi.

Et ma fille, Angela, les a lues, dans son désir irrépressible de connaître enfin toute la vérité.

Table des Matières

Impression réalisée sur CAMERON par

BUSSIÈRE CAMEDAN IMPRIMERIES

GROUPE CPI

à Saint-Amand-Montrond (Cher)
pour le compte des Éditions France Loisirs
en juin 2001

N° d'édition : 35288. — N° d'impression : 013046/4.
Dépôt légal : juillet 2001.

Imprimé en France